マンキュー
マクロ経済学 II
[第5版]
応用篇

N・グレゴリー・
マンキュー [著]

足立英之
＋
地主敏樹
＋
中谷　武
＋
柳川　隆
[訳]

東洋経済新報社

Original Title
MACROECONOMICS, eleventh edition
by N. Gregory Mankiw

First published in the United States
by
WORTH PUBLISHERS

Copyright © 2022, 2019, 2016 and 2013 by WORTH PUBLISHERS
All rights reserved.

Japanese translation published by arrangement with
Bedford, Freeman and Worth Publishing Group, LLC
through The English Agency (Japan) Ltd.

デボラへ

政治や社会生活に関する諸法則のうちで，科学の端緒となるに十分なほど精査され体系化された事実や考察の集積が存在する分野は，専門的に教えられるべきである．そうした分野の筆頭にあげられるべきは政治経済学，すなわち人間社会の総体としての富や物質的繁栄のための根源や条件に関する学である……．

　論理学を低く評価するのと同じ人々が政治経済学についても同じ警告を発するであろう．政治経済学は非情であると彼らはいうであろう．確かに政治経済学は不愉快な事実を認める学問である．しかし私からみれば，最も非情なものは重力の法則である．どんなにすばらしい人であっても，ほんの一瞬重力の法則を無視すれば，あっさりと首を折られて死んでしまうからである．風や波でさえ，非情ではないか．しかし航海に旅立とうという人に対して，あなた方は風浪そのものを否定しなさいというであろうか．風浪を利用するようにし，風浪の引き起こす危険に対しては注意するように忠告するのではないだろうか．政治経済学の分野の偉大な著作を学び，それらのなかで真実であると思える内容に従い続けることを，あなた方に薦めたい．あなた方がもともと利己的であるか，すでに非情になっていないかぎり，政治経済学があなた方をそのような人間に変えることはないであろう．

ジョン・スチュアート・ミル　1867年

まえがき

❀

　経済学者は,「数学者, 歴史家, 政治家, 哲学者といった才能を, ある程度ずつ持っていなければならない. ……芸術家と同じくらい独立不羈であらねばならない一方で, ときにはほとんど政治家のようにもならねばならない」. このように指摘したのは, イギリスの偉大な経済学者であったケインズ（John Maynard Keynes）である. 彼は, マクロ経済学の父と呼ぶべき研究者であった. 経済学者であるとはどういうことかを, これほど的確に要約した文章はない.

　ケインズが示唆するように, 経済学を学ぶ学生は多様な相異なる才能を利用しなければならない. 学生がそうした才能を発展させるのを助けるのは, 教師と教科書の著者の使命である. この教科書を書くにあたって, 私の目標は, マクロ経済学を理解しやすく, 現実的で, かつ（信じないかもしれないが）興味深いものにすることであった. マクロ経済学者は, この分野に引き込まれたからこそ, この職業を選んだのである. さらに重要なこととして, マクロ経済学を学ぶことで現実の世界の理解を進めることができるし, 学んだ教訓によって――それが適切に使用されれば――この世界をよりよいものにできるとわれわれは信じている. 本書がわれわれマクロ経済学者の知恵だけではなく, その熱意と使命感をも伝えることができればと願っている.

本書のアプローチ

　マクロ経済学者たちは, 共通の知識体系を保有しているにもかかわらず, その知識をどう教えるのが最善かについては, 共通の見方をしているとはいえない. この新版のはじめに, 私の4つの目標を再録することで, 本書のマクロ経済学に対するアプローチを明らかにしておきたい.

　第1に, 短期分析と長期分析の内容のバランスを回復させようと試みた.

公共政策や他の出来事の経済に対する影響がさまざまなタイムスパンにまたがっていることは，すべての経済学者が認めている．われわれは，自世代の「短期」のなかに暮らしているが，親たちが遺してくれた「長期」のなかに生きてもいるのである．したがって，マクロ経済学の講義は，景気循環や安定化政策といった短期のトピックスだけではなく，経済成長，自然失業率，持続的インフレーション，国債の影響といった長期分析のトピックスもカバーしなければならない．片方の時間的視野のみで十分というわけにはいかないのである．

第2に，ケインジアン経済学と古典派経済学双方の主張を統合しようと試みた．ケインズの『一般理論』が経済変動に対するわれわれの理解の基礎となっているものの，古典派経済学も多くの問題に対する正しい答えを提供している．本書において私は，ケインズ以前の古典派経済学者の貢献と最近数十年間の新しい古典派経済学者たちの研究成果を取り入れた．たとえば，貸付資金説による利子率決定，貨幣数量説，および時間非整合性の問題などに多くのページを割いている．しかしながら，同時に，経済変動を理解するには，ケインズや新しいケインジアンのアイディアも必要である．したがって，総需要サイドの *IS-LM* モデル，インフレーションと失業との短期的トレードオフ，景気変動のダイナミクスに関する最近の諸仮説などにも，十分なページを割いた．

第3に，数多くの単純なモデルを用いて，マクロ経済学を提示するように試みた．経済の全側面を説明できる1つの完全なモデルがあるかのように書くのではなく，重要な諸モデルを使いこなせるように学ぶことを勧めた．このアプローチは教育上の利点も持っている．それぞれのモデルをシンプルなものに保つことができるので，1〜2章で各モデルを説明することが可能となった．さらに重要なメリットは，学生に経済学者のように考えることを促す効果である．経済学者は，経済現象や公共政策を分析するにあたって，つねにいろいろなモデルを頭のなかに持っているものなのである．

第4に，マクロ経済学が実証的な学問であること，広範な経験によって動機づけられかつ導かれていることを強調した．本書には多くのケース・スタディが掲載されており，マクロ経済学を適用して現実世界のデータや出来事を理解できるようになっている．理論が広範に適用できることを示すために，

ケース・スタディは，現在の世界経済が直面している問題からも選んだし，劇的な歴史上の出来事からも選んでおいた．また，14世紀ヨーロッパ，ヤップ島，『オズの魔法使い』の世界から，今日のニュースにまで，経済理論を適用する方法を示すケース・スタディもある．

原著第11版の変更点

しだいに多くの教師や学生が，本書のデジタル版を使うようになってきている．対応して，この版の改訂において，デジタル版を改善することが，私の目標となった．デジタル版を使うと，3つの大きな変更点に気づくだろう．

▶オンライン独自の新しい章末問題

本書のデジタル版専用に，新たな章末問題を数十問作成した．分析的な問題では，諸モデルにおいて曲線のシフトを練習させて，結果を解釈させる．計算的な問題では，具体的なパラメーター値を設定した諸モデルを提示して，均衡点を計算させる．データを扱う問題もある．アメリカ経済を描写するデータに関する設問に対して，学生に必要なデータをFederal Reserve Economic Data（FRED）から取得させて答えさせる．

▶ステップバイステップのグラフ

この新しい教材は，教師の実際の指導法を反映したものである．グラフ化のプロセスを各要素に分解することで，諸曲線がシフトして互いにどのように関連するのかについて理解がしやすくなる．デジタル版に含まれているだけでなく，講義のスライドとしても提供されている．

▶EconoFact メモ（練習問題つき）

2017年以来，有名な経済学者たちは協力して EconoFact を作成してきた．「経済・社会政策に関する国全体の論争に対して，重要な事実と洞察を含む分析を提供するための，中立的な刊行物」だと，彼らは説明している．デジタル版の多くの章では，短い EconoFact メモへのリンクと，学生諸君に自分たちの学んだことを試して適用させる評価問題が，章末に配置されている．

オンラインの教材に関するより詳しい情報は，本書の「学生と指導者のた

めのデジタル・リソース（ワース出版提供，英語版のみ）」をみてほしい.

印刷版とデジタル版に共通する，重要な改善点とアップデートを導入した.

▶第Ⅰ巻第3章には，所得分配の不平等を詳しく取り扱う，新しい補論「富裕層と貧困層の格差の拡大」を加えた.

▶第Ⅰ巻第6章には，トランプ大統領の貿易政策に関する，新しいケース・スタディ「トランプの経済的帰結」を加えた.

▶第Ⅰ巻第7章には，新型コロナ不況の時期の失業保険制度に関する，新しいケース・スタディ「2020年の大閉鎖（the Great Shutdown）における失業保険」を加えた.

▶長期的な経済成長に関する内容は，再編・拡張されて，2つの章から3つの章になった（第Ⅱ巻第1章，第2章，第3章）. 関連する諸トピックスをより近くに配置するとともに，このテーマに関して，学生に親しみやすいイントロダクションを加えた.

▶第Ⅱ巻第3章には，インドと中国における資本と労働の配置ミスに関する，新しいケース・スタディ「インドと中国におけるミスアロケーション（不適正な配分）」を加えた.

▶第Ⅰ巻第8章には，2020年の新型コロナ不況に関する，新しい節「8-6節　2020年の新型コロナ不況」を加えた.

もちろん，すべてのデータは，可能な限り最新のものに更新した.

これらの変更にもかかわらず，私の目標は，以前の版と変わっていない. 最も明快で，最新の内容で，誰にでもとりかかりやすいマクロ経済学のテキストを，可能な限り最少の字数で提供することである.

トピックスの並べ方

マクロ経済学を教えるにあたっての私の戦略は，はじめに価格が伸縮的な長期を考察し，その後で価格が硬直的な短期を考察するというものである. このアプローチにはいくつかの利点がある. 第1に，古典派の二分法により，実物の問題と貨幣の問題を分けることができるので，長期の題材のほうが学生にとって理解しやすい. 第2に，短期の経済は長期均衡の周辺を変動して

いるが，学生が短期の変動を勉強するときには長期均衡が理解できている．
第3に，市場清算的なモデルから始めることで，マクロ経済学とミクロ経済
学の間のつながりがより明らかになる．第4に，学生は最初に，あまり意見
が分かれていない題材から学ぶことができる．これらの理由から，長期の古
典派モデルから始めるという戦略を用いることによって，マクロ経済学を教
えることを単純化できる．

それでは戦略から戦術に移ろう．以下は，本書の駆け足での一周旅行であ
る．

英語版の目次

　＊　本書の翻訳にあたっては，原著者の了解を得て，原書を二分冊で刊行
し，章の順序も一部変更した．構成の説明は後掲の「日本語版の構成につい
て」に譲り，ここでは参考までに英語版の目次を掲げておこう．

第1部　イントロダクション
　　第1章　科学としてのマクロ経済学
　　第2章　マクロ経済学のデータ
第2部　古典派理論：長期の経済
　　第3章　国民所得：どこから来てどこへ行くのか
　　第4章　貨幣システム：どのようなものでどのように機能するか
　　第5章　インフレーション：原因と影響と社会的コスト
　　第6章　開放経済
　　第7章　失業と労働市場
第3部　成長理論：超長期の経済
　　第8章　経済成長の源泉としての資本蓄積
　　第9章　人口成長と技術進歩
　　第10章　成長の実証と政策
第4部　景気循環理論：短期の経済
　　第11章　景気変動へのイントロダクション
　　第12章　総需要Ⅰ：*IS-LM*モデルの構築
　　第13章　総需要Ⅱ：*IS-LM*モデルの応用

第14章　開放経済再訪：マンデル＝フレミング・モデルと為替相場制度

第15章　総供給およびインフレーションと失業の短期的トレードオフ

第5部　マクロ経済理論とマクロ経済政策のトピックス

第16章　経済変動の動学モデル

第17章　安定化政策に関する異なる考え方

第18章　政府負債と財政赤字

第19章　金融システム：好機と危機

第20章　消費と投資のミクロ的基礎

終　章　わかっていること，いないこと

代替的な章立て

　中級のマクロ経済学は，教師によって題材の構成に関する嗜好が異なっている．本書を書くにあたってこのことに留意するように心がけたので，本書はある程度の柔軟性を持っている．以下は，教師が題材を再構成する際の例である．

▶短期の経済変動をカバーしたい教師には，第Ⅰ巻の第1章〜第5章で学生に古典派理論の基礎を身に付けさせたのち，第Ⅰ巻の第8，9，10，12章と進んで，総需要と総供給のモデルをカバーすることを薦める．

▶長期の経済成長をカバーしたい教師は，第Ⅰ巻の第3章の後に直ちに，第Ⅱ巻の第1，2，3章をカバーすることができる．

▶開放経済のマクロ経済学を後に回したい（あるいは飛ばしたい）教師は，連続性を失うことなく，第Ⅰ巻の第6章と第11章を後に回すことができる．

▶金融・財政政策を強調したい教師は，第Ⅱ巻の第1章〜第4章を飛ばして，第Ⅱ巻第5章と第6章をもっと早い時点で教えることができる．

▶マクロ経済学のミクロ的基礎付けを強調したい教師は，第Ⅱ巻第8章を早めにカバーすればよい．第Ⅰ巻第3章の後でもかまわない．

　過去の版での数百人の教師の経験から，本書はこうした多様なアプローチが十分可能になっていることが示されている．

学習のための道具

本書の過去の版を学習しやすい本であると学生諸君が評価してくれたことを私は喜んでいる．この第11版は，さらに読み手本位なものとなるように心がけた．

ケース・スタディ：経済学は，現実世界に適用されて初めて活きる学問である．したがって，このテキストの各所に配された多くのケース・スタディは，各章で扱われている理論的内容と組み合わせることで，重要な学習の道具となるはずである．理論が適用されるのをみる前に，その理論を何回も反復学習させられるといったことが生じないように，頻繁にケース・スタディを挿入した．このケース・スタディが学生に最も好まれた部分であった．

コラム：コラムは役に立つ補足的な情報を提供している．難解な概念を説明したり，経済学の分析手法に関する情報を追加したり，経済学がわれわれの日常生活にどう影響しているのかを示したりするために，このコラムを利用した．

グラフ：図を用いた視覚的な分析は，マクロ経済学学習の中心的な要素である．それぞれの図を，できるだけわかりやすいものにしようと試みた．図のなかに頻繁に挿入された吹き出しは，その図が示そうとしている重要なポイントに注意を引きつけたり，説明を加えたりしている．色彩や詳しい表題や吹き出しなどを教育効果に配慮して使用しているので，教材を学び復習するのが容易になっているはずである．

数学注：難しい数学的内容を本文からはずすために，数学注をときどき利用した．議論をより厳密にしたり，数学的な結果の証明を示したりしている．必要な数学的知識のない学生諸君は，飛ばしてもらってもかまわない．

要約：各章には，主要な結論が簡略かつ平易にまとめられている．学生諸君が学習内容の展望を得るときにも，試験前に復習するときにも，この要約は役立つであろう．

キーワード：何を学習するときにも，その分野の用語を習うことは大きな位置を占めるものである．新しい概念が導入されたときには，その章のなかでその概念は色つきの太字で示されている．復習のために，章末には，キーワードのリストが掲示されている．

確認問題：各章末には6問の確認問題がついており，読んだばかりの内容について理解しているかを試すことができる．解答は巻末に掲載されている．

復習問題：学生にはこの復習問題に取り組むことで，各章の基本的な内容の理解度を試してもらいたい．

応用問題：すべての章に，宿題に適した応用問題をつけている．その章で説明された理論を適用する計算問題もある．また，本文の内容に関連する新しい問題を提示することによって，本文の水準を超えるように学生を誘導する問題もある．本書の Achieve 版では応用問題の自動採点が利用できる．Achieve 版は，印刷版にない応用問題や，各章の代表的な問題をステップバイステップで解かせる Work It Out も提供している．

補論：いくつかの章には補論がつけられていて，本文を補足する内容が扱われている．関連するトピックをより深く扱いたいときに利用してほしい．飛ばしてもらっても，本文の内容の理解には差し支えない．

マクロ経済学の基本用語：マクロ経済学の専門用語に慣れてもらうために，各巻末に（300項目強を網羅した）用語集を収録してある．

インターナショナル・エディション

本書の英語版は数十カ国で使用されている．世界各国の学生諸君に読んでもらえるように，さまざまな版が18カ国の言語（アルメニア語，中国語，フランス語，ドイツ語，ギリシャ語，イタリア語，日本語，韓国語，ポルトガル語，スペイン語，トルコ語，ベトナム語など）に翻訳されている．さらに，William Scarth（McMaster University）と Jean-Paul Lam（University of

まえがき　**xiii**

Waterloo）と共著のカナダ・バージョン，Mark Taylor（University of Warwick）と共著のヨーロッパ・バージョンもある．それらの翻訳版の情報は，ワース出版に問い合わせてもらいたい．

謝　辞

　本書の初版を書いて以来，経済学者仲間の多くのレビューアーや同僚のアドバイスから多くを得てきた．第11版ともなると，こうした人たちが多すぎて全員を列挙することはできない．しかしながら，彼らが貴重な時間を割いて私が経済学と本書の教授法を発展させることに手助けしてくれたことへの感謝の気持ちを持ち続けている．彼らのアドバイスで，本書は世界中の何十万人もの学生にとってよりよい教材になった．

　ここでは，この新しい版を作るのに役立つアドバイスを最近してくれた教師たちに言及しておきたい．

Reena Ahuja
Flagler College

Lian An
University of North Florida

Geoffrey Carliner
Boston University

Steven Cassou
Kansas State University

Ryan Chahrour
Boston College

Chi-Young Choi
The University of Texas at Arlington

Jason DeBacker
University of South Carolina

Firat Demir
University of Oklahoma

Ceyhun Elgin
Columbia University

Todd Fitch
University of San Francisco

Bharman Gulati
Colorado State University

Jingxian Hu
Boise State University

Syed Hussain
James Madison University

Samuel Jung
SUNY Cortland

Sherif Khalifa
California State University, Fullerton

Steven Lugauer
University of Kentucky

Shaowen Luo
Virginia Tech

Goncalo Monteiro
Georgia State University

Todd Neumann
University of Arizona

Huaming Peng
Rensselaer Polytechnic Institute

Lodovico Pizzati
University of Southern California

Lioubov Pogorelova
Fashion Institute of Technology

Reza Ramazani
Saint Michael's College

Alice Schoonbroodt
University of Georgia

Fahlino Sjuib
Framingham State University

Liliana Stern
Auburn University

Andre Switala
Tufts University

Pao-Lin Tien
George Washington University

Kiril Tochkov
Texas Christian University

Christian vom Lehn
Brigham Young University

Zeynep Yom
Villanova University

xiv　まえがき

　加えて，ハーバード大学生の Jay Garg と最近イェール大学を卒業した Rohit Goyal には私の文章の見直しや校正を手伝ってくれたことに感謝をしている．各版の原稿は彼らのような優秀な学生の助力によって改善されている．

　ワース出版の方々も，相変わらず息の合った熱心なチームだった．内容管理担当の Catherine Woods 副社長，人文・社会科学および AP ハイスクール担当の Charles Linsmeier 上級副社長，企画ディレクターの Shani Fisher，上級管理企画マネージャーの Simon Glick，販売マネージャーの Clay Bolton，教材ソリューション専門家の Travis Long，メディア編集評価ディレクターの Noel Hohnstine，メディア編集者の Stefani Wallace，アシスタント・マネージャーの Kristyn Brown，上級評価編集者の Joshua Hill，アシスタント編集者の Amanda Gaglione，上級管理編集者の Lisa Kinnee，内容管理強化ディレクターの Tracey Kuehn，上級進捗マネージャーの Paul Rohloff，デザイン内容管理ディレクターの Diana Blume，コピー編集者の Kitty Wilson，試読者の Sharon Tripp，Luminsa Datamatics 社の上級企画マネージャーの Vanavan Jayaraman の諸氏に感謝している．

　他の多くの方々にもお世話になった．最重要なのはフリーランスの編集者である Jane Tufts で，この版でも彼女の魔法を本書に適用してくれた．彼女が最高の仕事をしてくれたと確信している．Alexandra Nickerson は，索引作りに活躍してくれた．Deborah Mankiw は，妻であるとともに家庭内エディターでもあり，今回も新規に書き下ろした部分の最初の読者であり，適切な批評と励ましをくれた．

　最後に，私の 3 人の子どもたち，Catherine，Nicholas，Peter にも礼をいいたい．今回の改訂作業は彼らによって大いに助けられた．快い気分転換を提供してくれたこととともに，教科書というものは次世代のために書かれるのだということを思い起こさせてくれたのである．

　2020年 9 月

　　　　　　　　　　　　　　　　　N・グレゴリー・マンキュー

日本語版の構成について

●

　日本語への翻訳にあたっては原著者の了解を得て，大部になることを避けるために二分冊にするとともに，章の順序をも入れ替えて，全体の構成をかなり変更した．また，原著がアメリカ経済の図表を豊富に掲げているので，日本の学生諸君のために対応する日本経済の図表を掲載するように努めた．

　構成を変更するにあたっては，原著第7版の翻訳での分割方法を踏襲して，

▶第Ⅰ巻が，マンキューが始めた「長期→短期」アプローチを活かし，かつ基本的な内容を完備した入門テキストとなること

▶第Ⅱ巻が，経済成長理論，マクロ経済学のミクロ的基礎や，新しい古典派と新しいケインジアンの諸業績を紹介する，独立した上級テキストになること

▶Ⅰ・Ⅱ各巻がそれぞれに標準的な1学期間の講義分量にあたるようにすること

を考えた．結果として，マンキュー教授の「長期分析から短期分析へ」という基本的戦略は維持しつつも，短期分析の多くと開放経済分析とを必須の内容として第Ⅰ巻に集めた．他方で，上級者向けのトピックスとして第Ⅱ巻には，超長期の経済成長に関する3つの章，ミクロ的基礎とマクロ動学モデルを含むマクロ経済理論の3章，およびマクロ経済政策に関する3つの章を集めることになった．もちろん，最初から第Ⅰ，Ⅱ巻をそろえて，原著の順番に従って学習するのも一法である．以下では，原著者による各章の内容紹介を活かしながら，日本語版の章立てに従って本書の構成の詳しい説明を行う．

第Ⅰ巻 〔入門篇〕

原著（中級テキスト）の基礎的な部分を選んで第Ⅰ巻とし，マンキュー教授の革新的アプローチに従った，1学期間の入門コースの完結したテキストとして使えるように工夫した．導入部は原著と同じように最初に配置し，価格が可変的な長期分析（原著の第2部）を経て，価格が硬直的な短期分析（原著の第4部）へと進めるようにした．結果的には，長期分析を先に扱うマンキュー教授の方針に沿いつつも，伝統的な短期分析のウエイトを多くし，かつ開放経済モデルを重視した形になっている．

第1部　イントロダクション

第1部の導入部分は短くして，学生が中核的なトピックスに早くたどり着くようにした．第1章は，マクロ経済学者が考察対象としている問題について論じ，世界を解明するためにモデルを構築するという経済学者のアプローチを説明している．第2章は，マクロ経済学の諸データを，とくに国内総生産，消費者物価指数，失業率に重点を置きながら紹介している．

第2部　古典派理論：長期の経済

第2部は，諸価格が可変的であるような「長期」を検討する．第3章は，国民所得の古典派モデルを示している．このモデルにおいては，生産要素と生産技術が国民所得を決定し，各生産要素の限界生産力が諸家計間の所得分配を決定する．さらに，このモデルでは財政政策がどのように経済における消費，投資，政府購入間の資源配分に影響を与えるのかも明らかにする．このモデルは，実質利子率が財・サービスの需要と供給を均衡させるメカニズムを，その核心部分としている．

次に，貨幣と価格水準が導入される．第4章では，貨幣システムと金融政策の諸手段を検討する．第5章では，金融政策の効果を論じ始める．諸価格が可変的であると仮定して，古典派貨幣理論の諸アイディアを提示する．具体的には，貨幣数量説，インフレ税，フィッシャー効果やインフレーションの社会的コスト，ハイパーインフレーションのコストと原因である．

開放経済のマクロ経済学の学習は，第6章から始まる．完全雇用の仮定を維持しながら，貿易収支と為替レートを説明する諸モデルをこの章は提示す

る．この章ではさまざまな政策問題が検討される．財政赤字と貿易赤字との関係，保護主義的な貿易政策のマクロ経済への影響，金融政策の外国為替市場における通貨価値への影響などである．

第7章は，労働市場の動学分析と自然失業率について論じることを通じて，完全雇用の仮定を外す．失業の諸原因として，職探し，最低賃金法，労働組合の交渉力，効率賃金などを検討する．失業のパターンに関する重要な諸事実も提供する．

第3部　景気循環理論：短期の経済

第3部は，価格が硬直（粘着）的であるような「短期」を検討する．第8章は，経済活動の短期的変動を特徴付けるいくつかの重要な事実を検討することから始まる．次に，総需要-総供給モデルと安定化政策の役割とを導入する．続く諸章において，ここで導入されたアイディアを進化させていく．

第9章と第10章は，総需要についてより詳しく検討する．第9章は，ケインジアンの交差図と流動性選好理論を提示し，それらのモデルをパーツとして用いて，*IS-LM* モデルを構築する．第10章は，*IS-LM* モデルを使って，経済変動と総需要曲線を説明する．大恐慌に関する詳細なケース・スタディで締めくくろう．

短期の経済変動の学習は，開放経済における総需要をテーマとする第11章に引き継がれる．マンデル＝フレミング・モデルを提示して，変動相場制と固定相場制の下での金融・財政政策の効果を明らかにする．変動相場制と固定相場制のどちらが望ましいかに関する論争についても論じる．

第12章は，総供給について詳しくみる．短期の総供給関数を説明する諸アプローチを検討し，インフレーションと失業との間の短期的なトレードオフについて論じる．

第Ⅱ巻　〔応用篇〕

第Ⅱ巻は，学界における最近の研究成果を紹介した上級テキストとなった．この巻は2部構成で，第1部において長期分析の延長線上にある経済成長に3つの章をあてた後，第2部ではマクロ経済理論とマクロ経済政策に5つの章をあてる．第Ⅰ巻で提示された基本諸モデルを補完したり，より深く掘り

下げたりするトピックスである．第Ⅰ巻に入れるべきかどうか最後まで迷った章もあり，マクロ経済学をきちんと学びたい学生諸君は是非とも第Ⅱ巻に進んでもらいたい．また，他のテキストで入門レベルの学習を終えた諸君にも，新しい古典派と新しいケインジアンの研究内容を学習するための独立した上級テキストとして，本書を手に取ってもらいたい．

第1部　成長理論：超長期の経済

第1部は，現代の成長理論の分析道具を詳しく説明することにより，古典派の経済分析を動学化する．第1章では，資本蓄積を重視しながら，基本的なソローの成長モデルを紹介する．第2章では，人口成長と技術進歩をソロー・モデルに導入する．ここで，新しい内生的成長のモデルも簡単に概観する．第3章は，理論から離れて実証に移って，世界中の成長の経験を議論する．最後に，生活水準の高さと成長に長期的な影響を与える公共政策という，最重要なトピックスを議論する．

第2部　マクロ経済理論とマクロ経済政策のトピックス

学生諸君は標準的な諸モデルをすでに習得済みなので，ここではマクロ経済理論と経済政策を深掘りするために，取捨選択可能な諸章を提供する．

第4章は，総需要と総供給の動学モデルを展開する．学生がこれまでに習った考え方を基礎として，それらの考え方から短期の経済活動に関する知識の最前線にステップアップできるようにする．ここで提示するモデルは，現在の主流となっている動学的確率的一般均衡（DSGE）モデルの単純化されたものである．本章は他の諸章と比べて，数学的に難しいので，覚悟してほしい．とはいえ，これまでの諸章でさまざまな考え方を吸収してきたのだから，学生諸君は準備が整っているはずである．

第5章は，政策立案者たちが，経済の短期的な変動に対してどのように対応すべきかを論じる．この章では2つの大きな問題を検討する．金融・財政政策は，積極的であるべきだろうか，それとも受動的であるべきだろうか．政策は，ルールに従って運営されるべきだろうか，それとも自由裁量的に決定されるべきだろうか．この章では，これらの問題に対して，論争の賛否両サイドの議論を提示する．

第6章は，政府負債と財政赤字に関するさまざまな論争をテーマとする．政府の借金漬けの度合いに対する判断方法を示し，財政赤字測定が必ずしも簡単ではない原因を論じる．政府負債の影響に関する伝統的な見方を要約し，その代替的な見方としてのリカードの等価命題を提示する．また，政府負債に関する他のさまざまな論点にも言及する．第5章と同様に，学生に対して結論は示されないが，代替的な見方を自分で評価するための道具を与える．

第7章は，金融システムと経済全体とのつながりを論じる．金融システムが何をしているのかから始まる．投資への資金融通，リスク・シェアリング，非対称情報への対処，経済成長の促進などである．その後，金融危機について，その諸原因やマクロ経済的影響および対応策・予防策について論じる．

第8章は，消費・投資決定の基礎を成すミクロ経済学について，分析する．消費者行動に関する諸理論を提示する．ケインジアンの消費関数，モジリアーニのライフサイクル仮説，フリードマンの恒常所得仮説，ホールのランダムウォーク仮説，レイブソンの即時的満足のモデルである．また，投資関数の背後にある理論を検討する．企業の設備投資に注目して，資本コスト，トービンの q，および金融制約の役割などを取り扱う．

終　　　章

本書を締めくくる終章は，多くのマクロ経済学者の意見が一致している大きな教訓と，残されている重要な諸問題について論じる．教師が本書の内容のどの部分をカバーするにせよ，この終章は，マクロ経済学の多くのモデルやテーマがどう関連し合うのかを学生に示すことができるだろう．この終章においても，本書の他の部分と同様に，マクロ経済学者間の意見の不一致はあるものの，経済のメカニズムについて多くの知見があることを強調している．

なお，翻訳にあたっては下記のとおり分担した．
足立英之　第Ⅰ巻第1章，第9章，第10章，第Ⅱ巻第1章，第2章，第3章，終章，マクロ経済学の基本用語
中谷　武　第Ⅰ巻第6章，第11章，第12章，第Ⅱ巻第6章，マクロ経済学の基本用語

柳川　隆　まえがき，第Ⅰ巻第3章，第4章，第Ⅱ巻第4章，第8章
地主敏樹　まえがき，第Ⅰ巻第2章，第5章，第7章，第8章，第Ⅱ巻第5章，第7章

　日本語版の図表のデータの作成にあたっては岡山商科大学の星野聡志准教授の協力を得た．岡山商科大学の萩原泰治教授と三谷直紀教授にも貴重な専門的アドバイスをいただいた．
　また，東洋経済新報社の茅根恭子氏の丹念な編集作業によって，本訳書は大きく改善された．記して謝意を表したい．

　2023年9月20日

（訳　者）

学生と指導者のためのデジタル・リソース
（ワース出版提供，英語版のみ）

●

『マクロ経済学』のための新 Achieve

ワース出版は，グレゴリー・マンキューおよび優秀な経済学教員グループと密接に協力して，教師や学生を補助するためのさまざまな教材を作成してきた．これらの補助教材が好評を博してきたのは大変喜ばしいことである．

すべての学生を巻き込む

Achieve は，相互に連関した教材と評価ツールの包括的なセットである．Macmillan 社の先導的なソリューションの最も効率の高い要素を，単一の使いやすいプラットフォームに組み込んでいる．われわれの教材は，学習に関する研究と厳密なテストを用いながら，教師や学生とともにデザインされてきた．

すべての必要なものは単一の学習経路のなかに

Achieve は，新内容との最初のコンタクトから概念や技法の習熟に至る全ステップにおいて，学生と教師をサポートするオンライン教育システムである．強力な教材には，統合された e-book，しっかりした宿題，豊富なインタラクティブ機能が含まれており，学生にとっての特別な教材となっている．

予　　　習

▶**学習曲線に沿ったクイズ**：ゲームのような画面操作の，人気が高くかつ効果的なクイズ・エンジンである．学生が概念を整理したり知識不足を確認したりするために取り組みやすい手段を提供している．学生がより多く正解すると，より難しい問題が出される．どの問題も本教科書に向

けて書かれており，関連する e-book の節にリンクされているので，読み進めるインセンティブともなり，効率的な読書経験を提供する．

復　　習

▶ **インタラクティブな e-book**：Achieve e-book において，学生はハイライトをつけたりメモを記入したりできる．教師は e-book の節を宿題に課すこともできる．e-book には，複雑な図に対してステップバイステップのグラフも含まれている．

▶ **新しいステップバイステップのグラフ**：e-book に含まれているこのグラフは，教室において教師がどのようにグラフを作成するかを反映したものである．作成過程を各要素に分解することで，学生が作図のステップをより理解しやすくするための，「塊」を提供している．これらのグラフは，講義スライドとしても提供されている．

▶ **Work It Out チュートリアル**：章末問題の一部についての，的を絞ったフィードバックとビデオ説明によって，学生が応用問題を解くのをステップバイステップで補助する．このチュートリアルを通じて，学生は自分で学び，内容の理解を自分で確認し，講義やテストに備えることができる．

▶ **直観的なグラフ作成が可能な章末のマルチステップ問題**：グレゴリー・マンキュー自身が開発したマルチステップ問題には，不正解や正解双方への豊富なフィードバックが用意されており，問題を解くプロセスを通じて学生を導く．これらの問題には，ユーザーフレンドリーなグラフツールも組み合わされている．直観的なクリック，ドラッグやドロップといった機能によって，学生がアプリケーションの使用法にではなく経済学に集中できるように，デザインされている．

▶ **オンライン独自の新しい章末問題**：マンキュー教授は，数十問の新たな章末問題を作成して，デジタル版の『マクロ経済学』のみで利用可能とした．この版での新しい試みである．分析的な問題では，諸モデルにおいて曲線のシフトを練習させて，結果を解釈させる．計算的な問題では，具体的なパラメーター値を設定した諸モデルを提示して，均衡点を計算させる．さらにデータを扱う問題もある．アメリカ経済を描写するデー

タに関する設問に対して，学生に必要なデータを Federal Reserve Economic Data（FRED）から取得させて答えさせる.

▶**EconoFact メモ（練習問題つき）**：2017年以来，有名な経済学者たちは協力して EconoFact を作成してきた.「経済・社会政策に関する国全体の論争に対して，重要な事実と洞察を含む分析を提供するための，中立的な刊行物」だと，彼らは説明している. デジタル版の多くの章では，短い EconoFact メモへのリンクと，学生諸君に自分たちの学んだことを試して適用させる評価問題が，章末に配置されている. このユニークな課題は，オンライン版の本書から導入された.

▶**中央銀行総裁（Chair the Fed）ゲーム**：サンフランシスコ連邦準備銀行によって作成されたゲームである. 学生は中央銀行総裁になったつもりで，ニュースになるような出来事や経済統計に応じて，経済政策を決定できる. 学生は，この楽しく遊べるシミュレーションで，経済に影響する複雑な相互関係に対する認識を身につけることができる.

指導者を強力にサポート

▶**Solutions Manual**：Mark Gibson（Washington State University）が，本書の全問題（復習問題と応用問題）の解答集を改訂してくれた.

▶**Test Bank**：第11版では，Test Bank も大幅に改訂・改善され，Test Bank には，各章の内容に沿った1500問以上の選択問題，計算問題，短答式のグラフ問題を提供している. Test Bank は，学生の理解力，解釈力，分析力，および総合力を評価できるように，さまざまな問題を提供している.

▶**Lecture Slides**：Lecture Slides にはていねいな説明がついた動画形式のグラフ，追加のケース・スタディやデータ，教師に役に立つ注もある. カスタマイズすることもそのまま使うことも可能なようにデザインされており，PowerPoint に疎い教師でも簡単に操作できる説明書もついている.

▶**Instructor's Resources Manual**：本書の各章ごとに，教師向けのノート，詳細な講義用アウトライン，追加的なケース・スタディ，発展したトピックスを提供するマニュアルが用意されている. 教師はこのマニュアル

xxiv　　学生と指導者のためのデジタル・リソース（ワース出版提供，英語版のみ）

を用いて講義の準備をすることができ，学生に配付する資料を作成するのにどのページを使ってもよい．Moody's Analytics Economy.com Activity（www.economy.com）も各章に作成されている．各アクティビティは，学生に対してその章の知識を，高度なビジネス・データベースおよびリアルタイムで世界経済を観察する分析サービスと結びつけさせるように意図されている．

評定表：課題のスコアは包括的な評定表に集められ，教師は個別の学生についても，クラス全体についても成績をまとめることができる．

LMS 統合ツール：Achieve の全生徒の評点を学校の学習管理システム（LMS）に簡単に統合することができる．教師の評定表と学生の登録簿はつねに同期できている．

カスタマーサポート：Achieve Client Success Specialist チームは専任のプラットフォーム専門家から構成されており，各クラスを指導目標や学生のニーズに適合するように，専門知識やコンサルティングを提供し，カスタマイズする．まずは，都合のいい時間にデモをご覧いただき，カスタマイズしたコースの設定方法をご確認いただきたい．詳しくは営業担当者にご相談いただくか，https://www.macmillanlearning.com/college/us/contact-us/training-and-demos にアクセスしてほしい．

目　次

まえがき
日本語版の構成について
学生と指導者のためのデジタル・リソース（ワース出版提供，英語版のみ）

第 1 部　成長理論：超長期の経済

第 1 章　経済成長の源泉としての資本蓄積 ……………………………… 3

1-1　基本的ソロー・モデル …………………………………………… 5

財の需要と供給　　5

資本ストックの成長と定常状態　　8

定常状態への接近：数値例　　11

ケース・スタディ 日本とドイツの成長の奇跡　　14

貯蓄率は成長にどのような影響を与えるか　　15

1-2　資本の黄金律水準 ……………………………………………… 17

定常状態の比較　　17

黄金律の定常状態のみつけ方：数値例　　21

黄金律定常状態への移行　　23

1-3　結　　論 ………………………………………………………… 27

要　約　27

キーワード　　28

確認問題　　28

復習問題　　29

応用問題　　30

第 2 章　人口成長と技術進歩 ……………………………………………… 33

2-1　ソロー・モデルにおける人口成長 …………………………… 34

xxvi 目　次

人口成長を伴う定常状態　34

人口成長の効果　36

ケース･スタディ 世界の国々の投資と人口成長　38

人口成長についての他の見方　41

2-2　ソロー・モデルにおける技術進歩 ……………………………………43

労働の効率性　44

技術進歩を伴う定常状態　45

技術進歩の効果　46

2-3　ソロー・モデルを超えて：内生的成長理論 ………………………48

基本モデル　48

２部門モデル　50

研究開発のミクロ経済学　52

創造的破壊の過程　53

2-4　結　　　論 ………………………………………………………………55

要　約　55

キーワード　56

確認問題　56

復習問題　58

応用問題　58

第3章　成長の実証と政策 ………………………………………………63

3-1　成長理論から成長の実証へ …………………………………………64

均斉成長　64

収　束　65

要素の蓄積と生産の効率性　67

ケース･スタディ 生産性の源泉としてのよい経営　68

3-2　経済成長の源泉の計算 ………………………………………………70

生産要素の増加　70

技術進歩　73

アメリカにおける成長の源泉　75

目次　xxvii

　　　　ケース・スタディ 生産性成長の減速　76
　　　　短期におけるソローの残差　78

3-3　成長を促進する諸政策 ……………………………………………………… 81
　　　　貯蓄率の評価　81
　　　　貯蓄率の変化　83
　　　　経済の投資配分　84
　　　　ケース・スタディ 産業政策の実際　87
　　　　ケース・スタディ インドと中国におけるミスアロケーション（不適正な
　　　　　　　　　　配分）　88
　　　　適切な制度の確立　90
　　　　ケース・スタディ 植民地時代に起源を持つ現代の諸制度　91
　　　　成長推進的文化の支持　93
　　　　技術進歩の促進　94
　　　　ケース・スタディ 自由貿易は経済成長に貢献するか　95

3-4　結　　　論 ………………………………………………………………………… 97
　　　　要　約　98
　　　　キーワード　98
　　　　確認問題　98
　　　　復習問題　100
　　　　応用問題　100

第2部　マクロ経済理論とマクロ経済政策のトピックス

第4章　経済変動の動学モデル …………………………………………… 105

4-1　モデルの要素 …………………………………………………………………… 106
　　　　産出量：財・サービスの需要　107
　　　　実質利子率：フィッシャー方程式　108
　　　　インフレーション：フィリップス曲線　109
　　　　期待インフレ：適応的期待　111
　　　　名目利子率：金融政策ルール　112

xxviii　目　次

　　　　ケース・スタディ テイラー・ルール　　113

　4-2　モデルの解……………………………………………………………116

　　　長期の均衡　　117

　　　動学的総供給曲線　　118

　　　動学的総需要曲線　　120

　　　短期均衡　　123

　4-3　モデルの利用…………………………………………………………124

　　　長期的成長　　124

　　　総供給へのショック　　126

　　　コラム 数値例としてのカリブレーションとシミュレーション　　129

　　　総需要へのショック　　130

　　　金融政策のシフト　　132

　4-4　2つの応用：金融政策への教訓……………………………………136

　　　産出量の変動とインフレ率の変動のトレードオフ　　136

　　　ケース・スタディ 異なる委任と異なる現実：連邦準備とECB　　139

　　　テイラー原理　　141

　　　ケース・スタディ 何がひどいインフレを引き起こしたのか　　144

　4-5　結論：DSGEモデルに向けて ………………………………………145

　　　要　約　　146

　　　キーワード　　147

　　　確認問題　　147

　　　復習問題　　149

　　　応用問題　　149

第5章　**安定化政策に関する異なる考え方**………………………………153

　5-1　政策は積極的であるべきか，受動的であるべきか ………………154

　　　政策の実施ラグと効果ラグ　　155

　　　経済予測という難しい仕事　　157

　　　ケース・スタディ 予測の失敗　　158

　　　無知，予想とルーカス批判　　160

　　　過去の成績表　　161

目　次　xxix

ケース・スタディ 政策不確実性は，経済にどう影響するだろうか　162

5-2　政策の運営：ルールか裁量か …………………………………………… 165
政策立案者および政治的プロセスへの不信　166
裁量的政策の時間非整合性　167
ケース・スタディ アレクサンダー・ハミルトンと時間非整合性　169
金融政策のルール　170
ケース・スタディ インフレ・ターゲティング：ルールか制約された
裁量か　172
ケース・スタディ 中央銀行の独立性　174

5-3　結　　論 …………………………………………………………………… 176
要　約　176
キーワード　177
確認問題　177
復習問題　178
応用問題　179

補論　インフレーションと失業の間のトレードオフと時間非整合性 …… 181
応用問題（追加）　184

第6章　政府負債と財政赤字 ………………………………………………… 185
6-1　政府負債の規模 ……………………………………………………………… 186
ケース・スタディ 財政政策の厄介な長期的展望　190

6-2　測　定　問　題 ……………………………………………………………… 192
問題（1）：インフレーション　192
問題（2）：資本資産　193
問題（3）：計上されない債務　194
問題（4）：景気循環　195
総　括　196

6-3　政府負債に関する伝統的見解 ……………………………………………… 196
コラム 租税とインセンティブ　198

6-4　政府負債に関するリカード派の見解 ……………………………………… 200
リカードの等価命題の基本論理　200

消費者と将来の租税　202

ケース・スタディ ジョージ・ブッシュ（父）の源泉課税の経験　203

選　択　205

コラム リカードの等価命題とリカード　206

6-5　政府負債の他の側面 ……………………………………………… 208

均衡財政か最適な財政政策か　208

金融政策に対する財政の効果　209

負債と政治的プロセス　211

国際的側面　212

6-6　結　　　論 ……………………………………………………………… 213

要　約　213

キーワード　214

確認問題　215

復習問題　216

応用問題　216

第7章　金融システム：好機と危機 …………………………………… 219

7-1　金融システムは何をしているのか …………………………………… 220

投資資金の調達　221

リスク・シェアリング　222

非対称情報への対処　224

経済成長の促進　226

コラム 効率市場仮説かケインズの美人コンテストか　228

7-2　金　融　危　機 …………………………………………………………… 230

金融危機の分析　231

コラム TED スプレッド　235

ケース・スタディ 2008～2009年の金融危機に関して，誰に責任が
あるのか　237

危機への政策対応　239

危機の予防策　244

ケース・スタディ ヨーロッパのソブリン危機　249

目　次　xxxi

7-3 結　　論……………………………………………………………251

要　約　252

キーワード　253

確認問題　253

復習問題　254

応用問題　255

第8章　**消費と投資のミクロ的基礎**……………………………257

8-1 消費支出を決めるのは何か……………………………………258

ジョン・メイナード・ケインズと消費関数　258

フランコ・モジリアーニとライフサイクル仮説　263

ミルトン・フリードマンと恒常所得仮説　267

ケース・スタディ 1964年の減税と1968年の増税　270

ケース・スタディ 2008年の税金還付　271

ロバート・ホールとランダムウォーク仮説　273

ケース・スタディ 予測可能な所得の変化は，予測可能な消費の変化に
つながるだろうか　274

デヴィッド・レイブソンと即時的満足の魅力　275

ケース・スタディ 人々にもっと貯蓄をさせる方法　277

消費に関する結論　279

8-2 投資支出を決めるのは何か……………………………………279

資本のレンタル料　280

資本コスト　282

投資の費用便益分析　284

租税と投資　286

株式市場とトービンのq　289

ケース・スタディ 経済指標としての株式市場　290

資金調達制約　292

投資に関する結論　294

8-3 結論：期待の重要な役割………………………………………294

要　約　295

xxxii 目 次

キーワード　296

確認問題　297

復習問題　298

応用問題　298

終章　わかっていること，いないこと………………………… 303

マクロ経済学の4つの最も重要な教訓 ……………………… 303

教訓1：長期においては，一国の財・サービスの生産力が
　　　　その国民の生活水準を決定する　304

教訓2：短期においては，総需要が一国で生産される財・
　　　　サービスの量に影響を与える　304

教訓3：長期においては，貨幣成長率はインフレ率を決定
　　　　するが，失業率には影響を与えない　305

教訓4：短期においては，金融・財政政策を管理する政策
　　　　立案者はインフレーションと失業のトレードオフ
　　　　に直面する　306

マクロ経済学の4つの未解決の最重要問題 ………………… 307

問題1：政策立案者はどのようにして一国経済の自然産出
　　　　量を引き上げるべきだろうか　307

問題2：経済を安定化させる最良の方法はどのような
　　　　ものか　309

問題3：インフレーションはどれほどコストがかかるのか，
　　　　また，インフレ率の引下げにはどれほどコストが
　　　　かかるのか　311

問題4：政府の財政赤字はどれほど大きな問題か　312

結　論 ……………………………………………………… 314

確認問題解答　315

マクロ経済学の基本用語　317

マクロ経済学の基本英語　333

索　引　339

目次　xxxiii

『マンキュー　マクロ経済学』I　入門篇（第5版）
主　要　目　次

第1部　イントロダクション
　　第1章　科学としてのマクロ経済学
　　第2章　マクロ経済学のデータ
第2部　古典派理論：長期の経済
　　第3章　国民所得：どこから来てどこへ行くのか
　　第4章　貨幣システム：どのようなものでどのように機能するか
　　第5章　インフレーション：原因と影響と社会的コスト
　　第6章　開放経済
　　第7章　失業と労働市場
第3部　景気循環理論：短期の経済
　　第8章　景気変動へのイントロダクション
　　第9章　総需要I：*IS-LM* モデルの構築
　　第10章　総需要II：*IS-LM* モデルの応用
　　第11章　開放経済再訪：マンデル＝フレミング・モデルと為替相場制度
　　第12章　総供給およびインフレーションと失業の短期的トレードオフ

PART 1

第 **1** 部

成長理論：
超長期の経済

Chapter 1

第 **1** 章

経済成長の源泉としての資本蓄積

「成長の問題は決して目新しいものではなく，昔からある問題を新しくみせかけたものにすぎない．それはつねに経済学の関心をそそり，夢中にさせてきた問題，すなわち現在対将来の問題である．」

——ジェイムズ・トービン

　祖父母が若かった頃の生活がどのようなものだったか聞いたことのある人は，経済成長に関する重要な教えを学んだに違いない．その教えとは，ほとんどの国々において，大半の家族が時代とともに物質的な生活水準を大幅に改善してきたということである．この進歩は実質所得の増加によるものであり，それによって人々はより多くの量の財・サービスを消費できるようになった．

　経済成長を測定するにあたって，経済学者は国内総生産（GDP）のデータを用いる．GDPとは，経済を構成するすべての人々の総所得を測定したものである．今日のアメリカの実質GDPは1950年の水準の7倍以上であり，1人当たり実質GDPは1950年の水準の3倍以上である．またどれか特定の年を選んでみると，各国の生活水準に大きな格差があることも観察される．表1-1は，世界で最も人口の多い14カ国とヨーロッパ連合（EU）の2019年における1人当たり所得を示している．それらを合わせると世界の人口の約3分の2を占める．アメリカは，1人当たり所得が6万5281ドルであり，表のなかでトップの位置を占めている．エチオピアは，1人当たり所得がわずか2312ドルで，アメリカの4％以下である．

　第1部「成長理論：超長期の経済」の目的は，時代や国の違いによって，このような所得格差がなぜ生じるのかを理解することである．第Ⅰ巻第3章では，生産要素——資本および労働——と生産技術が経済の産出の源泉であ

4　第１部　成長理論：超長期の経済

表1-1 ● 生活水準の国際格差（2019年）

（ドル）

国	１人当たり所得
アメリカ	65,281
ヨーロッパ連合（EU）	46,468
日本	43,236
ロシア	29,181
メキシコ	20,411
中国	16,785
ブラジル	15,259
インドネシア	12,302
エジプト	12,251
フィリピン	9,277
インド	7,034
ナイジェリア	5,348
バングラデシュ	4,951
パキスタン	4,885
エチオピア	2,312

（出所）　世界銀行．データは購買力平価で調整されている．
　　　　すなわち，所得の値は諸国間の生活水準の差を説明
　　　　している．

り，したがって総所得の源泉でもあることを確認した．そうだとすると，時代や国の間での所得格差は資本，労働，技術の格差から生じるのでなければならない．

　本章と次章での主要な課題は，ソローの成長モデル（Solow growth model）と呼ばれる経済成長モデルを展開することである．第Ⅰ巻第３章の分析によって，特定の時点における経済が産出物をどのように生産し，使用するかを説明することが可能になった．だがこの分析は静学的であり，いわば経済のスナップ写真であった．なぜ国民所得が成長し，国によって成長速度が異なるのかを説明するためには，時間を通じた経済の変化を説明できるように分析を拡張しなければならない．そのようなモデルを展開することによって分析を動学化し，写真ではなく映画のようにするのである．ソロー・モデルは，貯蓄，人口成長，技術進歩が時間を通じて経済の産出水準と成長にどのような影響を与えるかを示す．本章では，貯蓄の役割を分析する．第２章では，人口成長と技術進歩を導入する．[1]

1-1 基本的ソロー・モデル

ソロー・モデルは，資本ストックの成長，労働力の成長，および技術進歩が経済でどのように相互作用し，一国の財・サービスの総産出量にどのような影響を与えるかが明らかになるように設計されている．ここではこのモデルを段階的に構築する．差し当たり，単純化のため，労働力と利用可能な技術は一定であると仮定して焦点を資本蓄積に合わせる．

財の需要と供給

財の需要と供給は，第Ⅰ巻第3章の閉鎖経済の静学的モデルにおいて中心的な役割を果たしたが，ソロー・モデルでもそれは同じである．財の需要と供給を考察することによって，任意に与えられた時点においてどれほどの産出物が生産されるか，そしてこの産出物がさまざまな用途の間にどのように配分されるのかを決定することができる．

財の供給と生産関数　ソロー・モデルにおいて財の供給の基礎となるのは生産関数，

$$Y = F(K, L)$$

であり，これは産出量が資本ストックと労働力に依存することを表している．ソロー・モデルでは，生産関数が規模に関して収穫一定であると仮定する．この仮定は現実にもほぼ合致すると考えられており，これからみていくように，それは分析を簡単にする．生産関数が規模に関して収穫一定とは，任意の正の数 z に対して，

$$zY = F(zK, zL)$$

が成り立つ場合であるということを思い出そう．すなわち，資本と労働を両

---

1)　ソローの成長モデル（ソロー・モデル）は経済学者ロバート・ソローにちなんで名づけられたもので，1950年代から1960年代にかけて展開された．経済成長に関する業績により，ソローは1987年にノーベル経済学賞を受賞した．このモデルは以下の論文で提示されたものである．Robert M. Solow, "A Contribution to the Theory of Economic Growth," *Quarterly Journal of Economics*, Vol. 70, No. 1, February 1956, pp. 65-94.

方 z 倍すれば，産出量もまた z 倍になるのである．

　生産関数が規模に関して収穫一定の場合には，すべての数量を労働力に対する比率で表すことができる．このことを確かめるため，上記の方程式において，$z=1/L$ と置くと次式が得られる．

$$\frac{Y}{L} = F\left(\frac{K}{L}, 1\right)$$

この式は，労働者 1 人当たり産出量 Y/L が労働者 1 人当たり資本量 K/L の関数であることを表している（"1" という数字は一定なので無視できる）．規模に関して収穫一定の仮定は，（労働者の人数で測った）経済の規模が，労働者 1 人当たりの産出と労働者 1 人当たりの資本の関係に影響を与えないことを意味する．

　経済の規模は関係がないので，すべての数量を労働者 1 人当たりで示すほうが便利であることがわかる．それらを小文字で表すことにしよう．$y=Y/L$ は労働者 1 人当たりの産出，$k=K/L$ は労働者 1 人当たりの資本である．そうすると，生産関数は，

$$y = f(k)$$

と書ける．ここで，$f(k)=F(k,1)$ と定義する．図1-1はこの生産関数を表したものである．

　この生産関数の傾きは，労働者 1 人当たり資本を 1 単位増やしたとき，労働者 1 人当たりの産出がどれだけ増えるかを示している．この大きさが資本の限界生産力 MPK である．数学的に表すと，

$$MPK = f(k+1) - f(k)$$

である．図1-1で注目すべきは，資本が増加するにつれて，生産関数の傾きが緩やかになっていくことである．このことは，この生産関数が資本の限界生産力逓減を示していることを意味する．k の値が小さいときには，労働者は少ない資本を用いて働いているので，資本が 1 単位追加されることは非常に効果があり，生産量は大きく増加する．k の値が大きいときには，労働者はすでに多くの資本を用いているので，追加的な 1 単位の資本の有用性は低く，生産量はわずかしか増えない．

　財への需要と消費関数　ソロー・モデルにおける財への需要は，消費と投

図1-1 ● 生産関数

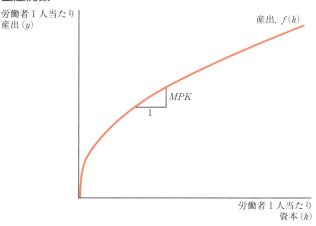

生産関数は，労働者1人当たりの資本 k が労働者1人当たりの産出 $y = f(k)$ をどのように決定するかを示している．生産関数の傾きは，資本の限界生産力である．すなわち，k が1単位増加すれば，y は MPK 単位増加する．生産関数の傾きは k が増加するほど緩やかになり，資本の限界生産力逓減を示している．

資から生じる．いい換えれば，労働者1人当たり産出 y は，労働者1人当たり消費 c と労働者1人当たり投資 i に分けられ，

$$y = c + i$$

となる．この式は，経済の国民所得勘定の恒等式を労働者1人当たりで表したものである．ただし，政府購入は省略し（ここでの目的のためには無視できる），純輸出も省略（閉鎖経済を仮定しているため）している．

ソロー・モデルでは，人々は毎年所得のうち s の割合を貯蓄し，$(1-s)$ の割合を消費すると仮定する．この考え方は，簡単な形をした消費関数，

$$c = (1-s)y$$

で表すことができる．ここで s は貯蓄率であり，0と1の間の数である．一国の貯蓄率には，政府の政策によって影響を及ぼすことが可能であり，したがってどのような貯蓄率が望ましいかを見出すことがここでの1つの目的であることに留意しておこう．しかし，当面はたんに貯蓄率 s を所与とする．

この消費関数が投資に対してどのような意味を持つかをみるために，国民

8 第1部 成長理論：超長期の経済

所得勘定の恒等式の c に $(1-s)y$ を代入すると，

$$y = (1-s)y + i$$

となる．この式を整理すると，

$$i = sy$$

を得る．この式は，すでに第Ⅰ巻第3章でみたように，投資と貯蓄が等しいことを示している．したがって，貯蓄率 s は産出のなかで投資に向けられる割合にもなる．

以上で，ソロー・モデルの2つの主たる構成要素の紹介が終わった．1つは生産関数であり，もう1つは消費関数である．どちらも一時点における経済を描写している．任意に与えられた資本ストック k に対して，生産関数 $y = f(k)$ は経済の産出水準を決定し，貯蓄率 s は，その産出の消費と投資への配分を決定する．

資本ストックの成長と定常状態

どの時点においても，資本ストックは経済の産出を決定し，したがって資本ストックの変化は経済成長をもたらす．資本ストックに影響を与えるのは投資と減価償却という2つの要因である．**投資**（investment）とは新しい工場や設備への支出のことであり，資本ストックの増加をもたらす．減価償却（depreciation）とは，経年と使用による旧資本の減耗のことであり，資本ストックの減少をもたらす．順にみていくことにしよう．

先に述べたように，労働者1人当たり投資 i は sy に等しい．y に生産関数を代入すると，労働者1人当たり投資を労働者1人当たり資本ストックの関数として表すことができる．

$$i = sf(k)$$

この式は，現存の労働者1人当たり資本ストック k と労働者1人当たりの新しい資本の蓄積 i との関係を示している．図1-2はこの関係を示したものである．この図は，任意の k の値に対して，産出量が生産関数 $f(k)$ によってどのように決定され，また産出のうちの消費と貯蓄（投資）への配分が貯蓄率 s によってどのように決定されるかを示している．

減価償却をモデルに組み入れるため，資本ストックの一定割合 δ が毎年減耗すると仮定する．ここで，δ（ギリシャ文字デルタの小文字）は**減価償却**

図1-2 ● 産出,消費,投資

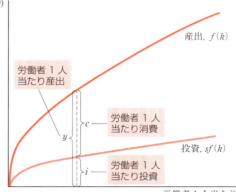

貯蓄率 s は産出が消費と投資に配分される比率を決定する.資本の任意の水準 k に対して,産出は $f(k)$ であり,投資は $sf(k)$ であり,消費は $f(k)-sf(k)$ である.

図1-3 ● 減価償却

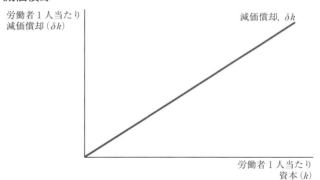

資本ストックは一定の割合 δ で毎年減耗する.したがって減価償却は資本ストックに対して正比例の関係にある.

率(depreciation rate)と呼ばれる.たとえば,もし資本の平均耐久年数が20年であれば,減価償却率は年5%($\delta=0.05$)である.毎年減価する資本の量は δk である.図1-3は,減価償却がどのように資本ストックに依存し

図1-4 ● 投資,減価償却,定常状態

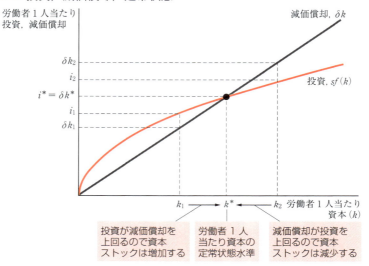

資本の定常状態水準 k^* は投資と減価償却が等しい水準であり,資本量がそれ以上変化しないことを表している. k^* より低い水準では,投資が減価償却を上回っているので,資本ストックは増加する. k^* より高い水準では,投資が減価償却を下回っているので,資本ストックは減少する.

ているかを示したものである.

投資と減価償却が資本ストックに与える影響は,次のような方程式で表すことができる.

資本ストックの変化＝投資－減価償却
$$\Delta k = i - \delta k$$

ここで, Δk はある年から次の年にかけての資本ストックの変化である.投資 i は貯蓄 $sf(k)$ に等しいので,この式は次のように書き換えることができる.

$$\Delta k = sf(k) - \delta k$$

図1-4は,いろいろな資本ストック k の水準に対して,この方程式の各項すなわち投資と減価償却をグラフに描いたものである.資本ストックがより多ければ,投資量と減価償却量はどちらもより多くなる.

図1-4が示しているように,投資量と減価償却量が等しくなる資本ストック k^* がただ1つ存在する.資本ストックがこの水準にあるとき,資本スト

第1章 経済成長の源泉としての資本蓄積　11

ックは時間が経過しても変化しない．なぜなら，資本ストックを変化させる
ように作用する2つの要因（投資と減価償却）がちょうど釣り合うからであ
る．すなわち，k^*では，$\varDelta k = 0$となり，資本ストックkと産出$f(k)$は時間を
通じて一定である（成長も縮小もしない）．このため，k^*を資本ストックの
定常状態水準と呼ぶ．

　定常状態（steady state）は2つの理由で重要である．これまでみてきた
ように，定常状態にある経済はそこから変化しない．そのうえ，同じく重要
なことだが，定常状態にない経済は定常状態に向かう．すなわち，初期時点
の資本の水準とは無関係に，最終的に経済は定常状態の資本の水準に落ち着
くのである．この意味で，定常状態は経済の長期均衡を表しているといえる．

　なぜ経済がつねに定常状態に落ち着くのかをみるため，図1-4におけるk_1
のように，資本ストックが定常状態を下回る水準から出発したとしよう．こ
のケースでは，投資は減価償却を上回っている．時間の経過とともに資本ス
トックは増加し，そして定常状態k^*に到達するまで――産出$f(k)$とともに
――増加し続ける．

　同様に，図1-4のk_2のように資本ストックが定常状態を上回る水準から出
発したとしよう．この場合，投資は減価償却を下回っており，資本は置き換
えられるスピードよりも速く減耗していることになる．資本ストックは減少
し，やはり定常状態の水準に接近していく．資本ストックが定常状態の水準
に到達すると，投資は減価償却に等しくなり，資本ストックを増加させるこ
とも減少させることもなくなる．

定常状態への接近：数値例

　今度は数値例を用いて，ソロー・モデルがどのように機能し，経済がどの
ようにして定常状態に接近するかをみよう．この例では，生産関数を次のよ
うに仮定する．

$$Y = K^{1/2} L^{1/2}$$

第Ⅰ巻第3章でみたように，この式はコブ = ダグラス生産関数で，資本の分
配のパラメーターαが1/2の場合である．労働者1人当たりの生産関数$f(k)$
を導出するため，生産関数の両辺を労働力Lで割ると，

12　第1部　成長理論：超長期の経済

$$\frac{Y}{L} = \frac{K^{1/2}L^{1/2}}{L}$$

となる．これを整理すると，

$$\frac{Y}{L} = \left(\frac{K}{L}\right)^{1/2}$$

となる．$y = Y/L$，$k = K/L$であるから，これは，

$$y = k^{1/2}$$

となる．この式は，

$$y = \sqrt{k}$$

と書き表すこともできる．この生産関数の形は，労働者1人当たり産出量が労働者1人当たり資本量の平方根であることを示している．

　この例を完結するために，産出の30%が貯蓄され（$s = 0.3$），毎年資本ストックの10%が減価償却され（$\delta = 0.1$），労働者1人当たり資本が4単位（$k = 4$）である状態から始まるものと仮定する．このように数字を与えると，この経済が時間を通じてどうなっていくかを調べることができる．

　最初の年における生産とその配分をみることから始めよう．最初の年の，労働者1人当たりの資本は4単位である．ここから次のような段階を踏む．

- 生産関数$y = \sqrt{k}$によれば，労働者1人当たりの資本k4単位から，労働者1人当たりの産出y2単位が生産される．
- 産出の30%が貯蓄および投資に向かい，70%が消費されるので，$i = 0.6$，$c = 1.4$である．
- 資本ストックの10%が減価償却されるので，$\delta k = 0.4$である．
- 投資が0.6で減価償却が0.4で与えられると，資本ストックの変化は$\Delta k = 0.2$である．

したがって，2年目の経済は，労働者1人当たり資本が4.2単位の状態から始まる．

　以降の各年についても同じ計算をすることができる．表1-2は，この経済がどのように変化していくかを示している．毎年，投資が減価償却を上回っているので，資本ストックは増加し，産出は成長する．長い年月を経て，経

第1章　経済成長の源泉としての資本蓄積　　13

表1-2 ● 定常状態への接近：数値例

年	k	y	c	i	δk	Δk
1	4.000	2.000	1.400	0.600	0.400	0.200
2	4.200	2.049	1.435	0.615	0.420	0.195
3	4.395	2.096	1.467	0.629	0.440	0.189
4	4.584	2.141	1.499	0.642	0.458	0.184
5	4.768	2.184	1.529	0.655	0.477	0.178
⋮						
10	5.602	2.367	1.657	0.710	0.560	0.150
⋮						
25	7.321	2.706	1.894	0.812	0.732	0.080
⋮						
100	8.962	2.994	2.096	0.898	0.896	0.002
⋮						
∞	9.000	3.000	2.100	0.900	0.900	0.000

（注）　$y=\sqrt{k}$, $s=0.3$, $\delta=0.1$, 初期の $k=4.0$ と仮定.

済は労働者1人当たり資本が9単位の定常状態に到達する．この定常状態においては，0.9単位の投資が0.9単位の減価償却とちょうど相殺されるので，資本ストックと産出はもはや成長しない．

　長年にわたる経済の進行を追跡することは，定常状態の資本ストックをみつける1つの方法であるが，もっと少ない計算ですむ別の方法もある．次の式を思い出してほしい．

　　　$\Delta k = sf(k) - \delta k$

この式は k が時間を通じてどのように変化するかを示したものである．定常状態とは（定義によって），$\Delta k = 0$ となる k の値であるから，

　　　$0 = sf(k^*) - \delta k^*$

あるいは，同じことだが，

　　　$\dfrac{k^*}{f(k^*)} = \dfrac{s}{\delta}$

となることがわかる．この式から，定常状態における労働者1人当たりの資本水準 k^* をみつける方法が得られる．ここでの例に従って，数字と生産関数を代入すると，

　　　$\dfrac{k^*}{\sqrt{k^*}} = \dfrac{0.3}{0.1}$

14　第1部　成長理論：超長期の経済

を得る．この方程式の両辺を2乗すると，

$$k^* = 9$$

となることがわかる．定常状態の資本ストックは労働者1人当たり9単位である．この結果は表1-2における定常状態の計算結果を確認するものである．

ケース・スタディ　日本とドイツの成長の奇跡

　日本とドイツは経済成長の2つの成功物語である．いまでこそ，日本とドイツは経済大国になっているが，1946年には，両国の経済は大混乱の状態にあった．第2次世界大戦によって両国の資本ストックは大量に破壊された．両国とも，1946年における1人当たりの産出量は戦前の約半分になっていた．しかしながら，その後の数十年の間に，この2つの国は歴史上希にみるほどの急速な成長を経験した．1946年から1972年の間に，1人当たり産出量は日本では年率8.0%，ドイツでは年率6.5%で成長した．それに比べてアメリカの成長率は年率2.1%にすぎなかった．戦争によって損害を受けたいくつかの他のヨーロッパ経済もまた戦後に急速な成長を享受した．たとえば労働者1人当たりの産出量は，フランスでは年率4.6%で成長し，イタリアでは5.5%で成長した．しかし，戦争中の最大の荒廃と戦後の最速の成長の両方を経験したのは，日本とドイツの2国であった．

　以上のような戦後の経験は，ソロー・モデルの観点からみて驚くべきことだろうか．定常状態にある経済を観察しよう．いま，戦争によって資本ストックの一部が破壊されたとする（すなわち，図1-4において，資本ストックがk^*からk_1に減少したと想定する）．驚くべきことではないが，産出水準はすぐに低下する．しかし，もし貯蓄率——産出のなかで貯蓄・投資にあてられる割合——に変化がなければ，経済は高成長の時期を経験するだろう．資本ストックが低水準にあるときには，投資による資本の増加分が減価償却による資本の減少分を上回るため，産出は速く成長するのである．この高成長は，経済が以前の定常状態に到達するまで続く．したがって，資本ストックの一部が破壊されると経済の産出は直ちに減少するが，その後通常よりも高い成長が生じる．経済関係の出版物でしばしば「奇跡」と書かれる日本とドイツの急速な成長は，戦争によって資本ストックが大量に減少した国々について，ソロー・モデルから予測できること

なのである.

　戦後の成長の奇跡の後，日本とドイツはともに，アメリカの成長率に近い普通の成長のペースに落ち着いた．1972年から2000年にかけての1人当たりの産出量の成長率は，アメリカが年率2.1%であったのに対して，日本は年率2.4%，ドイツは年率1.8%であった．この現象もまたソロー・モデルが予測するものである．経済がその定常状態に近づくにしたがって，定常状態へ戻る移行過程で生じる，この正常値より高い成長率を経験することはなくなるのである.

　この歴史的なエピソードから間違った教訓を引き出してはいけないので，戦時の破壊が望ましいものと考えられるべきでないことに注意しておこう．戦後期における日本とドイツの急速な成長は，その破壊がなかったならば到達したであろう状態へと両国をキャッチアップさせたにすぎないのである．さらにいうと，戦争で破壊された多くの国々は，日本やドイツとは違って国内紛争や政治的不安定の遺産を引き継ぎ，それがその後の成長を阻害したのである.

貯蓄率は成長にどのような影響を与えるか

　第2次世界大戦後の日本とドイツの経済成長の説明は，上のケース・スタディで示唆されたほど単純なものではない．もう1つの重要な事実は，日本とドイツはどちらも，産出のうち貯蓄・投資に向けられる割合がアメリカよりも高いということである．経済実績の国際格差をより完全に理解するためには，貯蓄率が異なるときの影響を考察しなければならない.

　貯蓄率が上昇したとき，何が起こるかを考察しよう．図1-5は，その変化を示している．いま，経済は，貯蓄率 s_1 と資本ストック k_1^* の定常状態にあると仮定する．経済は定常状態にあるので，投資額はちょうど減価償却額を相殺している．ここで貯蓄率が s_1 から s_2 へと上昇すると，$sf(k)$ 曲線は上方へシフトする．その変化の直後には，投資は増加するが，資本ストックと減価償却は変わらない．それゆえ，いまや投資が減価償却を上回る．資本ストックはしだいに増加して，経済はやがて新しい定常状態 k_2^* に到達する．新しい定常状態では，当初の定常状態よりも資本ストックと産出水準が高くなっている.

図1-5 ● 貯蓄率の上昇

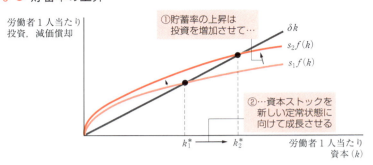

貯蓄率の上昇は，どのような所与の資本ストックにおいても，投資量が多くなることを意味する．したがって，貯蓄関数は上方にシフトする．そのため，当初の定常状態 k_1^* では，投資は減価償却を上回る．資本ストックは経済が新しい定常状態 k_2^* に到達するまで増加を続け，そこでは資本と産出はともに増えている．

ソロー・モデルは，定常状態の資本ストックを決定する主因は貯蓄率であることを示している．貯蓄率が高い場合には，定常状態における経済の資本ストックは多く，産出水準も高い．貯蓄率が低い場合には，定常状態における経済の資本ストックは少なく，産出水準も低い．この結論は，財政政策についてのさまざまな議論を解明するのに役立つ．第Ⅰ巻第3章でみたように，財政赤字は国民貯蓄を減らし，投資のクラウディング・アウトをもたらす．そして本章でみたように，貯蓄率の低下は，長期的には資本ストックと国民所得の減少という結果をもたらす．多くの経済学者が大きくて長く続く財政赤字に批判的なのはこのような推論によるのである．

貯蓄率と経済成長率の関係についてソロー・モデルから何がいえるだろうか．ソロー・モデルによれば，貯蓄率が高くなると成長は急速になるが，それは一時的なものにすぎない．貯蓄率の上昇が成長を高めるのは，経済が新しい定常状態に到達するまでの間だけである．高い貯蓄率が維持されれば，多量の資本ストックと高い産出水準は維持されるだろうが，しかし高い成長率が永続的に維持されることはない．定常状態の1人当たり所得の成長率を変化させるような政策は**成長効果**（growth effect）を持つといわれる．そのような例については第2章でみる．一方，貯蓄率上昇は**水準効果**（level effect）を持つといわれる．なぜなら，定常状態における貯蓄率によって影

響を受けるのは，1人当たり所得の水準のみであり，その成長率ではないからである．

　貯蓄と成長がどのように互いに影響し合うかがわかったので，第2次世界大戦後のドイツと日本の経済の印象的なパフォーマンスについてもっと詳しく説明できる．戦争によって両国の初期の資本ストックが低かったことに加えて，貯蓄率が高かったことによって定常状態の資本ストックも高くなったのである．これら両方の事実はどちらも，1950年代から1960年代にかけての両国の急速な成長を説明するのに役立つ．

1-2 資本の黄金律水準

　これまでは，ソロー・モデルを用いて貯蓄率と投資率が定常状態における資本と所得の水準をどのように決定するかを調べてきた．これまでの分析から，貯蓄率が高いほど所得が高くなるのだから，高い貯蓄率はつねによいことだと考える読者がいるかもしれない．しかしながら，ある国の貯蓄率が100％だったらどうなるだろうか．その場合には，可能な範囲で最大の資本ストックと最大の所得がもたらされる．しかし，この所得がすべて貯蓄され，まったく消費されないのであれば，何かよいことがあるだろうか．

　本節では，ソロー・モデルを用いて，経済厚生を最大にする資本蓄積の量について論じる．第2章では，政府の政策が一国の貯蓄率にどのような影響を与えるかを論じるが，その前にまずこの節では，そのような政策決定の背後にある理論を提示する．

定常状態の比較

　分析を簡単にするため，政策立案者は貯蓄率をどのような水準にでも設定できると仮定する．貯蓄率を設定することによって，政策立案者は経済の定常状態を決定することになる．政策立案者はどのような定常状態を選ぶべきだろうか．

　政策立案者の目標は社会を構成する個人の経済厚生を最大にすることである．個々人は，経済の資本量はもちろん，産出量さえも気にかけてはいない．関心を持つのは，消費できる財・サービスの量である．したがって，博愛主

義の政策立案者は，消費水準が最も高い定常状態を選ぼうとするだろう．消費を最大にするkの定常値のことを**資本の黄金律水準**（Golden Rule level of capital）と呼び，k_{gold}^*で表す．[2]

経済が黄金律水準にあるかどうかは，どうすればわかるだろうか．この問題に答えるためには，まず定常状態での労働者1人当たりの消費を決めなければならない．そうすれば，どの定常状態で消費が最大になるかがわかる．

定常状態における労働者1人当たり消費を明らかにするために，国民所得勘定の恒等式，

$$y = c + i$$

から出発し，それを整理すると，次式を得る．

$$c = y - i$$

消費は産出から投資を差し引いたものに等しい．定常状態の消費を明らかにしたいので，産出と投資の定常状態の値を代入する．定常状態における労働者1人当たりの産出は$f(k^*)$である．ただし，k^*は定常状態での労働者1人当たり資本ストックである．さらに，定常状態では資本ストックは変化しないので，投資は減価償却δk^*に等しい．$f(k^*)$をyに，δk^*をiに代入すると，定常状態における労働者1人当たり消費は次のように書くことができる．

$$c^* = f(k^*) - \delta k^*$$

この式によれば，定常状態の消費は定常状態の産出から減価償却を差し引いた残りにほかならない．この式が示しているように，定常状態の資本の増加は定常状態の消費に対して2つの相反する効果を持つ．一方では，資本の増加は産出の増加を意味する．他方では，資本の増加は，減耗する資本を置き換えるためにより多くの産出が用いられなければならないことをも意味する．

図1-6は，定常状態の産出と減価償却を，定常状態の資本ストックの関数としてグラフに描いたものである．定常状態の消費は産出と減価償却の差である．この図が示しているように，消費を最大にする資本ストックの水準——黄金律水準k_{gold}^*——がただ1つ存在する．

定常状態の比較にあたっては，資本ストックの増加が，産出と減価償却の

---

[2]　Edmund Phelps, "The Golden Rule of Accumulation: A Fable for Growthmen," *The American Economic Review*, Vol. 51, No. 4, September 1961, pp. 638–643. 2006年に，フェルプスはノーベル経済学賞を受賞した．

図1-6 ● 定常状態の消費

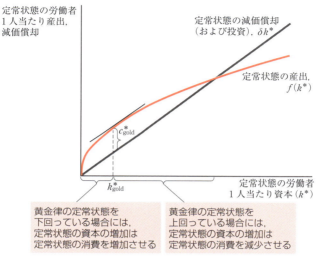

産出は消費と投資に用いられる．定常状態では，投資は減価償却に等しい．したがって，定常状態における消費は，産出 $f(k^*)$ と減価償却 δk^* の差である．定常状態の消費は黄金律の定常状態で最大になる．k^*_{gold} は黄金律の資本ストックを表し，c^*_{gold} は黄金律の消費水準を表す．

両方に影響を与えることに注意しなければならない．もし資本ストックが黄金律水準を下回っていれば，資本ストックの増加による産出の増加が減価償却の増加を上回るので，消費は増加する．この場合には，生産関数は δk^* の直線よりも傾きが急であり，したがってこの2つの曲線の差（消費に等しい）は，k^* が増加するに従って広がる．逆に，もし資本ストックが黄金律水準を上回っていれば，資本ストックの増加は消費を減少させる．なぜなら，そのときの産出の増加は減価償却の増加よりも少ないからである．この場合には，生産関数は δk^* の直線よりも傾きが緩やかであり，したがって，2つの曲線の差（消費）は k^* が増加するに従って縮小する．資本の黄金律水準において，生産関数の傾きと δk^* の直線の傾きは同じになり，消費は最大水準になる．

以上から，資本の黄金律水準の特徴として簡単な条件を導出することができる．生産関数の傾きは資本の限界生産力 MPK であることを思い出そう．

20 第1部 成長理論：超長期の経済

直線 δk^* の傾きは δ である．この２つの線の傾きは k^*_{gold} において等しくなるので，黄金律は次の式で表される．

$MPK = \delta$

資本の黄金律水準において，資本の限界生産力は減価償却率に等しい．

少し視点を変えて，初期の資本ストックが定常状態 k^* にあるとき，政策立案者が資本ストックを k^*+1 に増やそうとするとしよう．この資本の増加による産出量の増加分は $f(k^*+1)-f(k^*)$ であり，これは資本の限界生産力 MPK である．資本を１単位増やすことで生じる減価償却の増加額は，減価償却率 δ である．したがって，この資本の１単位の増加が消費に与える純（ネットの）効果は，$MPK-\delta$ である．もし $MPK-\delta>0$ であれば，資本の増加は消費を増やすので，k^* は黄金律水準を下回っていなければならない．もし $MPK-\delta<0$ であれば，資本の増加は消費を減らすので，k^* は黄金律水準を上回っていなければならない．それゆえ，黄金律を記述する条件は次のようになる．

$MPK - \delta = 0$

資本ストックの黄金律水準においては，減価償却率を除去した資本の限界生産力（$MPK-\delta$）はゼロに等しい．後でみるように，政策立案者はどのような経済においても，この条件を用いて黄金律の資本ストックをみつけることができる．[3]

ただし，経済が黄金律の定常状態に自動的に引き寄せられるわけではないことに注意しておこう．黄金律の場合のような特定の定常状態の資本ストックを達成するには，それを維持するための特定の貯蓄率が必要である．図1-7は，資本の黄金律水準をもたらすように貯蓄率を設定した場合の定常状態を示している．もし貯蓄率がこの図に描かれたものよりも高ければ，定常状態の資本ストックは高すぎることになる．もし貯蓄率がこれよりも低ければ，定常状態の資本ストックは低すぎることになる．どちらの場合も，定常状態の消費は黄金律の定常状態の消費よりも少なくなる．

3） 数学注：黄金律の条件を導き出すもう１つの方法は，若干の微分を使う．$c^*=f(k^*)-\delta k^*$ であることを思い出そう．c^* を最大化する k^* をみつけるには，微分して $dc^*/dk^*=f'(k^*)-\delta$ を求め，この微分係数をゼロにする．$f'(k^*)$ が資本の限界生産力であることに注意すると，本文中の黄金律の条件を得る．

図1-7 ● 貯蓄率と黄金律

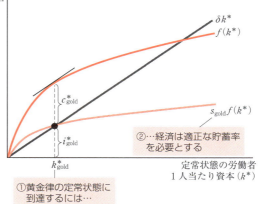

黄金律水準の資本 k^*_{gold} を生み出す貯蓄率は1つしか存在しない．貯蓄率がどのように変化しても，$sf(k)$ 曲線がシフトし，経済は消費水準の低下した定常状態に移行してしまう．

黄金律の定常状態のみつけ方：数値例

　以下に述べるような経済において，定常状態を選択する政策立案者を考えよう．生産関数は前の例と同じく，

$$y = \sqrt{k}$$

である．すなわち，労働者1人当たり産出は労働者1人当たり資本の平方根に等しい．減価償却 δ も前と同じく資本ストックの10%である．今回は，政策立案者は貯蓄率 s，したがって経済の定常状態を選択できるとする．
　政策立案者が政策に利用できる結果はどのようなものだろうか．それをみるため定常状態において次の式が成り立つことを思い出そう．

$$\frac{k^*}{f(k^*)} = \frac{s}{\delta}$$

この例では，この式は，

$$\frac{k^*}{\sqrt{k^*}} = \frac{s}{0.1}$$

となる．この式の両辺を2乗すると，定常状態の資本ストック，すなわち，

22　第1部　成長理論：超長期の経済

表1-3 ● 黄金律の定常状態の発見：数値例

s	k^*	y^*	δk^*	c^*	MPK	$MPK-\delta$
0.0	0.0	0.0	0.0	0.0	∞	∞
0.1	1.0	1.0	0.1	0.9	0.500	0.400
0.2	4.0	2.0	0.4	1.6	0.250	0.150
0.3	9.0	3.0	0.9	2.1	0.167	0.067
0.4	16.0	4.0	1.6	2.4	0.125	0.025
0.5	**25.0**	**5.0**	**2.5**	**2.5**	**0.100**	**0.000**
0.6	36.0	6.0	3.6	2.4	0.083	-0.017
0.7	49.0	7.0	4.9	2.1	0.071	-0.029
0.8	64.0	8.0	6.4	1.6	0.062	-0.038
0.9	81.0	9.0	8.1	0.9	0.056	-0.044
1.0	100.0	10.0	10.0	0.0	0.050	-0.050

（注）　$y=\sqrt{k}$，$\delta=0.1$と仮定.

$$k^*=100\,s^2$$

が得られる．この結果を用いると，どのような貯蓄率に対しても定常状態の資本ストックを計算することができる．

　表1-3は，さまざまな貯蓄率について定常状態を計算したものである．この表からわかるように，貯蓄率が上昇すると資本ストックは増加し，産出と減価償却も増加する．定常状態の消費，すなわち産出と減価償却の差は，貯蓄率が高くなるに従って最初は拡大し，やがて縮小する．消費が最も多くなるのは，貯蓄率が0.5のときである．したがって，黄金律の定常状態をもたらす貯蓄率は0.5である．

　黄金律の定常状態を確認するもう1つの方法は，資本の純限界生産力（$MPK-\delta$）がゼロになる資本ストックをみつけることだったことを思い出そう．この生産関数の場合には，資本の限界生産力は，

$$MPK=\frac{1}{2\sqrt{k}}$$

である.[4] 表1-3の右の2列は，この公式を用いて計算したいろいろな定常状態における MPK と $MPK-\delta$ の値を示している．貯蓄率が黄金律の値の

---

4)　数学注：この式を導出するには，資本の限界生産力が生産関数の k に関する微分係数であることに注意すればよい.

0.5であるときに資本の純限界生産力がちょうどゼロとなることに注意しよう．資本の限界生産力は逓減するので，貯蓄率が黄金律の値よりも小さいときには資本の純限界生産力はゼロよりも大きく，貯蓄率が黄金律の値よりも大きいときには資本の純限界生産力はゼロよりも小さい．

　この数値例から，黄金律の定常状態をみつける2つの方法，すなわち定常状態の消費に注目する方法と資本の限界生産力に注目する方法で同じ解答が得られることが確認できる．現実の経済が黄金律の資本ストック水準にあるか，それ以上か，それともそれ以下かを知りたければ，資本の限界生産力の推定値は簡単に入手できるので，第2の方法のほうが便利である．一方，第1の方法を用いて経済を評価するには，さまざまな貯蓄率における定常状態の消費を推定する必要があるが，そのような情報は入手しにくい．したがって，第2章でこうした分析をアメリカ経済に適用するときには，資本の限界生産力を調べることによってアメリカの貯蓄率を評価する．しかしながら，その分析を行う前に，ソロー・モデルの展開をさらに進める必要がある．

黄金律定常状態への移行

　政策立案者の問題をもう少し現実的に考えてみよう．これまでは，政策立案者は経済の定常状態を選ぶと，その状態がすぐに達成できると仮定してきた．この場合，政策立案者は消費が最も高い定常状態，すなわち黄金律の定常状態を選ぶだろう．しかし，経済がいま，黄金律以外の定常状態にあったらどうだろうか．定常状態の間を移行するとき，消費，投資，資本はどうなるだろうか．移行過程の影響によって，政策立案者が黄金律の達成を目指さなくなることはあるだろうか．

　2つの場合を考えなければならない．1つは，黄金律水準よりも資本が多い定常状態から出発する場合であり，もう1つは黄金律水準よりも資本が少ない定常状態から出発する場合である．これからみていくように，この2つは政策立案者にまったく異なる問題を提起することがわかる（第2章でみるように，資本が少なすぎるという第2のケースは，アメリカ経済をはじめとする大部分の現実の経済を表している）．

　過剰な資本からの出発　最初に，経済が黄金律水準よりも資本が多い定常

図1-8 ● 黄金律水準よりも資本が多い定常状態から出発したときの貯蓄の減少

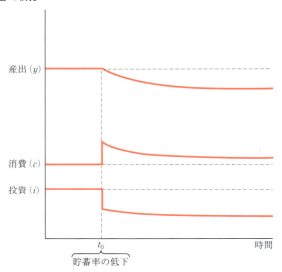

この図は，経済が黄金律水準よりも資本が多い定常状態から出発し，貯蓄率が低下するときに，時間の経過とともに産出，消費，投資に何が起こるかを示している．(t_0 時点において）貯蓄率が低下すると，消費は即座に増加し，同じ量だけ投資が減少する．時間の経過とともに，資本ストックが減少するので，産出，消費，投資も同時に減少する．資本が過剰の状態から出発しているので，新しい定常状態では，当初の定常状態よりも消費水準が高い．

状態から出発する場合を考えよう．この場合，政策立案者は資本ストックを減らすために貯蓄率を低下させる政策をとらなければならない．この政策が成功し，ある時点（t_0 とする）において，やがて黄金律の定常状態に到達するような水準まで貯蓄率が低下したとしよう．

図1-8は，貯蓄率が低下したときに，産出，消費，投資がどうなるかを示したものである．貯蓄率の低下は，即座に消費の増加と投資の減少をもたらす．当初の定常状態では投資と減価償却は等しいので，投資は減価償却よりも少なくなり，したがって，経済はもはや定常状態にない．資本ストックは徐々に減少し，その結果，産出，消費，投資も減少する．これらの変数は，

新しい定常状態に到達するまで減少し続ける．新しい定常状態は黄金律の定常状態であると仮定しているので，産出と投資は貯蓄率が変化する前よりも減っているものの，消費は前よりも増えていなければならない．

注意すべきことは，当初の定常状態における消費と比較して，消費が増えているのは新しい定常状態においてだけではなく，そこに至る移行経路全体にわたっているということである．資本ストックが黄金律の水準を上回っているときには，貯蓄を減少させるのは明らかに望ましい政策となる．なぜなら，それはあらゆる時点における消費を増加させるからである．

過少な資本からの出発　黄金律水準よりも資本が少ない定常状態から出発する場合には，政策立案者は黄金律に到達するために貯蓄率を上昇させなければならない．図1-9は，そのときどのようになるかを示している．t_0 時点における貯蓄率の上昇は，即座に消費の減少と投資の増加をもたらす．投資の増加はやがて資本ストックの増加をもたらす．資本が蓄積されるに従って，産出，消費，投資は徐々に増加し，新しい定常状態の水準に接近する．当初の定常状態は黄金律水準を下回っているので，貯蓄の増加は最終的には消費を元の水準よりも高い水準へと導く．

黄金律の定常状態をもたらすような貯蓄の増加は経済厚生を高めるだろうか．定常状態の消費水準は元の水準よりも高くなっているので，最終的には経済厚生を高めることになる．しかし，その新しい定常状態に到達するには，初めのうちは消費が減少しなければならない．この点で，経済が黄金律水準を上回る状態から出発する場合と違うことに注意しよう．黄金律水準を上回る状態から出発する場合，黄金律水準に到達しようとすると，その過程におけるすべての時点においてより高い消費をもたらす．黄金律水準を下回る状態から出発する場合，黄金律水準に到達しようとすると，将来の消費を増やすために最初は消費を減らさなければならない．

政策立案者は，現在の消費者と将来の消費者がいつも同じ人々であるとは限らないということを認識したうえで，黄金律の定常状態を達成すべきかどうかを決めなければならない．黄金律水準に到達することは最も高い定常状態の消費水準を達成することであり，将来の世代に便益を与える．しかしながら，当初の状態が黄金律水準を下回っている場合には，黄金律水準に到達

図1-9 ● 黄金律水準よりも資本が少ない定常状態から出発したときの貯蓄の増加

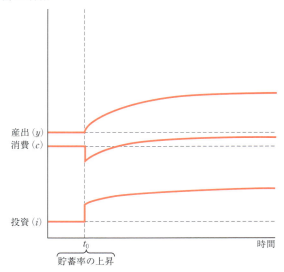

　この図は，経済が黄金律水準よりも資本が少ない定常状態から出発し，貯蓄率が上昇するときに，時間の経過とともに産出，消費，投資に何が起こるかを示している．（t_0時点において）貯蓄率が上昇すると，消費は即座に減少し，同じ量だけ投資が増加する．時間の経過とともに，資本ストックが増加するので，産出，消費，投資も同時に増加する．資本が黄金律を下回る状態から出発しているので，新しい定常状態では，当初の定常状態よりも消費水準は高い．

するには，投資の増加，したがって現在世代の消費の減少が必要となる．したがって，資本蓄積を増やすかどうかを選択するにあたって，政策立案者は異世代間の厚生のトレードオフに直面する．政策立案者が将来世代よりも現在世代に配慮する場合には，黄金律の定常状態に到達する政策をとらないという決定をするかもしれない．一方，政策立案者がすべての世代に等しく配慮する場合には，黄金律水準に到達することを選ぶだろう．そのときには，現在世代の消費は減ることになるが，無数の将来世代は黄金律水準に向かうことによって便益を得るからである．

　このように，最適な資本蓄積は，現在世代と将来世代の利益をどのように

評価するかに決定的に依存する．聖書の黄金律は，「あなたがたが人にして欲しいと思うことを，あなたがたも人にしなさい」とわれわれに説く．もしわれわれがこの忠告を受け入れるならば，すべての世代を同等に扱うだろう．この場合には，黄金律水準の資本ストックを達成するのが最適となる．「黄金律」と呼ばれるのはこのためである．

1-3 結　　論

　本章では，ソローの成長モデルを紹介した．これまでに展開した基本モデルは，貯蓄が定常状態における資本ストックと1人当たり所得をどのように決定するかを示している．このモデルは現実の成長にみられるさまざまな特徴を解明するのに役立つ．たとえば，なぜドイツと日本が第2次世界大戦による壊滅的な状況からあれほど急速に成長したか，なぜ産出の高い割合を貯蓄と投資に向ける国々が，低い割合しか貯蓄と投資に向けない国々よりも豊かなのか，などについてである．

　しかしながら，このモデルでは，ほとんどの国々で観察される産出と生活水準の持続的な成長を説明することはできない．そのままのモデルでは，経済が定常状態に到達すると，産出はそれ以上成長しなくなる．持続的な成長を説明するためには，このモデルに人口成長と技術進歩を付け加えなければならない．それが第2章における最初の作業である．

■ ■ ■ ■　要約　■ ■ ■

1　ソロー・モデルは，長期においては，貯蓄率が資本ストックの大きさと産出水準を決めることを示す．貯蓄率が高ければ高いほど，資本ストックと産出水準は高くなる．

2　ソロー・モデルでは，貯蓄率の上昇は1人当たり所得に対する水準効果を持つ．すなわち，しばらくの間は急速な成長をもたらすが，やがて新しい定常状態に接近するにつれて，その成長は減速する．したがって，高い貯蓄率は高い定常状態の産出水準をもたらすが，貯蓄だけでは持続的な経済成長を生み出すことはできない．

3 定常状態の消費を最大にする資本の水準は黄金律水準と呼ばれる．ある経済の資本が黄金律水準よりも多い定常状態ならば，貯蓄を減らすことですべての時点における消費を増やすことができる．一方，ある経済の資本が黄金律水準よりも少ない定常状態ならば，黄金律水準に到達するには投資を増やさなければならず，したがって現在世代の消費を減らさなければならない．

キーワード

ソローの成長モデル　　減価償却　　定常状態　　資本の黄金律水準

確認問題

1 次の生産関数のうち規模に関して収穫一定のものはどれか．

a $Y = K + L$

b $Y = K^2 + L$

c $Y = K^2 L$

d $Y = K^{1/3} L^{1/3}$

2 人口増加や技術進歩がない経済で，生産関数は $y = 20 k^{1/2}$ である．現存の資本ストックは100であり，減価償却率は12％である．労働者1人当たりの所得が成長するためには，貯蓄率は＿＿％を上回らなければならない．

a 6

b 8

c 10

d 12

3 基本的なソロー・モデルの定常状態において，投資に等しいのは以下のどれか．

a 労働者1人当たりの産出

b 資本の限界生産力

c 消費

d 減価償却

4 ソロー・モデルによれば，もし経済の貯蓄率が上昇すれば，新しい定常状態においては，前の定常状態と比較すると，資本の限界生産力は_____であり，成長率は_____である．

 a 同じ，より低い値

 b 同じ，より高い値

 c より低い値，同じ

 d より高い値，同じ

5 基本的ソロー・モデルでは，黄金律の定常状態において資本の限界生産力と等しくなるのは_____である．

 a 貯蓄率

 b 減価償却率

 c 労働者1人当たりの産出

 d 労働者1人当たりの消費

6 もし経済が黄金律水準よりも資本が多い定常状態ならば，貯蓄率を低下させると，定常状態の所得は____し，定常状態の消費は____する．

 a 増加，増加

 b 増加，減少

 c 減少，増加

 d 減少，減少

＞＞＞＞＞ 復習問題 ＜＜＜＜＜

1 ソロー・モデルにおいて，貯蓄率は定常状態の所得水準にどのような影響を与えるか．貯蓄率は定常状態の成長率にどのような影響を与えるか．

2 経済政策の立案者はなぜ黄金律の資本水準を選ぼうとするのか．

3 政策立案者は黄金律水準よりも資本の多い定常状態を選ぶことはあるだろうか．政策立案者は黄金律水準よりも資本の少ない定常状態を選ぶことはあるだろうか．その理由も説明しなさい．

30 第1部 成長理論：超長期の経済

応用問題

1 A国とB国の生産関数はともに，
$$Y = F(K, L) = K^{1/3}L^{2/3}$$
であるとする．

a この生産関数は規模に関して収穫一定だろうか．その理由も説明しなさい．

b 労働者1人当たりの生産関数 $y = f(k)$ はどのようになるか．

c 両国とも人口成長も技術進歩もないものとし，資本の20％が毎年減耗すると仮定する．さらに，A国は毎年産出の10％を貯蓄し，B国は毎年産出の30％を貯蓄すると仮定する．前問bへの解答と，投資と減価償却が等しいという定常状態の条件を用いて，両国について定常状態における労働者1人当たり資本水準を求めなさい．次に定常状態における労働者1人当たり所得水準と消費水準を求めなさい．

d 両国とも労働者1人当たり資本ストックが1の状態から出発すると仮定する．労働者1人当たり所得水準と労働者1人当たり消費水準を求めなさい．

e 資本ストックの変化が投資と減価償却の差に等しいということを思い出し，両国の1人当たり資本ストックが時間を通じてどのように変動するかについて電卓（いっそうよいのは表計算ソフト）を用いて示しなさい．各年について，労働者1人当たり所得と労働者1人当たり消費を計算しなさい．B国の消費がA国の消費を上回るのに何年かかるか．

2 ドイツと日本の戦後の経済成長の議論において，本文では，資本ストックの一部が戦争で破壊されたときに何が起こるかを記述している．反対に，戦争は資本ストックには直接影響を与えず，多数の死傷者が出ることで労働力が減少したと仮定しよう．戦争前には経済は定常状態にあったとし，貯蓄率は一定で，戦後の人口成長率は戦前と同一であると仮定する．

a 総産出量と1人当たり産出に対する戦争の即時的な影響はどのようなものか．

b 戦後の経済における1人当たり産出はその後どうなるだろうか. 労働者1人当たり産出の成長は戦前よりも戦後のほうが速いだろうか, 遅いだろうか.

3 生産関数 $Y = F(K, L) = K^{0.4} L^{0.6}$ で記述される経済について考えよう.

a 労働者1人当たりの生産関数はどのようになるか.

b 人口成長も技術進歩もないと仮定し, 定常状態における労働者1人当たり資本ストック, 労働者1人当たり産出, 労働者1人当たり消費を, 貯蓄率と減価償却率の関数として表しなさい.

c 減価償却率が年間15%であると仮定しよう. 貯蓄率が0%, 10%, 20%, 30%, …の場合について, 定常状態における労働者1人当たり資本, 労働者1人当たり産出, 労働者1人当たり消費を示す表を作成しなさい (表計算ソフトを用いるのが最も簡単だろう). 労働者1人当たり産出を最大にする貯蓄率はいくらか. 労働者1人当たりの消費を最大にする貯蓄率はいくらか.

d 第Ⅰ巻第3章の知識を用いて資本の限界生産力を求めなさい. 減価償却を除いた資本の限界生産力をそれぞれの貯蓄率に対して計算し, 問cで作った表に付け加えなさい. その表が資本の純限界生産力と定常状態の消費の間の関係について示していることは何か.

4 「国民産出量のなかで投資に配分する割合を高めることは, 急速な生産性の成長と生活水準の上昇を回復させるのに役立つであろう.」あなたはこの主張に賛成するか. ソロー・モデルを用いて説明しなさい.

5 失業がソロー・モデルにどう影響するか考察しよう. 産出は生産関数,
$$Y = K^{\alpha} [(1-u)L]^{1-\alpha}$$
によって生産されると仮定しよう. ここで, K は資本ストック, L は労働力, u は自然失業率である. 国民貯蓄率は s で, 資本減耗率は δ である.

a 労働者1人当たり産出 ($y = Y/L$) を, 労働者1人当たり資本ストック ($k = K/L$) と自然失業率 (u) の関数として表しなさい.

b この経済の定常状態を表す式を書きなさい. 本章で標準的なソロー・モデルに対して行ったのと同じように, 定常状態をグラフによって図解しなさい.

32　第 1 部　成長理論：超長期の経済

c　政府の政策が変更されて自然失業率が低下したとしよう．問 b で描いたグラフを用いて，この変化が産出に与える即時的な影響と，時間を通じての影響の両方について説明しなさい．定常状態における産出への影響は，即時的な影響よりも大きいか，小さいか．理由も説明しなさい．

Chapter 2

第**2**章

人口成長と技術進歩

●

「経済成長はよりよいレシピから生じるのであり，より多くの料理のみから生じるのではない.」

——ポール・ローマー

　本章では，引き続き長期の経済成長の分析を行う．第1章の基本的ソロー・モデルから出発して，2つの新しい課題に取り組む.

　第1は，ソロー・モデルをより一般的で現実的なものにすることである．第Ⅰ巻第3章では，資本，労働および技術が一国の財・サービスの産出における主たる決定要因であることをみた．第Ⅱ巻第1章では，基本的ソロー・モデルを展開し，（貯蓄と投資の変化を通じての）資本の変化がどのように経済の産出に影響を及ぼすかをみた．いまや人口成長と技術進歩という成長の他の2つの源泉を組み入れる準備が整った．ソロー・モデルでは人口成長率と技術進歩率は説明されず，その代わりそれらは外生的に与えられるものとして，経済成長の過程でこの2つの変数が他の変数とどのように相互作用するかを示す.

　第2は，ソロー・モデルを一歩踏み超えることである．以前に論じたように，われわれが世界を理解するのにモデルが助けとなるのは，それを単純化することによってである．あるモデルの分析を完成した後には，われわれが物事を単純化しすぎていないかどうかを考察することが重要である．本章の最後の節では，内生的成長理論と呼ばれる新しい一連の理論を検討する．この理論は，ソロー・モデルで外生的とされた技術進歩を説明するのに役立つ．内生的成長理論の有名な提唱者の1人はポール・ローマーであるが，彼は2018年にノーベル経済学賞を受賞した．本章の冒頭の引用文は彼のものであ

34　第1部　成長理論：超長期の経済

る．

2-1 ソロー・モデルにおける人口成長

　ソロー・モデルは，資本蓄積それ自体では持続的な経済成長を説明できないことを示している．高い貯蓄率は一時的に高い成長をもたらすが，結局，経済は資本と産出が一定である定常状態に近づく．世界の大部分で観察される持続的な経済成長を説明するには，ソロー・モデルを拡張し，成長の他の2つの源泉，すなわち人口成長と技術進歩を組み込まなければならない．本節では，人口成長をモデルにつけ加える．

　第1章のように，人口が一定であると仮定する代わりに，ここでは人口と労働力が一定率 n で成長すると想定する．たとえば，アメリカでは，人口は年率約1％で成長しているので，$n=0.01$である．もしある年に1億5000万人の人々が働いているとすれば，次の年には1億5150万人（1.01×1億5000万）が働き，その次の年には1億5301万5000人（1.01×1億5150万）が働くというように，働く人は年々増えていく．

人口成長を伴う定常状態

　人口成長は定常状態にどのような影響を与えるだろうか．この問題に答えるには，人口成長が，投資や減価償却とともに，労働者1人当たりの資本蓄積にどのような影響を与えるかを論じなければならない．投資は資本ストックを増加させ，減価償却は資本ストックを減少させる．しかし，ここでは労働者1人当たり資本量を変化させる第三の力が存在する．労働者数の増加は，労働者1人当たりの資本の減少をもたらすのである．

　以下では引き続き，小文字は労働者1人当たりの数量を表すものとする．したがって，$k=K/L$は労働者1人当たり資本であり，$y=Y/L$は労働者1人当たり産出である．ただし，労働者の人数は徐々に増えていくことを覚えておこう．

　労働者1人当たり資本ストックの変化は，
$$\Delta k = i - (\delta + n)k$$
である．この式は，新しい投資，減価償却，人口成長が労働者1人当たり資

本ストックにどのような影響を与えるかを示している．新しい投資 i は k を増加させるのに対し，減価償却 δ と人口成長 n は k を減少させる．人口一定（$n=0$）という特殊な場合には，この式は第1章で先にみたものと同じになる．

　$(\delta+n)k$ の項は**臨界的投資**（break-even investment）を定義しているものと考えることができる．臨界的投資とは，労働者1人当たり資本ストックを一定に保つのに必要な投資量である．この臨界的投資は減価する資本を置き換えるのに必要な量（δk）を含んでおり，また新しい労働者に資本を提供するのに必要な投資量（nk）も含んでいる．新しい労働者に資本を提供するのに必要な投資量が nk となるのは，現存の労働者1人につき n 人の新しい労働者が存在し，労働者1人当たり資本量が k だからである．上の式は，人口成長が減価償却と同じように労働者1人当たり資本ストックを減少させることを示している．減価償却は資本ストックを減耗させることによって k の減少をもたらすのに対し，人口成長は資本ストックをより多くの労働人口に拡散させることによって k の減少をもたらす．[1]

　人口成長を含む分析はこれまでと同じように進められる．最初に，i に $sf(k)$ を代入すると，上の式は次のように書き表される．

　　$\Delta k = sf(k) - (\delta+n)k$

図2-1を使って，定常状態における労働者1人当たり資本の水準を決定するのは何かをみよう．図2-1は図1-4の分析を拡張し，人口成長の影響を含めたものである．もし労働者1人当たりの資本 k が変化しないのであれば，経済は定常状態にある．これまでと同じように，k の定常状態の値を k^* で示そう．もし k が k^* よりも小さければ投資は臨界的投資を上回り，したがって k は増加する．もし k が k^* よりも大きければ投資は臨界的投資よりも小さく，したがって k は減少する．

　定常状態においては，労働者1人当たりの資本ストックに対する投資の正

―――――――――――

1)　数学注：k の変化を表す式を数学的に導出するには，若干の微分を必要とする．単位時間当たりの k の変化は $dk/dt = d(K/L)/dt$ であることに注意しよう．微積分の公式を適用すると，この式は $dk/dt = (1/L)(dK/dt) - (K/L^2)(dL/dt)$ と表される．ここで $dK/dt = I - \delta K$ および $(dL/dt)/L = n$ という関係を用い，それらをこの式に代入しよう．若干の簡単な操作を行うと，これは本文に出てくる式になる．

図2-1 ● ソロー・モデルにおける人口成長

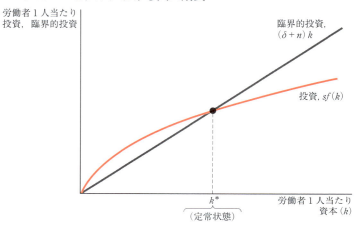

減価償却と人口成長は労働者1人当たり資本ストックが減少する2つの理由である．n を人口成長率，δ を減価償却率とすると，$(\delta+n)k$ は臨界的投資，すなわち労働者1人当たり資本ストック k を一定に維持するのに必要な投資量となる．経済が定常状態にあるためには，投資 $sf(k)$ は減価償却と人口成長の影響 $(\delta+n)k$ を相殺しなければならない．このことは2本の曲線の交差によって表される．

の効果は，減価償却と人口成長の負の効果とちょうど釣り合う．すなわち，k^* においては，$\Delta k=0$ であり，$i^*=\delta k^*+nk^*$ である．経済が定常状態に落ち着くと，投資は2つの目的を持つ．その一部（δk^*）は減価する資本に置き換わる．残り（nk^*）は新しい労働者に定常状態の資本量を提供する．

人口成長の効果

人口成長は3つの点で基本的ソロー・モデルに変更をもたらす．第1に，人口成長を考慮すると，持続的な経済成長の一部が説明できるようになる．人口成長がある場合の定常状態では，労働者1人当たりの資本と労働者1人当たりの産出は一定である．ところが，労働者数は n の率で成長しているので，総資本と総産出もまた n の率で成長しなければならない．労働者1人当たり産出は定常状態において一定なので，人口成長は生活水準の持続的な成長を説明することはできないが，総産出の持続的な成長を説明するのには役立つ．

図2-2 ● 人口成長の影響

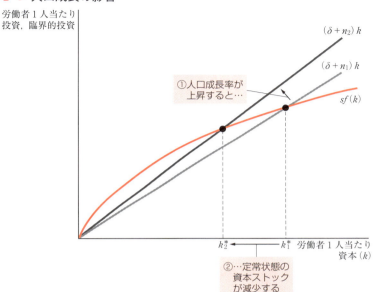

人口成長率が n_1 から n_2 に上昇すると，人口成長と減価償却を表す直線が上方にシフトする．新しい定常状態 k_2^* では，労働者1人当たりの資本水準は当初の定常状態 k_1^* よりも少ない．したがって，ソロー・モデルの予測では，人口成長率の高い経済ほど労働者1人当たりの資本水準と所得は低い．

　第2に，人口成長を考慮すると，なぜある国が豊かで他の国が貧しいのかについて，もう1つの理由が与えられる．人口成長率が上昇したときの効果を考えよう．図2-2は，人口成長率が n_1 から n_2 へと上昇すると，労働者1人当たり資本の定常状態水準が k_1^* から k_2^* に減少することを示している．k^* は減少し，そして $y^* = f(k^*)$ なので，労働者1人当たりの産出水準 y^* もまた低下する．このように，ソロー・モデルからは，人口成長率が高い国々では労働者1人当たりGDPの水準が低いことが予測される．人口成長率の変化は，貯蓄率の変化と同じように，定常状態の労働者1人当たりの所得に水準効果を与えるが，定常状態の労働者1人当たり所得の成長率には影響を及ぼさないことに注意しよう．

　最後に，人口成長は資本の黄金律（消費を最大にする）水準の基準に影響

38　第1部　成長理論：超長期の経済

を与える．この基準がどのように変わるかをみるために，労働者1人当たりの消費が，

$$c = y - i$$

であることに注意しよう．定常状態の産出は $f(k^*)$ であり，定常状態の投資は $(\delta+n)k^*$ であるから，定常状態の消費は，

$$c^* = f(k^*) - (\delta+n)k^*$$

と表される．これまでとほぼ同じ議論を用いると，消費を最大にする k^* の水準は，

$$MPK = \delta + n$$

あるいは同じことであるが，

$$MPK - \delta = n$$

が満たされる水準であるという結論に達する．黄金律の定常状態においては，減価償却を除く資本の限界生産力は人口成長率と等しくなるのである．

ケース・スタディ　世界の国々の投資と人口成長

　　われわれの成長の研究は重要な問題提起から出発した．なぜ豊かな国々がある一方で，貧困に陥っている国々があるのかという問題である．われわれの分析は，いくらかの答えを示唆した．ソロー・モデルによれば，ある国が所得のなかで貯蓄・投資に向ける割合を大きくすれば，定常状態の資本ストックと所得水準は高くなる．ある国の貯蓄・投資が所得のなかの小さい割合だけしか行われない場合には，定常状態の資本と所得は低くなる．それに加えて，人口成長率が高い国では労働者1人当たりの定常状態の資本ストックは低くなり，したがって労働者1人当たりの所得水準も低くなるだろう．換言すれば，高い人口成長率は国を貧しくする傾向がある．なぜなら，労働者数が急速に成長しているときには，労働者1人当たりの資本を高い水準に維持することが難しくなるからである．

　　この点をより厳密にみるために，定常状態では $\Delta k = 0$ であり，したがって定常状態は以下のような条件で表されることを思い出そう．

$$sf(k) = (\delta+n)k$$

さて，生産関数がコブ゠ダグラス型であると想定しよう．

$$y = f(k) = k^{\alpha}$$

この生産関数の逆関数をとると，次のようになる．

$$k = y^{1/\alpha}$$

$f(k)$ と k に上の式を代入すると，定常状態の条件は次のように書くことができる．

$$sy = (\delta + n)y^{1/\alpha}$$

この式を y について解くと，次の式が得られる．

$$y = \left(\frac{s}{\delta + n}\right)^{\alpha/(1-\alpha)}$$

この式が示しているのは，定常状態の所得 y が貯蓄と投資の率 s に対して正の関係を持ち，人口成長率 n に対して負の関係を持つということである．変数 $s/(\delta + n)$ は有効投資率と考えることができる．それは所得のうち貯蓄され投資される割合のみならず，減価償却と人口成長を相殺するのに投資が必要とされる程度も考慮している．

　この理論的帰結が世界中の生活水準の大幅な格差を説明するのに役立つかどうか，データでみてみよう．図2-3は，約160カ国のデータの散布図である（この図は世界の経済の大部分を含んだものである．クウェートやサウジアラビアのように主たる所得の源泉が石油である国々は除外されているが，それらの国々の成長経験は特殊な事情によって説明されるからである）．縦軸は2017年の1人当たり所得である．横軸は有効投資率 $s/(\delta + n)$ である．ここで，s は GDP に占める投資の平均的な割合，n はそれ以前の20年間にわたる人口成長率である．減価償却率 δ はすべての国について同一であると仮定されており，5％に設定されている．この図は，有効投資率 $s/(\delta + n)$ と1人当たり所得水準の間に強い正の関係があることを示している．したがって，このデータは，投資と人口成長率が一国の生活水準を決定する重要な要因であるというソロー・モデルの予測と整合的である．

　この図が示している正の相関関係は重要な事実であるが，それによって解決されるのと同じくらい多くの疑問が生じる．たとえば，なぜ貯蓄と投資が国によって異なるのかという疑問が当然生じるだろう．それに対しては，租税政策，退職のパターン，金融市場の発展，文化的差異など，いろいろな解答が可能である．それに加えて，政治的安定性も何らかの役割を

図2-3 ● ソロー・モデルについての国際的な証拠

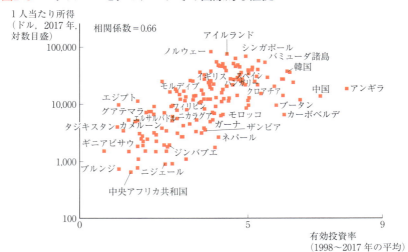

この散布図は，約160カ国の経験をそれぞれ1つの点で示したものである．縦軸は各国の1人当たりの所得を表し，横軸は各国の有効投資率 $s/(\delta+n)$ を表している．ソロー・モデルの予測のとおり，これらの変数は正の関係を持つ．

(出所) Robert C. Feenstra, Robert Inklaar, and Marcel P. Timmer, Penn World Table Version 9.0, The Center for International Data at the University of California, Davis and Groningen Growth and Development Centre at the University of Groningen, December 2018.

果たしているかもしれない．驚くべきことではないが，貯蓄率と投資率は，戦争，革命，クーデターが多発する国ほど低くなる傾向がある．また，公務員の汚職の頻度で測ったときに，政治制度が不十分にしか機能していない国ほど，貯蓄率と投資率は低くなる傾向がある．

そのうえ，因果関係が逆の可能性がある．おそらく，高い所得水準は，何らかの理由で高い貯蓄率と投資率をもたらすのである．同様に，高い所得が人口成長を低下させるのかもしれない．その理由は，より豊かな国々では産児制限の技術がより容易に利用できるからである．国際的なデータは，理論の予測が世界で生じているかどうかを示しているので，ソロー・モデルのような成長理論を評価するのに役立つ．しかし，しばしばあることだが，同じ事実を説明できる理論は1つとは限らないのである．

人口成長についての他の見方

ソロー・モデルは人口成長と資本蓄積の間の相互作用を強調したものである．このモデルでは，人口成長率が高くなると，労働者1人当たりの産出が減少する．なぜなら，労働者数の急速な成長は資本ストックをより薄く拡散させ，定常状態において各労働者はより少ない資本しか装備していないことになるからである．ただし，このモデルは人口成長によるいくつかの他の潜在的効果を無視している．ここでは，そのうちの2つを考察する．1つは人口と天然資源の相互作用を強調するものであり，もう1つは人口と技術の相互作用を強調するものである．

マルサスのモデル　初期の経済学者トマス・ロバート・マルサス（1766-1834）は，彼の著書『人口論』において，歴史上最も気の滅入るような予測を行った．人口が絶えず増加するため，社会の自給能力はつねに限度一杯の状態に置かれるだろうとマルサスは論じた．人間は永久に貧困のなかで生活を送るだろうと彼は予言したのである．

マルサスがはじめに指摘したことは，「食料は人間の生存に不可欠である」こと，そして「異性間の愛欲は避けがたいものであり，ほとんど現状のまま存続するだろう」ということである．彼が達した結論は，「人口の増殖力は大地における人間の生活の糧の生産力より無限に大きい」というものであった．マルサスによれば，人口成長に対する抑制要因は，「窮乏と悪徳」だけであった．慈善団体や政府が貧困を緩和しようとする試みは，逆効果になると彼は論じた．なぜなら，そういった試みにより，貧困層はより多くの子どもを持つことが可能になり，社会の生産能力により大きい負担をかけることになるだけだからだというのである．

マルサスのモデルは当時彼が住んでいた世界を記述していたかもしれないが，人間が永遠に貧困にとどまるであろうという予言は完全に間違っていたことが明らかになった．世界の人口は過去2世紀の間に約7倍に増えたが，平均的な生活水準ははるかに高くなっている．経済成長によって，慢性的な飢餓と栄養不良はマルサスの時代よりも現在のほうが少なくなっている．飢饉が発生することもあるが，それはほとんど不平等な所得分配や政治的不安定性の結果であり，食料生産が不十分なためではない．

42　第1部　成長理論：超長期の経済

　マルサスは，人類の創意の発達が人口増加の効果を相殺して余りあるだろうということを予見できなかった．除草剤，肥料，機械化された農機具，新品種の作物，その他マルサスが想像もしなかった技術進歩によって，各農家はますます多くの人々の食料を生産することが可能となった．たとえ食料を必要とする人が多くても，各農家の生産性がはるかに高いため，必要な農家は以前よりも少なくてすむのである．今日では，アメリカ人のなかで農業に従事している人の割合は1％程度にすぎないが，国民が食べるのに十分な食料だけではなく，輸出に向けられる余剰食料をも生産している．

　そのうえ，「異性間の愛欲」は今日でもマルサスの時代と同じように強いが，愛欲と人口成長との間の結びつきは，現代の産児制限によって断たれた．西ヨーロッパ諸国のような多くの先進諸国は，いまでは出生率が人口維持率を下回るようになった．これからの100年間では，人口は急速に増大するよりも縮小する可能性のほうが高いかもしれない．人口成長が食料生産を圧倒し，人類の貧困は運命的であると考える理由はいまではほとんどない．[2)]

　クレマーのモデル　マルサスが人口の成長を生活水準の上昇への脅威とみたのに対して，経済学者マイケル・クレマーは世界の人口成長が繁栄の増大の重要な推進力であると示唆した．人口が多ければ多いほど，イノベーションや技術進歩に貢献する科学者，発明家，および技術者がより多く存在するとクレマーは主張する．

　この仮説の証拠として，クレマーが最初に指摘するのは，人類の歴史の長い期間をとると，世界の成長率は世界の人口とともに上昇してきたということである．たとえば，世界の経済成長は，人口がたった1億人であったとき（紀元前500年頃）よりも人口が10億人であったとき（1800年頃にそうなった）のほうが急速であった．この事実は，より多くの人口がより多くの技術進歩を促進するという仮説と整合的である．

---

　2)　マルサスのモデルの現代的な分析については，次の文献を参照のこと．Oded Galor and David N. Weil, "Population, Technology, and Growth: From Malthusian Stagnation to the Demographic Transition and Beyond," *The American Economic Review*, Vol. 90, No. 4, September 2000, pp. 806-828; Gary D. Hansen and Edward C. Prescott, "Malthus to Solow," *The American Economic Review*, Vol. 92, No. 4, September 2002, pp. 1205-1217.

第2章　人口成長と技術進歩　　43

　クレマーの第2のより強力な証拠は，世界のさまざまな地域を比較することで明らかにされる．紀元前1万年頃の氷河期の終わりに，極地の氷原が溶けたことで陸地の一部が浸水し，世界は5つの地域に分割されて何千年もの間互いに連絡することができなくなった．技術進歩がより急速になるのは，何かを発見する人々がより多い場合であるとすれば，より広大な地域がより急速な成長を経験したはずである．——そして実際にそのようになった．コロンブスが交流を復興させた1500年には，広さによる地域のランキングは，技術的進歩によるそのランキングと同じであった．最も成功していた地域はヨーロッパ，アジアおよびアフリカを含む大きい旧世界であった．その次に技術的に発展していたのはアメリカ大陸のアステカとマヤの文明であり，それに続くのがオーストラリアの狩猟・採集民族，そしてその後にタスマニアの先住民族がくるが，その人たちは火をおこすことさえ知らず，石や骨の道具もほとんど持っていなかった．最も小さく孤立した地域は，タスマニアとオーストラリアの間にあるフリンダー島という小島であった．フリンダー島では新しいイノベーションに貢献する人はほとんどいなかったので，技術の進歩はほとんど起こらず，実際，退歩していたようである．フリンダー島の人間社会は紀元前3000年頃には完全に消え去った．

　このような証拠から，クレマーは人口が多いことは技術の進歩の必要条件であるという結論を出した．[3]

2-2 ソロー・モデルにおける技術進歩

　これまでのソロー・モデルの紹介では，資本および労働の投入と財・サービスの産出の関係は一定であると仮定してきた．しかし，このモデルには外生的技術進歩を含めることができ，それによって社会の生産能力が時間を通じて拡大するように修正することができる．

---

[3]　Michael Kremer, "Population Growth and Technological Change: One Million B.C. to 1990," *The Quarterly Journal of Economics*, Vol. 108, No. 3, August 1993, pp. 681-716. クレマーは2019年にノーベル経済学賞を受賞した．

労働の効率性

技術進歩を組み入れるためには，総産出 Y に対する総資本 K と総労働 L の関係を表す生産関数に立ち返る必要がある．これまでの生産関数は，

$$Y = F(K, L)$$

であったが，ここでは生産関数を，

$$Y = F(K, L \times E)$$

と書こう．この式において，E は労働の効率性（efficiency of labor）と呼ばれる新しい（そして多少抽象的な）変数である．労働の効率性は，生産手段に関する社会の知識を反映したものである．すなわち，利用可能な技術が進歩するに従って労働の効率性は上昇し，1単位の労働が財・サービスの生産に貢献する度合いはより大きくなる．たとえば，20世紀の初めに流れ作業の生産が製造工程の転換をもたらすと，労働の効率性は上昇し，20世紀末に IT 化が始まると，その効率性は再び上昇した．労働の効率性はまた，労働力の健康，教育，技能に改善があるときにも上昇する．

$L \times E$ の項は，有効労働者数（effective number of workers）と解釈することができる．この項は労働者数 L と各労働者の効率 E を考慮に入れたものである．L は労働力となる労働者の数を測定したものであるのに対し，$L \times E$ は労働者数と，技術によって可能となる典型的な労働者の効率性の両方を測定したものである．この新しい生産関数は，総産出 Y が資本 K と有効労働者数 $L \times E$ の投入量に依存することを示している．

技術進歩をモデル化したこのアプローチの核心は，労働の効率性 E の上昇が労働力 L の増加と同じような効果を持つという点にある．たとえば，生産方法の進歩によって労働の効率性 E が1985年から2020年にかけて2倍になったとしよう．このことが意味するのは，2020年における1人の労働者は1985年における2人の労働者と実質的に同じ生産性を有するということである．すなわち，たとえ実際の労働者数 L が1985年から2020年まで変わらなくても，有効労働者数 $L \times E$ は2倍になり，経済は財・サービスの生産の増加から便益を得るのである．

技術進歩に関する最も単純な仮定は，労働の効率性 E がある一定率 g で成長するというものである．たとえば，もし $g = 0.02$ であれば，1単位の労働は毎年2％効率的になる．すなわち，あたかも労働力が実際よりも2％多

くなったかのように産出が増加するのである．この形態の技術進歩を**労働増大的**（labor augmenting）といい，g を労働増大的技術進歩（labor-augmenting technological progress）率という．労働力 L は n の率で成長しており，労働 1 単位の効率 E は g の率で成長しているので，有効労働者数 $L \times E$ は $n + g$ の率で成長している．

技術進歩を伴う定常状態

　ここでは技術進歩を労働増大的とするモデルを構築するので，技術進歩は人口成長と同じような形でモデルに収まる．技術進歩は実際の労働者数の増加をもたらさないが，1 人 1 人の労働者が時間を通じてより多くの労働単位の価値を持つようになるので，技術進歩は有効労働者数の増加をもたらす．したがって，2-1節で人口成長を含むソロー・モデルを学んだときに用いた分析方法は，労働増大的技術進歩を含むソロー・モデルを学ぶ際にも容易に適用できる．

　記号の見直しから始めよう．技術進歩が付け加えられる前の議論では，経済を分析するのに労働者 1 人当たりの数量を用いた．これからの議論では有効労働者 1 単位当たりの数量を用いて経済を分析することで，そのアプローチを一般化することができる．以下では，$k = K/(L \times E)$ を有効労働者 1 単位当たりの資本を表すものとし，$y = Y/(L \times E)$ を有効労働者 1 単位当たりの産出を表すものとする．このように定義を用いると，前と同じように，$y = f(k)$ と書くことができる．

　分析は，人口成長のときと同じように進められる．k の変化を示す式は，

$$\Delta k = sf(k) - (\delta + n + g)k$$

となる．これまでと同様に，資本ストックの変化 Δk は，投資 $sf(k)$ から臨界的投資 $(\delta + n + g)k$ を差し引いたものである．ただし，ここでは $k = K/(L \times E)$ なので，臨界的投資には 3 つの項が含まれる．すなわち，k を一定に保つためには，減耗する資本を置き換えるために δk が必要であり，新しい労働者に資本を提供するために nk が必要であり，技術進歩によって創出される新しい有効労働者に資本を提供するために gk が必要なのである．[4]

　図2-4に示されているように，技術進歩を含めても，定常状態の分析は本質的には変わらない．有効労働者 1 単位当たり資本と有効労働者 1 単位当た

図2-4 ● 技術進歩とソローの成長モデル

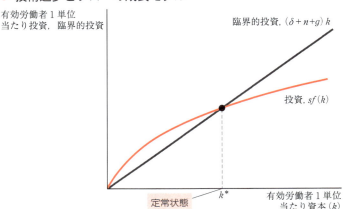

労働増大的な技術進歩率 g は，人口成長率 n とまったく同じような形でソロー成長モデルの分析のなかに入ってくる．ここでは，k は有効労働者1単位当たりの資本量と定義されているので，技術進歩による有効労働者数の増加は k を減少させる傾向がある．定常状態においては，投資 $sf(k)$ は，減価償却，人口成長，および技術進歩による k の減少をちょうど相殺する．

り産出が一定になるような k の唯一の水準 k^* が存在する．これまでと同様に，この定常状態は長期均衡を表す．

技術進歩の効果

表2-1は，技術進歩を伴う定常状態において，4つの主要な変数がどのように変化するかを示したものである．これまでみたように，有効労働者1単位当たりの資本 k は定常状態において一定である．$y=f(k)$ なので，有効労働者1単位当たりの産出もまた一定である．

この情報から有効労働者1単位当たりの数量として表されない変数がどうなっているかについても推論することができる．たとえば，実際の労働者1

---

4) 数学注：技術進歩を含むこのモデルは先ほど分析されたモデルの一般化である．とくに，労働の効率性が $E=1$ で一定であれば，$g=0$ であり，k と y の定義は以前の定義に帰着する．この場合，ここで考察されるより一般的なモデルは簡単になって，ソロー・モデルの第1節のバージョンと同じものになる．

第2章　人口成長と技術進歩　　47

表2-1 ● 技術進歩を含むソロー・モデルにおける定常状態の成長率

変　　数	記　　号	定常状態の成長率
有効労働者1単位当たり資本	$k=K/(E\times L)$	0
有効労働者1単位当たり産出	$y=Y/(E\times L)=f(k)$	0
労働者1人当たり産出	$Y/L=y\times E$	g
総産出	$Y=y\times(E\times L)$	$n+g$

人当たりの産出 $Y/L=y\times E$ を考えよう．定常状態では y は一定であり，E は g の率で成長しているから，労働者1人当たりの産出も定常状態では g の率で成長していなければならない．同様に，経済の総産出は $Y=y\times(L\times E)$ だが，定常状態では y は一定，E の成長率は g，L の成長率は n なので，総産出の定常状態における成長率は $n+g$ である．

　技術進歩を追加することで，われわれのモデルは，現実に観察される生活水準の持続的な上昇をようやく説明することができるようになる．すなわち，技術進歩は労働者1人当たり産出の持続的な成長をもたらしうることが示されたのである．一方，高い貯蓄率は，定常状態に到達するまでの間に限り，高い成長率をもたらす．経済が定常状態に入ると，労働者1人当たり産出の成長率は技術進歩率のみに依存する．ソロー・モデルによれば，技術進歩のみが持続的な成長と生活水準の持続的な上昇を説明できるのである．

　技術進歩を導入したことで，黄金律の基準も修正されることとなる．資本蓄積の黄金律水準は，今度は有効労働者1単位当たりの消費を最大にする定常状態と定義される．前と同じ議論を使うと，定常状態における有効労働者1単位当たりの消費は，

　　　$c^*=f(k^*)-(\delta+n+g)k^*$

となることが示される．定常状態の消費が最大になるのは，

　　　$MPK=\delta+n+g$

あるいは，

　　　$MPK-\delta=n+g$

のときである．すなわち，資本の黄金律水準においては，資本の純限界生産力 $MPK-\delta$ は，総産出の成長率 $n+g$ に等しい．現実の経済では，人口成長と技術進歩の両方が起こるので，黄金律の定常状態の場合と比べて資本が多いか少ないかを評価するためには，この基準を用いなければならない．

2-3 ソロー・モデルを超えて：内生的成長理論

化学者と物理学者と経済学者が無人島に取り残され，食料の入った缶詰を
どのようにして開けようかと思案している．

「缶詰を火であぶり，爆発させよう」と化学者はいう．
「それはだめだ．」そういったのは物理学者である．「缶詰を高い木の
てっぺんから岩の上に落とそう．」
「私に考えがある．」経済学者がいった．「まず，缶切りがあると仮定し
よう……」

このいい古された冗談は，経済学者が直面する問題を単純化するために
――ときには過度に単純化するために――いかにさまざまな仮定を用いるか
をいわんとするものである．それは経済成長の理論の評価によく当てはまる．
成長理論の1つの目的は，世界のほとんどの地域で観察される生活水準の持
続的な上昇を説明することである．ソローの成長モデルは，そのような持続
的な成長が技術進歩から生じなければならないことを示している．しかし，
技術進歩は何から生じるのだろうか．ソロー・モデルでは，それはたんに仮
定されるだけである．

経済成長の過程を完全に理解するためには，ソロー・モデルを超えて，技
術進歩を説明するモデルを開発する必要がある．それを行っているモデルが，
内生的成長理論（endogenous growth theory）の例である．というのも，そ
のモデルは外生的技術進歩というソロー・モデルの仮定を否定しているから
である．内生的成長理論の分野は広く，複雑なところもあるが，ここではこ
の最近の研究を少しだけのぞいてみることにしよう．[5]

基本モデル

内生的成長理論の背後にあるアイディアを明らかにするため，次のような
非常に単純な生産関数から始めよう．

$$Y = AK$$

ここで，Y は産出，K は資本ストック，A は資本 1 単位当たりの産出を測定する定数である．この生産関数は，資本に対して収穫逓減の性質を持たないことに注意しよう．資本がどれだけ存在しているかに関係なく，1 単位の資本の追加によって，A 単位の産出が追加される．このように資本に対して収穫逓減でないことが，このモデルとソロー・モデルとの決定的な差である．

この生産関数の下で，経済成長について何がいえるかをみよう．これまでと同じように，所得のうち s の割合が貯蓄され，かつ投資されると仮定する．したがって，資本蓄積は以前に用いた式と同様に次のような方程式で表される．

$$\Delta K = sY - \delta K$$

この方程式は，資本ストックの変化 ΔK が投資 sY から減価償却 δK を差し引いたものに等しいことを表している．この式を生産関数 $Y = AK$ と組み合わせ，簡単な操作を行うと，次のような式を得る．

$$\frac{\Delta Y}{Y} = \frac{\Delta K}{K} = sA - \delta$$

この方程式は，何が産出の成長率 $\Delta Y / Y$ を決定するのかを示している．もし $sA > \delta$ であれば，たとえ外生的な技術進歩がなくても，経済の所得が永続的に成長することに注意しよう．

このように，生産関数を少し変えただけで，経済成長に関する予測は劇的に変化しうるのである．ソロー・モデルにおいては，貯蓄は一時的に成長をもたらすが，資本に対する収穫逓減によって経済はやがて定常成長に接近し，成長は外生的な技術進歩にのみ依存する．一方で，この内生的成長モデルでは，貯蓄と投資は持続的な成長をもたらしうる．

しかし，資本に対する収穫逓減の仮定を捨てることは妥当だろうか．その

---

5)　本節では，内生的成長理論に関する膨大で興味をそそる文献の手短な紹介をしている．初期の重要な貢献には以下の文献がある．Paul M. Romer, "Increasing Returns and Long-Run Growth," *Journal of Political Economy*, Vol. 94, No. 5, October 1986, pp. 1002-1037; Robert E. Lucas, Jr., "On the Mechanics of Economic Development," *Journal of Monetary Economics*, Vol. 22, Issue 1, 1988, pp. 3-42. このトピックについてさらに勉強したい読者のために学部学生向けの教科書もある．David N. Weil, *Economic Growth*, 3rd ed., New York: Pearson, 2013.

答えは，生産関数 $Y = AK$ における変数 K をどのように解釈するかに依存する．もし K は経済に存在する工場と設備のストックのみを含むという伝統的な見方をとるならば，収穫逓減を仮定するのが自然だろう．1人の労働者に10台のコンピューターを与えたからといって，労働者の生産性がコンピューターが1台だった場合の10倍になるわけではないからである．

しかしながら，内生的成長理論の推奨者は，もし K を広く解釈するならば，資本に対して（収穫逓減でなく）収穫一定の仮定のほうが適切であると主張する．おそらく内生的成長モデルが最もよく当てはまるのは，知識を資本の一種とみなす場合である．明らかに，知識は経済全体の生産に対する重要な投入物——財・サービスの生産と新しい知識の生産の両方において——である．しかしながら，他の形態の資本と比較すると，知識が収穫逓減の性質を示すと仮定するのはあまり自然ではない（実際，この数百年でみると科学技術の革新のペースは上昇していることから，むしろ知識には収穫逓増があると論じている経済学者もいるほどである）．もし知識が一種の資本であるという見方を受け入れるならば，資本に対して収穫一定という仮定を持つこの内生的成長モデルは，長期の経済成長をより適切に描写していることになる．

2 部門モデル

$Y = AK$ のモデルは内生的成長の最も単純な例であるが，内生的成長理論はそれ以上の成果をあげてきた．1つの研究方向として，技術進歩を支配する諸力をよりよく描写するために，2つ以上の生産部門を持つモデルを展開する試みが行われた．そのようなモデルから何を学ぶことができるかをみるために，一例を概観しよう．

経済は2部門からなると考え，それらは製造企業および研究大学であるとする．企業は財・サービスを生産し，それは消費と物的資本への投資に用いられる．大学は「知識」と呼ばれる生産要素を生産し，それは両部門において無料で用いられる．この経済は，企業の生産関数，大学の生産関数，そして資本蓄積の方程式で描写される．

$$Y = F[K, (1-u)LE] \qquad \text{(製造企業の生産関数)}$$
$$\Delta E = (gu)E \qquad\qquad \text{(研究大学の生産関数)}$$
$$\Delta K = sY - \delta K \qquad\quad \text{(資本蓄積)}$$

ここで，u は労働力のなかで大学の労働力が占める割合（$1-u$ は製造企業の労働力の割合），E は知識のストック（労働の効率性を決定する），そして g は知識の成長が大学の労働力の割合にどのように依存するかを示す関数である．その他は標準的な記号を用いている．通常どおり，製造企業の生産関数は規模に関して収穫一定と仮定する．すなわち，もし物的資本の量 K と製造企業の有効労働者の数 $[(1-u)LE]$ が2倍になれば，財・サービスの産出 Y は2倍になる．

このモデルは $Y = AK$ モデルと類似点を持っている．最も重要な点は，資本が知識を含む形で広義に定義される限り，資本に対して（収穫逓減ではなく）収穫一定となることである．とくに，物的資本 K と知識 E を両方2倍にすると，どちらの部門も産出は2倍になる．その結果，$Y = AK$ モデルと同様に，このモデルは生産関数の外生的なシフトを仮定しなくても持続的な成長を生み出す．持続的な成長が内生的に生じるのは，大学における知識の創造が決して減速しないからである．

しかしながら，このモデルは同時にソローの成長モデルとも類似点を持っている．もし大学における労働力の割合 u が一定に維持されるならば，労働の効率性 E は一定率 $g(u)$ で成長する．労働の効率性が一定率 g で成長するというこの結果は，まさに技術進歩を含むソロー・モデルでなされた仮定である．そのうえ，モデルの他の部分——製造業の生産関数と資本蓄積の方程式——もソロー・モデルの他の部分に似ている．その結果，どのような所与の u の値に対しても，この内生的成長モデルはソロー・モデルとちょうど同じような動きをみせる．

このモデルには2つの重要な決定変数がある．ソロー・モデルと同様に，貯蓄と投資に用いられる産出の割合 s は定常状態の物的資本ストックを決定する．それに加えて，大学における労働の割合 u は知識のストックの成長を決定する．s と u はどちらも所得水準に影響を与えるが，定常状態の所得の成長率に影響を与えるのは u のみである．このように，この内生的成長モデルは，どの社会的決定が技術変化率を決めるのかを明らかにする方向に

小さいながらも一歩を踏み出しているのである.

研究開発のミクロ経済学

ここで提示した2部門の内生的成長モデルは，技術進歩を理解する方向に一歩近づいているが，まだ知識の創造についての基本的な筋書きを明らかにしているにすぎない．研究開発の過程について少し考えてみるだけでも，3つの事実が明らかになる．第1に，知識はほとんど公共財（すなわち非競合的に使用され，かつ誰でも無料で利用可能な財）ではあるが，多くの研究は利潤動機に駆られる企業においてなされる．第2に，研究が儲かるのは，特許制度により，あるいは新しい生産物市場で最初の企業になるという優位性により，イノベーションが企業に一時的な独占権を与えるからである．第3に，1つの企業がイノベーションを行うと，他の企業がそのイノベーションをもとに次世代のイノベーションを生み出す．これらの（本質的にミクロ経済的な）事実は，これまで論じてきた（本質的にマクロ経済的な）成長モデルとは容易に結びつかない.

いくつかの内生的成長モデルは，研究開発に関するこれらの事実を組み込もうと努力している．そのためには，企業が研究に携わるときに直面する諸決定をモデル化し，そしてイノベーションに対してある程度の独占力を有する企業間の相互作用をモデル化する必要がある．これらのモデルについてより詳細に立ち入ることは，本書の範囲を超える．しかし，すでに明らかにしたように，これらの内生的成長モデルの1つの長所は，技術革新の過程をより完全に描写している点にある.

これらのモデルが解明しようとしている1つの問題は，社会的観点からみて，民間の利潤最大化企業が行う研究は少なすぎる傾向にあるのか，それとも多すぎる傾向にあるのかというものである．いい換えれば，研究の（社会が関心を持つ）社会的収益は，（個別企業にとっての動機となる）私的収益よりも大きいだろうか，それとも小さいだろうか，ということになる．理論的には，どちらの結果も生じうることがわかる．一方では，ある企業が新しい技術を創造することは，将来の研究を構築するための知識の基礎を他企業に提供することによって，他の企業の状態を改善することにつながる．アイザック・ニュートンの有名な言葉を借りると，「私がより遠くをみることが

できたとすれば，それは私が巨人の肩の上に立つことによってである」という
ことである．他方で，一企業が研究への投資を行うと，他の企業もやがて
発明できたはずの技術をたんに最初に発見することになったというだけで，
他企業の状態を悪化させることもありうる．このような研究努力の重複は，
「他人の領域侵害」の効果と呼ばれてきた．企業が思うようにできる場合に，
研究が過少になるか，それとも過大になるかは，「肩の上に立つ」正の外部
効果と「他人の領域侵害」の負の外部効果のうちどちらがより一般的である
かに依存する．

　理論のみでは研究努力が最適を上回るか下回るかについて決定することは
できないが，この分野に関する実証研究の結果は通常，それほどあいまいで
はない．多くの研究が示唆するところによれば，「肩の上に立つ」外部効果
は重要であり，したがって，研究の社会的収益は大きく，実際，しばしば年
率40％を上回っている．これは，印象的な収益率であり，とくに物的資本の
収益率と比較した場合にそうだといえる．物的資本の収益率は，この後の第
3章でみていくが，年率約6％である．一部の経済学者は，この結果が研究
に対する政府による相当程度の補助金を正当化するものと判断している．[6]

創造的破壊の過程

　経済学者ジョセフ・シュムペーターは，1942年の著書『資本主義・社会主
義・民主主義』において，経済的進歩が創造的破壊（creative destruction）
の過程から生じることを示唆した．シュムペーターによれば，進歩の背後に
ある推進力は，新しい生産物や，古い生産物を生産する新しい方法，あるい
はその他のイノベーションについてのアイディアを持っている起業家である
という．起業家は市場に参入する際，そのイノベーションに対していくらか
の独占力を持っている．実際，起業家を動機づけるのはこの独占利潤の見込
みである．新企業の参入は，選択範囲の拡大をもたらすので消費者にとって
好ましいことである．しかし，それは現存の生産者にとっては好ましくない
ことが多い．参入企業と競争しなければならないからである．もし新しい生

6）　研究開発の効果に関する実証的な文献を概観したものとして，Zvi Griliches, "The
Search for R&D Spillovers," *The Scandinavian Journal of Economics*, Vol. 94, 1991, pp. 29–47を参照.

産物が元の生産物よりもかなりよいものであれば，既存の企業のなかで廃業に追い込まれる企業もあるかもしれない．時間を通じてこの過程が繰り返される．起業家は既存の生産者となり，高い収益性を享受するが，その生産物はやがて次世代のイノベーションを持っている別の企業の生産物によって取って代わられる．

　歴史をみると，技術進歩から勝者と敗者が生まれるというシュムペーターの命題が正しいことがわかる．たとえば，19世紀初期のイギリスにおける重要なイノベーションは，単純労働者が操作できる織機の発明と普及であり，それによって製造業者は低い費用で織物を生産することが可能になった．この技術進歩は，消費者にとってはより安価な衣服を身に着けることができるようになったので好ましいものであった．しかし，イギリスの熟練機織職人は，新技術によって彼らの仕事が脅かされるのを目の当たりにし，徒党を組んで暴動を起こした．彼らはラッダイトと呼ばれ，羊毛や綿織物の工場で用いられている機械を打ち壊し，工場所有者の家に火をつけた（決して創造的ではないたんなる破壊である）．今日では，「ラッダイト」という用語は技術進歩に反対する人のことをいう．

　創造的破壊の一例としては，小売業の進化があげられる．小売業は動きのない業界のようにみえるかもしれないが，実際には過去数十年にわたってかなり高い率での技術進歩が観察された．たとえば，よりすぐれた在庫管理やマーケティング，そして人事管理の技術を通じて，ウォルマートのような巨大小売業は伝統的な小売業者よりも低いコストでさまざまな財を消費者の手に届ける方法をみつけてきた．この変化は，消費者にはさまざまな財を安い価格で買えるようにすることで便益を与え，それらの新しい小売業者の株主には企業の収益を分配することで便益を与えた．しかし，小規模の個人経営の商店には悪影響を及ぼした．ウォルマートのような店が近くにオープンすると勝負にならないからである．より最近では，アマゾンのようなオンライン小売業者が実店舗よりも低い価格とより大きい便宜性を提供するにつれて，小売業の生産性のさらなる進歩が起こった．

　創造的破壊の被害者となる見込みに直面した既存の生産者は，政治的プロセスに頼り，新しくてより効率的な競争相手の参入を阻止しようとすることもある．（もともとの）ラッダイトは，イギリス政府が新しい織物技術の普

及を制限して彼らの仕事を守ってくれることを望んだ．しかし，議会はラッダイトの暴動を抑圧するために軍隊を送った．同様に近年では，地元の小売業者は，ウォルマートがその市場に参入するのを阻止するために地元の土地利用規制を用いようとしてきた．しかしながら，そのような参入制限は技術進歩の速度を緩慢にするというコストがかかる．ヨーロッパではアメリカよりも参入規制が厳しいので，ウォルマートのような巨大小売企業は出現していない．その結果，小売業の生産性の成長は低い．[7]

資本主義経済がどのように機能するかについてのシュムペーターの洞察は，経済史の問題として価値を持っている．加えて，いくつかの最近の経済成長理論の研究にも影響を与えた．経済学者フィリップ・アギオンとピーター・ホーウィットによって開拓された内生的成長理論の1つの系統は，シュムペーターの洞察に基づいて構築され，技術進歩を起業家のイノベーションと創造的破壊の過程としてモデル化している．[8]

2-4 結　　論

経済成長の理論についてのわれわれの研究も終わりに来た．次章では，理論から実践へと移る．そこで論じるのはいくつかの実証的な発見であり，それは経済学者が異なる国々の成長の経験を調べているときに発見したものである．また，成長の研究から収集された洞察が，経済的繁栄を促進したいと思っている政策立案者にいかに情報を与えることができるかについても論じる．

要約

1　ソロー・モデルは，人口成長率が長期における生活水準のもう1つの決定要因であることを示す．ソロー・モデルによれば，人口成長率が高

---

7) Robert J. Gordon, "Why Was Europe Left at the Station When America's Productivity Locomotive Departed?" NBER Working Paper, No. 10661, 2004.
8) Philippe Aghion and Peter Howitt, "A Model of Growth Through Creative Destruction," *Econometrica*, Vol. 60, No. 2, March 1992, pp. 323-351.

ければ高いほど，定常状態での労働者1人当たりの資本と産出水準は低くなる．

2　人口成長の他の潜在的効果を強調する理論もある．マルサスは，人口の成長が食料を生産するのに必要な天然資源に過大な負担をかけると示唆している．またクレマーは，人口の多いことが技術進歩を促進すると示唆している．

3　ソローの成長モデルにおける定常状態では，労働者1人当たり産出の成長率は外生的な技術進歩率のみから決まる．

4　人口成長と技術進歩を含むソロー・モデルでは，黄金律の（消費を最大化する）定常状態は，資本の純限界生産力（$MPK-\delta$）と定常状態の総産出の成長率（$n+g$）とが等しくなるという特徴を持つ．

5　最近の内生的成長理論は，ソロー・モデルでは外生的とされた技術進歩率を説明することを試みたものである．それらのモデルでは研究開発を通じて知識の創造をもたらす諸決定を説明することが試みられている．

キーワード

労働の効率性　　有効労働者数　　労働増大的技術進歩
内生的成長理論　　創造的破壊

確認問題

1　ソロー・モデルにおいて，人口成長率の上昇は定常状態において次のうちどれを増加させるか．

a　労働者1人当たりの産出
b　労働者1人当たりの資本
c　労働者1人当たりの消費
d　資本の限界生産力

2　マルサスは次のことを信じていた．

a　人口が多いと，より多くの科学者や発明家が存在するため，より革新的になる．

b 人口が多いと，十分な食料を供給するための経済の能力に負担を強いる．

c 人口成長率が高いと，定常状態での労働者1人当たりの資本量を押し下げる．

d 人口成長率が高いと，経済が規模の利益を利用することを可能にする．

3 経済がソロー・モデルで表されると仮定する．人口成長率は1％，技術進歩率は3％，減価償却率は5％，そして貯蓄率は10％である．定常状態では労働者1人当たりの産出は____％の率で成長する．

a 1

b 2

c 3

d 4

4 人口成長と技術進歩を伴うソロー・モデルでは，黄金律の定常状態において資本の限界生産力 MPK と等しくなるのは次のうちどれか．

a n

b g

c $n+g$

d $n+g+\delta$

5 _____成長理論の目的は技術進歩を説明することである．これらのモデルのいくつかは，ソロー・モデルにおける資本への収益____の仮定を疑うことでそれを行っている．

a 内生的，逓減

b 内生的，一定

c 外生的，逓減

d 外生的，一定

6 シュムペーターの創造的破壊のモデルが説明しようとするのは，次のことである．

a 戦争による破壊を受けた後に，経済はなぜ急速に成長するのか．

b 新しい生産物を生産する企業家が，どのように既存の生産者に置き換わるか．

58　第1部　成長理論：超長期の経済

　c　古い資本はいかにしてうまく廃棄され，新しい資本に置き換わるか．
　d　一見技術進歩とみえるものが，なぜ平均所得を減少させうるのか．

〉〉〉〉〉 復習問題 〈〈〈〈〈

1　ソロー・モデルにおいて，人口成長率は定常状態の産出水準にどのような影響を与えるか．定常状態の成長率にはどのような影響を与えるか．
2　ソロー・モデルにおいて，定常状態における労働者1人当たり産出の成長率を決定するものは何か．
3　内生的成長理論は，外生的技術進歩の仮定なしに持続的成長をどのように説明するか．それはソロー・モデルとどのような点で異なるか．

〈〈〈〈〈 応用問題 〉〉〉〉〉

1　人口成長を含む（しかし技術進歩を含まない）ソロー・モデルの定常状態を示す周知のグラフを描きなさい．そのグラフを用いて，以下のような外生的変化の各々に反応して，定常状態における労働者1人当たり資本および労働者1人当たり産出がどうなるかを明らかにしなさい．
　a　消費者の選好の変化によって貯蓄率が上昇する．
　b　気候のパターンの変化によって減価償却率が上昇する．
　c　産児制限の方法の改善によって人口成長率が低下する．
　d　技術の1回限りの永続的改善によって資本と労働の所与の量から生産される産出量が増加する．
2　多くの人口学者の予測によれば，アメリカの歴史的な平均人口成長率は年率約1％であったのに対して，来るべき数十年の間にゼロ成長になるといわれている．ソロー・モデルを用いて，この人口成長の減速が総産出の成長と1人当たり産出に与える影響を予測しなさい．定常状態における影響と，定常状態間の移行過程における影響の両方を考察しなさい．
3　ソロー・モデルでは，人口成長は定常状態における総産出の成長をもたらすが，定常状態における1人当たり産出の成長はもたらさない．こ

の結果は生産関数が規模に関して収穫逓増あるいは逓減である場合も正しいだろうか. 理由も説明しなさい (規模に関して収穫逓増・逓減の定義については, 第Ⅰ巻第3章の応用問題3を参照).

4 ソロー・モデルによって表される経済が次のような生産関数を持っているとしよう.
$$Y = K^{1/2}(LE)^{1/2}$$

a この経済について, $f(k)$はどうなるか.

b 前問aへの解答を用いてyの定常状態の値をs, n, g, δの関数として求めなさい.

c 2つの近隣の経済が上記のような生産関数を持つが, そのパラメーターの値は異なるとしよう. アトランティス国の貯蓄率は28%, 人口成長率は年率1%としよう. ザナドゥ国の貯蓄率は10%, 人口成長率は年率4%とする. 両国とも, $g=0.02$, $\delta=0.04$とする. それぞれの経済についてyの定常状態の値を求めなさい.

5 ある経済が次のようなコブ=ダグラス生産関数を持っているものとする.
$$Y = K^{\alpha}(LE)^{1-\alpha}$$

この経済では, 資本の分け前は3分の1, 貯蓄率は24%, 減価償却率は3%, 人口成長率は2%, 労働増大的技術進歩率は1%である. 経済は定常状態にあるとする.

a 総産出量, 労働者1人当たり産出, および有効労働者1人当たり産出はそれぞれどのような率で成長するか.

b 有効労働者1人当たり資本, 有効労働者1人当たり産出, および資本の限界生産力はどのように表されるのか.

c この経済では黄金律の定常状態の場合より資本は多いか, 少ないか. またそれはどのように確かめることができるか. 黄金律の定常状態に到達するためには, 貯蓄率は上昇しなければならないか, それとも下落しなければならないか.

d 問cで説明した貯蓄率の変化が起こったと想定しよう. 黄金律の定常状態への移行過程の間の労働者1人当たりの産出の成長率は, 問aで導き出した成長率より高いか, 低いか. 経済が新しい定常状態に達

した後，労働者1人当たり産出の成長率は問aで導き出した成長率より高いか，低いか．その理由も述べなさい．

6 アメリカでは，GDPに占める資本所得の割合は約30％，産出の平均成長率は年率約3％，減価償却率は年率約4％，そして資本・産出比率は約2.5である．生産関数がコブ＝ダグラス型であり，アメリカは定常状態を続けてきたと考える．

a 初期の定常状態において貯蓄率はいくらでなければならないか（ヒント：定常状態の関係式 $sy=(\delta+n+g)k$ を用いなさい）．

b 初期の定常状態における資本の限界生産力はいくらか．

c 公共政策によって貯蓄率が高まり，資本の黄金律水準に到達したとしよう．黄金律の定常状態における資本の限界生産力はいくらか．黄金律の定常状態における限界生産力と当初の定常状態における限界生産力を比較しなさい．この結果について説明しなさい．

d 黄金律の定常状態において資本・産出比率はいくらになるか（ヒント：コブ＝ダグラス生産関数の場合は，資本・産出比率は資本の限界生産力と関係する）．

e 黄金律の定常状態に到達するためには，貯蓄率はいくらでなければならないか．

7 人口成長と技術進歩を伴うソロー・モデルの定常状態について，以下のそれぞれの主張が正しいことを証明しなさい．

a 資本・産出比率は一定である．

b 経済の所得に占める資本所得と労働所得の割合は一定である（ヒント：$MPK=f(k+1)-f(k)$ という定義を思い出しなさい）．

c 総資本所得と総労働所得はともに人口成長率と技術進歩率の和（$n+g$）で成長する．

d 資本の実質レンタル料は一定であり，実質賃金は技術進歩率 g で成長する（ヒント：資本の実質レンタル料は総資本所得を資本ストックで割った値に等しく，実質賃金は総労働所得を労働力で割った値に等しい）．

8 リッチランドとプアランドという2国をソローの成長モデルで表すことにする．両国は同じコブ＝ダグラス生産関数 $F(K,L)=AK^{\alpha}L^{1-\alpha}$ を

持っているが，資本と労働の量は異なる．リッチランドは所得の32%を貯蓄するのに対し，プアランドは10%を貯蓄する．またリッチランドの人口成長率は1%であるのに対し，プアランドの人口成長率は3%である（この問題の数値は，豊かな国と貧しい国をおおよそ現実に近い形で選んだものである）．両国の技術進歩は年率2%であり，減価償却は年率5%である．

a　労働者1人当たりの生産関数 $f(k)$ はどのようになるか．

b　定常状態の労働者1人当たり所得について，リッチランドのプアランドに対する比率を求めなさい（ヒント：パラメーター α が答えのなかで重要となる）．

c　コブ゠ダグラス生産関数のパラメーター α が約1/3という通常の値をとるとき，リッチランドの労働者1人当たりの所得はプアランドよりもどれくらい高くなるか．

d　リッチランドの労働者1人当たりの所得は実際にはプアランドの16倍である．この事実はパラメーター α の値を変えることによって説明できるだろうか．その値はいくらになるか．このパラメーターの値を正当化する方法はあるか．リッチランドとプアランドの間の大きな所得格差は，他にどのような方法で説明できるか．

9　本問は，本文で提示された2部門の内生的成長モデルをより詳しく分析することを求めるものである．

a　製造品の生産関数を有効労働者1単位当たり産出と有効労働者1単位当たり資本を用いて書き直しなさい．

b　この経済において，臨界的投資（有効労働者1単位当たりの資本を一定に保つのに必要な投資量）はどのようになるか．

c　k の動学方程式，すなわち Δk を「貯蓄－臨界的投資」で表す式を書きなさい．この方程式を用いて k の定常状態の決定を示すグラフを描きなさい（ヒント：このグラフはソロー・モデルを分析するのに用いたものと大変よく似ている）．

d　この経済において，労働者1人当たり産出 Y/L の定常状態の成長率はどのようになるか．貯蓄率 s と大学の労働力の割合 u はこの定常状態の成長率にどのような影響を与えるか．

e 問cで描いたグラフを用いてuが上昇したときの効果を示しなさい（ヒント：この変化は両方の曲線に影響を与える）．即時的効果と定常状態の効果の両方を示しなさい．

f あなたの分析によると，uの上昇は経済にとって疑いなくよいことだろうか．理由も説明しなさい．

Chapter 3

第 **3** 章

成長の実証と政策

●

「インドの経済をインドネシアやエジプトの経済と同じように成長させるために，イン
ド政府にできることは何かあるだろうか．もしあるならば，それは正確にどのようなもの
だろうか．もしないならば，そのような結果をもたらす『インドの特質』とはどのような
ものだろうか．このような問いが人々の厚生に対して持つ意味合いの重要さは，まったく
驚くべきものである．ひとたびそのことについて考え始めると，他のことは何も考えられ
ないほどである．」

――ロバート・ルーカス

　本章の冒頭の引用文は1988年に書かれたものである．それ以降，インドは
急速に成長し，何百万もの人々を極貧の状態から引き上げた．それとまった
く同じ時期に，サブサハラ・アフリカの多くの国を含むいくつかの国ではほ
とんど成長を経験しなかったため，現在も国民が貧弱な生存水準の下で生活
し続けている．こうした異なる結果を説明するのが成長理論の役目である．
長期の経済成長を促進するのに成功する国もあれば失敗する国もあるという
理由は，容易に明らかにできないが，ロバート・ルーカスが述べているよう
に，人々の厚生に対するその重要性は驚くべきものである．

　本章は，3つの新しい課題に取り組むことで長期成長の分析を完結する．

　最初の課題は，理論から実証へと移ることである．とくに，ソロー・モデ
ルがどれほどうまく事実に適合するかを考察する．過去数十年にわたって，
多くの文献でソロー・モデルや他の経済成長モデルの予測が考察されてきた．
本章でみるように，ソロー・モデルは国際的な成長の経験に多くの光を当て
ることができるが，その問題についての終着点というにはほど遠いものであ
る．

　第2の課題は，**成長会計**（growth accounting）と呼ばれる実証方法を学
ぶことである．成長会計の目的は，観察される成長を資本の成長，労働の成

長および技術の進歩に分解することである．これによって技術進歩の速度を測定する方法が与えられる．

第3の課題は，一国の公共政策が国民の生活水準のレベルと成長にどのような影響を与えるかを調べることである．われわれはさまざまな問題に取り組む．われわれの社会は貯蓄を増やすべきであろうか，それとも減らすべきであろうか．政策は貯蓄率にどのような影響を与えるだろうか．政策によってとくに促進すべきタイプの投資はあるだろうか．どのような制度であれば経済の資源を最善の方法で使うことができるのだろうか．文化的な変化は成長を刺激するだろうか．政策はどのようにして技術進歩率を高めることができるだろうか．ソローの成長モデルは，これらの政策問題を考察する理論的枠組みを提供してくれる．

3-1 | 成長理論から成長の実証へ

これまでの2つの章では，ソローの成長モデルを展開し，時間を通じた生活水準の差，および国々の間での生活水準の差を説明した．次に，この理論を事実と照らし合わせるとどうなるかを論じよう．

均斉成長

ソロー・モデルによれば，技術進歩は定常状態において多くの変数の値を同時に上昇させる．この性質は均斉成長（balanced growth）と呼ばれ，アメリカ経済の長期データを説明する際に役に立つ．

最初に労働者1人当たりの産出Y/Lと労働者1人当たりの資本ストックK/Lを考察しよう．ソロー・モデルによれば，定常状態においては，どちらの変数も技術進歩率gで成長する．過去半世紀にわたるアメリカのデータをみると，労働者1人当たり産出と労働者1人当たり資本ストックは，実際にほぼ同率の年率約2％で成長してきた．別のいい方をすれば，資本・産出比率はほぼ一定であったということになる．

技術進歩はまた，要素価格にも影響を与える．第2章の応用問題7は，定常状態において実質賃金が技術進歩率と同率で成長することを示せという問題であった．しかし，資本の実質レンタル料は時間を通じて一定である．こ

れらの予測も，やはりアメリカでは現実に当てはまる．過去50年にわたって，アメリカにおける実質賃金は年率約２％で上昇してきた．それは労働者１人当たり実質GDPの成長率にほぼ等しい．そして（実質資本所得を資本ストックで割った値で測られる）資本のレンタル料は，だいたい同じ水準にとどまってきたのである．

要素価格についてのソロー・モデルの予測——そしてこの予測の成功——は，資本主義経済の発展に関するカール・マルクスの理論と対照させてみるとき，とくに注目に値する．マルクスは，資本への収益が時間を通じて低下し，それによって経済的および政治的な危機が生じると予言した．経済の歴史からは，マルクスの予言は支持されない．そのことは，われわれがいまマルクスの成長理論ではなくソローの成長理論を学習する理由の１つである．

収　　束

世界中を旅行してみると，国によって生活水準に著しい格差があることがわかるだろう．アメリカの１人当たり所得はパキスタンの１人当たり所得の約13倍である．ドイツの１人当たり所得はナイジェリアの１人当たり所得の約10倍である．このような所得格差は，生活の質を測るほとんどすべての尺度——テレビ，携帯電話やインターネット・アクセスの普及率から，きれいな水の利用可能性，乳児死亡率や平均余命に至るまで——にも反映されている．

それぞれの経済が時間の経過とともに互いに収束するか否かという問題については，これまで数多くの研究がなされてきた．すなわち，貧しい水準から出発した経済は，豊かな水準から出発した経済よりも急速に成長するのだろうか，という問題である．もしそうであれば，貧しい経済は豊かな経済を追い上げる傾向があるはずだ．この追上げの過程は収束（convergence）と呼ばれる．もし収束が起こらなければ，遅れて出発した国々はいつまでも貧しい水準にとどまることになるだろう．

ソロー・モデルはどのようなときに収束が起こるかについて予測している．ソロー・モデルによれば，２つの経済が収束するか否かは，最初に格差が存在した理由による．２つの経済が異なる資本ストックから出発したが，貯蓄率，人口成長率，および労働の効率性によって決まる定常状態が同じであっ

たとしよう．この場合には，2つの経済は収束することが期待される．資本ストックのより少ない経済は，当然ながらより急速に成長して定常状態に達するだろう（第1章では，第2次世界大戦後のドイツと日本の急速な成長を説明するのにこの論理を適用している）．しかし，もし2つの経済が，たとえば貯蓄率あるいは人口成長率が異なるために定常状態が異なるのであれば，収束は期待できない．この場合は，各経済はそれぞれの定常状態に近づいていくだろう．

実際に起こったことはこの分析と整合的である．文化と政策がよく似た経済を例にとると，経済は年率約2％で収束することがさまざまな研究で明らかにされている．すなわち，豊かな経済と貧しい経済のギャップは，毎年約2％縮まるのである．その一例はアメリカの各州の経済である．1860年代の南北戦争などの歴史的理由のため，19世紀の終わりにはアメリカの各州の所得水準は大きく異なっていた．しかし，この格差は徐々に解消していった．この収束は，それらの州の経済が出発点では異なっていたが共通の定常状態に近づいているのだと仮定すれば，ソロー・モデルで説明できる．

しかし，国際的なデータはもっと複雑な様相を呈する．研究者が1人当たり所得に関するデータのみを調べても，収束の証拠はほとんどみつかっていない．すなわち，貧しい状態から出発した国々は，平均してみると豊かな状態から出発した国々よりも速く成長するとはいえないのである．この発見が示唆することは，国によって定常状態は異なるということである．ただし，統計的な手法を用いて，貯蓄率，人口成長，教育の達成度といったいくつかの定常状態の決定要因を制御すると，データは年率約2％の収束を示すようになる．いい換えると，世界の経済は**条件付収束**（conditional convergence）を示すのである．各経済はそれぞれ投資率，人口成長，人的資本の蓄積といった変数によって決まる独自の定常状態へ収束していくようである．[1]

---

1) Robert J. Barro and Xavier Sala-i-Martin, "Convergence Across States and Regions," *Brookings Papers on Economic Activity*, No. 1, 1991, pp. 107-182; N. Gregory Mankiw, David Romer, and David N. Weil, "A Contribution to the Empirics of Economic Growth," *The Quarterly Journal of Economics*, Vol. 107, No. 2, May 1992, pp. 407-437.

要素の蓄積と生産の効率性

　成長会計上の問題としては，1人当たり所得の国際的な格差は次のいずれかの要因による．(1) 物的資本や人的資本の量のような生産要素における差，あるいは，(2) 経済が生産要素を用いるときの効率性の差，である．すなわち，貧しい国の労働者が貧しいのは，彼が道具と熟練をあわせ持っていないためか，あるいは彼が持っている道具や熟練が最善の方法で使われていないからである．この問題をソロー・モデルによって説明すると，問題は，豊かな国と貧しい国の間の大きなギャップが（人的資本も含む）資本蓄積の差で説明されるか，それとも生産関数の差で説明されるかということになる．

　所得格差を生み出すこれら2つの源泉の相対的な重要性を推定することを試みようと，多くの研究が行われてきた．正確な答えは研究によって異なるが，生産要素の蓄積と生産の効率性はどちらも重要なようである．さらに，それらの研究に共通した発見として，これら2つの源泉が正の相関関係を持っているということがある．すなわち，高い水準の物的資本と人的資本を有する国々は，それらの要素をより効率的に使う傾向にある．[2]

　この正の相関関係を解釈するにはいくつかの方法がある．1つの仮説は，効率的な経済が資本蓄積を促進するというものである．たとえば，経済がうまく機能していれば，人々は学業を続けて人的資本を蓄積するための資源とインセンティブをより多く持つだろう．もう1つの仮説は，資本蓄積がより高い効率性を誘発するというものである．もし物的資本および人的資本が正の外部性を持っているならば，より多く貯蓄し投資する国々はより優れた生産関数を持つことになるだろう（研究によってこれらの外部性の原因が明らかにされれば話は別だが，それは非常に困難である）．したがって，より高い生産効率性がより大きい生産要素の蓄積をもたらしているのかもしれないし，その逆のことが起こっている可能性もある．

　最後の仮説は，生産要素の蓄積と生産の効率性はどちらも第3の共通の変数によって動かされるというものである．第3の共通の変数とは，おそらく

---

2) Robert E. Hall and Charles I. Jones, "Why Do Some Countries Produce So Much More Output per Worker Than Others?" *The Quarterly Journal of Economics*, Vol. 114, No. 1, February 1999, pp. 83–116; Peter J. Klenow and Andrés Rodriguez-Clare, "The Neoclassical Revival in Growth Economics: Has It Gone Too Far?" *NBER Macroeconomics Annual*, Vol. 12, 1997, pp. 73–103.

68　第1部　成長理論：超長期の経済

政府の政策形成過程などといった国の諸制度の質である．ある経済学者がいっているように，政府が失敗する場合には，大きな失敗をするのである．高率のインフレーション，過大な財政赤字，広範な市場介入，腐敗の蔓延などをもたらすような誤った政策は，しばしば同時に進行する．これらの弊害を示している経済が，資本の蓄積も十分でなければそれを効率的に使うことができないとしても驚くべきことではない．

ケース・スタディ　生産性の源泉としてのよい経営

　所得が世界中で異なる理由の1つは，生産効率が高い国々もあれば低い国々もあるからである．同様の現象が一国内でも観察される．生産効率の高い企業もあれば低い企業もある．なぜそうなのだろうか．

　考えられる1つの要因は経営の仕方である．うまく運営されている企業もあれば，それほどでもない企業もある．うまく運営されている企業は，最先端の生産過程を用い，労働者の仕事を監視し，挑戦的ではあるが無理のない仕事の目標を設定し，労働者が最善の努力を発揮するインセンティブを与えている．よい経営とは，企業が用いている生産要素から最大可能なものを得ていることを意味する．

　ニコラス・ブルームとジョン・ヴァン・リーネンによる大きな影響力を持った研究では，よい経営の重要性が示されるとともに，すべての企業がよい経営を行っているわけではないいくつかの理由が示されている．ブルームとヴァン・リーネンは，4カ国（フランス，ドイツ，イギリス，アメリカ）における732の中規模製造企業のアンケート調査を行うことから始めた．彼らは企業がどのように経営されているかについてさまざまな質問をし，各企業が最善の方法にどれほどよく適合しているかについて各企業の評点を付けた．たとえば，業績に基づいて従業員を昇進させると答えた企業は，どれほど長く勤めたかによって従業員を昇進させると答えた企業よりも高い評点が与えられた．

　おそらく驚くべきことではないが，ブルームとヴァン・リーネンは経営の質にかなりの不均一性があることを発見した．各々の国において，うまく運営していた企業もあればまずい運営をしていた企業もあるというのである．またより注目すべきことであるが，ブルームとヴァン・リーネンは

経営の質の分布が4カ国の間でかなり異なるということを発見した．アメリカの企業は平均的な評点が最も高く，ドイツそしてフランスと続き，最後がイギリスであった．国の間での相違の多くは，まずい運営をしている企業がどれぐらい多くを占めているかによるものであった．最低の経営評点を付けられた企業は，アメリカとドイツよりもイギリスとフランスにおいてはるかに一般的に存在していた．

　この研究の次の発見は，経営の評点が企業の実績の尺度と相関しているということであった．他の条件（企業の資本ストックや労働力の規模など）を等しくすれば，経営がうまくいっている企業は売上が多く，利潤が大きく，株式市場価値が高く，破産率が低かった．

　もしよい経営がすべてこのような結果をもたらすのであれば，なぜすべての企業が最善の方法を採用しないのであろうか．ブルームとヴァン・リーネンは悪い経営が支配してしまうことについて2つの説明を与えている．

　第1は，競争の欠如である．経営の仕方のまずい企業が活発な競争から守られているとき，ほとんど結果が出ない状態を改善するためのハードワークをしないですますことができる．対照的に企業がきわめて競争的な市場で事業をしているとき，悪い経営は損失をもたらし，それによってやがて企業はそのやり方を変えるか，もしくは閉鎖へと追い込まれるだろう．その結果，競争市場においては，よい経営をしている企業のみが生き残る．競争の1つの決定要因は貿易への開放である．企業が世界中の類似の企業と競争しなければならないときには，悪い経営の仕方を維持することは困難である．

　悪い経営の持続についての第2の説明は長子相続，すなわち一部の自営企業が家族の長男を社長（CEO）に任命するという伝統である．この慣行が意味することは，CEOの地位がそれに最もふさわしい人にまわらないかもしれないということである．そのうえ，もし長男が誕生の順番のおかげでその地位を得ることができるのであって，それを得るために専門的経営者や少なくとも他の家族構成員と競争する必要がないのであれば，よい経営者になるために必要な努力をするインセンティブが小さくなるかもしれない．実際，ブルームとヴァン・リーネンは，長男を社長に持つ企業は低い経営評点を得る可能性が大きいと報告している．彼らはまた，長子

70　第1部　成長理論：超長期の経済

相続がアメリカやドイツよりもイギリスやフランスにおいてはるかに一般的であり，おそらくそれは昔から続いているノルマンの伝統の影響によるということを発見している．

　ブルームとヴァン・リーネンの研究からの結論は，経営の仕方の相違からある国が他の国よりも高い生産性，したがって高い所得を有する理由を説明することができるということである．そしてそのような経営の相違は，競争の程度と歴史的な伝統の相違にまでさかのぼることができる．[3]

3 - 2 | 経済成長の源泉の計算

　アメリカの実質 GDP は過去半世紀にわたって平均して年率 3 ％で成長してきた．この成長は何によって説明されるのだろうか．第 I 巻第 3 章では，経済の産出を生産要素——労働と資本——と生産技術に関連づけた．ここでは，**成長会計**（growth accounting）と呼ばれる方法を展開する．それは，産出の成長を 3 つの異なる源泉，すなわち，資本の増加，労働の増加，および技術進歩に分解するものである．この分解によって技術変化率が計測できる．

生産要素の増加

　最初に，生産要素の増加が産出の増加にどのように貢献するかを調べよう．そのため，技術変化はないという仮定から出発する．したがって，産出 Y を資本 K と労働 L に関連づける生産関数は時間を通じて一定で，

$$Y = F(K, L)$$

である．この場合，産出量は資本または労働の量が変化することによっての

3）　Nicholas Bloom and John Van Reenen, "Measuring and Explaining Management Practices Across Firms and Countries," *The Quarterly Journal of Economics*, Vol. 122, No. 4, November 2007, pp. 1351-1408. より最近の研究で，ブルーム，ヴァン・リーネン，および共著者は，彼らの調査を他の国々に拡張した．彼らの報告によれば，アメリカ，日本およびドイツの企業は平均してみると経営の仕方が最善であるのに対して，ブラジル，中国およびインドのような発展途上国の企業は傾向として経営の仕方が劣っている．Nicholas Bloom, Christos Genakos, Raffaella Sadun, and John Van Reenen, "Management Practices Across Firms and Countries," NBER Working Paper, No. 17850, February 2012.

み変化する.

資本の増加　資本の変化を考察しよう. もし資本量がΔK単位増加すると, 産出量はどれだけ増加するだろうか. この質問に答えるためには, 資本の限界生産力 MPK の定義,

$$MPK = F(K+1, L) - F(K, L)$$

を思い出す必要がある. 資本の限界生産力は, 資本が 1 単位増加したときに産出がどれだけ増加するかを示している. それゆえ, 資本が ΔK 単位増加すると, 産出は近似的に $MPK \times \Delta K$ 増加する.[4]

たとえば, 資本の限界生産力が1/5であるとしよう. すなわち, 資本の 1 単位の増加は産出量を1/5単位増やす. もし資本量を10単位増やすと, 産出量の増加分は次のように計算できる.

$$\Delta Y = MPK \times \Delta K$$
$$= \frac{1}{5} \times \frac{産出単位}{資本単位} \times 資本10単位$$
$$= 産出 2 単位$$

資本を10単位増やすことによって産出は 2 単位増加する. このように, 資本の限界生産力を用いると, 資本の変化を産出の変化に変換することができる.

労働の増加　次に, 労働の変化を考察しよう. もし労働量が ΔL 単位増加すると, 産出はどれだけ増加するだろうか. この質問に対する答え方は, 資本についての質問に対する答え方と同じである. 労働の限界生産力 MPL は, 労働が 1 単位増加したときに産出がどれだけ変化するかを示す. すなわち,

$$MPL = F(K, L+1) - F(K, L)$$

である. それゆえ, 労働量が ΔL 単位増加すると, 産出は近似的に $MPL \times \Delta L$ 増加する.

---

4)　ここでは近似的という言葉に注意しよう. 資本の限界生産力が変化するので, この答えは近似にすぎない. 資本の限界生産力は資本量が増加すると低下する. 正確な答えは資本 1 単位ごとに限界生産力が異なるという事実を考慮に入れる必要がある. しかし, K の変化があまり大きくなければ, 限界生産力一定の近似はきわめて正確なものである.

72 第1部 成長理論：超長期の経済

たとえば，労働の限界生産力を2と仮定しよう．これは，労働を1単位追加すると，産出量は2単位増えることを意味する．労働量を10単位増やしたときの産出量の増加は，次のように計算できる．

$$\Delta Y = MPL \times \Delta L$$

$$= 2 \times \frac{産出単位}{労働単位} \times 労働10単位$$

$$= 産出20単位$$

労働を10単位増やすことによって産出は20単位増加する．このように，労働の限界生産力を用いると，労働の変化を産出の変化に変換することができる．

資本と労働の増加　最後に，両方の生産要素が変化する，より現実的な場合を考察しよう．資本量が ΔK 増加し，労働量が ΔL 増加するとしよう．その場合，産出の増加は資本と労働の両方の増加から生じる．この増加は，2つの投入の限界生産力を用いると，2つの源泉に分解される．すなわち，

$$\Delta Y = (MPK \times \Delta K) + (MPL \times \Delta L)$$

である．第1のカッコ内の項は，資本の増加によって生じる産出の増加であり，第2のカッコ内の項は，労働の増加によって生じる産出の増加である．この式は，各生産要素が成長にどのように貢献しているかを示している．

ここで上の式をより解釈しやすい形に変形し，利用可能なデータに当てはめてみよう．最初に，若干の代数的な整理を行うと，この式は，

$$\frac{\Delta Y}{Y} = \left(\frac{MPK \times K}{Y} \right) \frac{\Delta K}{K} + \left(\frac{MPL \times L}{Y} \right) \frac{\Delta L}{L}$$

となる．[5] この式は，産出の成長率 $\Delta Y / Y$ が資本の成長率 $\Delta K / K$ と労働の成長率 $\Delta L / L$ にどのように関係づけられるかを表している．

次に，この式のカッコ内の項を測定する何らかの方法をみつける必要がある．第Ⅰ巻第3章において，資本の限界生産力はその実質レンタル料に等しいこと

---

5)　数学注：この式が前出の式と変わらないものであることをみるためには，この式の両辺に Y を掛けることによって，3カ所にある Y を消去できることに注意すればよい．さらに，右辺第1項の分子と分母にある K を消去し，同じく右辺第2項の分子と分母にある L を消去できる．このような数式操作を経ると，この式は前出の式と同じになる．

を示した．したがって $MPK \times K$ は資本の総収益であり，$(MPK \times K)/Y$ は産出に占める資本所得の割合である．同様に，労働の限界生産力は実質賃金に等しい．したがって，$MPL \times L$ は労働者が受け取る総所得であり，$(MPL \times L)/Y$ は産出に占める労働所得の割合である．生産関数が規模に関して収穫一定という仮定の下では，オイラーの定理（第Ⅰ巻第3章参照）により，この2つの割合を合計すると1になることがわかる．この場合，

$$\frac{\Delta Y}{Y} = \alpha \frac{\Delta K}{K} + (1-\alpha)\frac{\Delta L}{L}$$

と書くことができる．ここで，α は資本所得の割合であり，$(1-\alpha)$ は労働所得の割合である．

上の式から，投入の変化がどのようにして産出の変化をもたらすかを示す簡単な公式が得られる．この公式が示しているように，投入の成長率を各要素所得の割合に基づいて加重しなければならないのである．第Ⅰ巻第3章で論じたように，アメリカにおける資本所得の割合は約30％なので $\alpha = 0.30$ である．それゆえ，資本の10％の増加（$\Delta K/K = 0.10$）は産出の3％の増加（$\Delta Y/Y = 0.03$）をもたらす．同様に，労働の10％の増加（$\Delta L/L = 0.10$）は，産出の7％の増加（$\Delta Y/Y = 0.07$）をもたらす．

技 術 進 歩

ここまでの経済成長の源泉の分析では，生産関数は変化しないと仮定してきた．だが実際には，技術進歩は当然，生産関数を改善し，いかなる所与の投入量に対しても，過去よりも今日のほうが多くの産出が得られる．そこで，技術進歩を考慮に入れて分析を拡張しよう．

生産関数を次のように書くと，技術変化の効果を含めることができる．

$$Y = AF(K, L)$$

ここで，A は技術水準の尺度であり，全要素生産性（total factor productivity）と呼ばれる．ここでは，産出の増加は，資本と労働の増加だけではなく，全要素生産性の上昇によっても生じる．もし全要素生産性が1％上昇し投入が変わらなければ，産出は1％増加する．

技術水準の変化を考慮に入れると，経済成長を説明する式に新たな項が付け加えられる．すなわち，

74　第1部　成長理論：超長期の経済

$$\frac{\Delta Y}{Y} = \alpha\frac{\Delta K}{K} + (1-\alpha)\frac{\Delta L}{L} + \frac{\Delta A}{A}$$

産出の成長 ＝ 資本の貢献 ＋ 労働の貢献 ＋ 全要素生産性の成長

となる．これは成長を説明する鍵となる式である．これによって経済成長の3つの源泉，すなわち資本量の変化，労働量の変化，全要素生産性の変化を識別し，測定することが可能になる．

　全要素生産性は直接観察できないので，間接的に測定することになる．われわれは，産出，資本，労働の成長に関するデータを持っており，また，産出に占める資本所得の割合のデータも持っている．これらのデータと成長会計の方程式から，合計がちょうど合うように全要素生産性の成長を計算することができる．

$$\frac{\Delta A}{A} = \frac{\Delta Y}{Y} - \alpha\frac{\Delta K}{K} - (1-\alpha)\frac{\Delta L}{L}$$

$\Delta A/A$ は投入の変化によって説明できない産出の変化である．このように，全要素生産性の成長は残差として計算される．それは，測定することのできる成長の決定要因を計算した後に残った産出の成長の大きさである．実際，$\Delta A/A$ は，その計算方法を初めて示したロバート・ソローの名にちなんで，ソローの残差（Solow residual）と呼ばれることもある．[6]

　全要素生産性はいろいろな理由から変化する．最もよく変化が起こるのは，生産方法に関する知識が増えたときであり，それゆえ，ソローの残差はしばしば技術進歩の尺度として用いられる．しかし，全要素生産性は教育や政府の規制といった他の要因の影響を受けることもある．たとえば，公共支出の増加によって教育の質が高まれば，同じ人数の労働者がより多くの産出を生産することができるかもしれない．このことは全要素生産性が上昇することを意味する．別の例として，汚染の減少や労働者の安全性の向上のため，企業が資本を購入しなければならないように政府が規制をかければ，測定され

---

[6]　Robert M. Solow, "Technical Change and the Aggregate Production Function," *The Review of Economics and Statistics*, Vol. 39, No. 3, 1957, pp. 312-320. 労働の効率性 E は全要素生産性の成長とどのような関係にあるだろうかという疑問が当然生じるだろう．ここで，$\Delta A/A = (1-\alpha)\Delta E/E$ であることを示すことができる．ただし，α は資本所得の割合である．したがって，ソローの残差で測った技術変化は労働の効率性の成長で測った技術変化に比例する．

た産出はまったく増加しないにもかかわらず，資本ストックは増加するかもしれない．このことは全要素生産性の低下を意味する．このように，全要素生産性は，測定された投入と測定された産出の間の関係を変化させるものであれば，どのようなものでも含むのである．

アメリカにおける成長の源泉

経済成長の源泉をどのように測定するかを学んだので，ここでデータをみよう．表3-1は，アメリカのデータを用いて，1948年から2019年にかけて3

表3-1 ● アメリカにおける成長会計
(年平均成長率，%)

期間	産出の成長 $\Delta Y/Y$	=	成長の源泉		
			資本 $\alpha\Delta K/K$ +	労働 $(1-\alpha)\Delta L/L$ +	全要素生産性 $\Delta A/A$
1948-2019年	3.4		1.3	1.0	1.1
1948-1973年	4.2		1.3	1.0	1.9
1973-2019年	3.0		1.3	1.1	0.7

（出所）　米国労働省：非農業企業部門のデータ．数字の丸めにより，部分の和が合計に一致していない場合もある．

表3-1′ ● 日本における成長会計
(年平均成長率，%)

期間	産出の成長 $\Delta Y/Y$	=	成長の源泉		
			資本 $\alpha\Delta K/K$ +	労働 $(1-\alpha)\Delta L/L$ +	全要素生産性 $\Delta A/A$
1970-2021年	2.4		1.3	0.0	1.1
1970-1979年	5.2		3.4	0.1	1.8
1980-1989年	4.4		1.9	0.7	1.8
1990-1999年	1.6		1.2	−0.5	0.9
2000-2009年	0.5		0.2	−0.4	0.7
2010-2019年	1.2		0.1	0.3	0.8

（注）　資本ストックのデータとして，民間企業資本ストックと民間企業設備を使用している．また，労働のデータについては，就業者数に総実労働時間を掛け合わせたものを採用している．
（出所）　独立行政法人 労働政策研究・研修機構，総務省統計局「労働力調査結果」，内閣府「固定資本ストック速報」，内閣府「民間企業資本ストック」，内閣府「国民経済計算」，厚生労働省「毎月勤労統計調査」．

つの成長の源泉の貢献を測定したものである.

この表は，この期間に非農業部門の産出が平均して年率3.4%で成長してきたことを示している．この3.4%のうち，1.3%は資本ストックの増加，1.0%は労働投入の増加，そして1.1%は全要素生産性の上昇によるものである．これらのデータは，資本の増加，労働の増加，生産性の上昇が，それぞれほぼ均等にアメリカの成長に貢献していることを示している.

表3-1はまた，全要素生産性の成長が1973年頃にかなり減速したことを示している．全要素生産性は，1973年以前には年率1.9%で成長したが，1973年以降は年率0.7%で成長したにすぎなかった．長年にわたって積み重なると，成長率のわずかな変化でも経済的福祉に大きな影響を与える．2019年のアメリカの実質所得は，生産性の成長が以前の水準にとどまっていたならば約70%高かったであろう.

ケース・スタディ 生産性成長の減速

1973年頃に生産性成長の減速が起こったのはなぜだろうか．この現象を説明するために多くの仮説が提案されてきた．以下ではそのうちの3つを考察しよう.

測定問題　1つの可能性として考えられるのは，生産性の減速は実際には起こっておらず，たんなるデータの欠陥だということである．第Ⅰ巻第2章での議論を思い出そう．インフレーションを測定する際の1つの難問は，財・サービスの質の変化について修正を施すことであった．同じことは産出と生産性の測定の際にも生じる．たとえば，もし技術進歩がより多くのコンピューターの製造をもたらすならば，産出と生産性の上昇は容易に測定される．しかし，もし技術進歩がより高速のコンピューターの製造をもたらすならば，産出と生産性は実際には上昇していても，それを測定するのはより微妙で難しい．政府の統計担当者は，質の変化について修正を施そうとしているが，最大限の努力をしているにもかかわらず，完全というにはほど遠いデータしか得られていない.

測定されない質の改善があるということは，われわれの生活水準が公式のデータによって示されるよりも速く上昇しているということを意味する.

この問題点はデータに疑いを持たせることになるが，それでは生産性の減速そのものは説明できない．成長の減速を説明するためには，測定の問題がいっそう悪化したことを示さなければならない．そのとおりだったと信じる理由が存在する．時代の変化とともに，農業や製造業のように有形で測定が容易な財を生産する産業での雇用は少なくなり，教育や医療サービスのように無形で測定が容易ではないサービスの産業での雇用が増えている．しかし，測定の問題ですべてを説明できると信じている経済学者はほとんどいない．

　労働者の質の低下　一部の経済学者は，生産性の減速は労働力の変化に原因があるのかもしれないと考えた．1970年代の初期に，大量のベビーブーム世代が学校を卒業して職に就いた．同時に，社会的規範の変化によって，多数の女性が専業主婦をやめて労働市場に参入した．この両方の展開が労働者の平均的な経験水準を低め，その結果，平均生産性の低下をもたらしたというのである．

　また，人的資本で測ったときの労働者の質の変化を指摘する経済学者もいる．労働力の教育水準はこれまでになかったほど高くなっているが，最近の数十年におけるその上昇のスピードは以前よりも遅くなっている．そのうえ，いくつかの標準的なテストでは成績の低下がみられており，このことは教育の質が低下しつつあることを示唆している．これらの両方が生産性成長の減速の説明要因となるだろう．

　アイディアの枯渇　一部の経済学者が主張するところによれば，世界は生産方式についての新しいアイディアを1970年代初期に使い果たし始め，その結果，経済は緩慢な技術進歩の時代に突入したというのである．異常なのは1970年代以降の生産性の減速ではなく，それに先立つ20年間の生産性の加速であるという．1940年代の終わりには，経済にはアイディアのストックが大量に存在した．それらのアイディアは1930年代の大恐慌と1940年代前半における第2次世界大戦のため，まだ十分に実行されなかったものである．経済がこうしたストックを使用し尽くすにしたがって，生産性の成長の減速が不可避的に起こったというのである．実際，1973年以降の

成長は，1950年代や1960年代と比較すれば期待外れではあったが，1870年から1950年までの平均成長率を下回るものではなかった．

　残念ながら，生産性の成長の減速は謎のままである．1990年代の半ばになると，生産性の成長は加速し始めた．この進展はしばしばコンピュータと情報技術の進歩によると考えられている．しかし，その加速は一時的であることが明らかになった．2019年までの10年間には，全要素生産性の成長は0.7％にすぎなかった．1973年頃に始まった不可解な生産性の減速は現代の経済の1つの特徴であり続けている．[7]

短期におけるソローの残差

　ロバート・ソローが彼の名を冠した残差を導入した目的は，長期における技術進歩と経済成長を決定する諸力に光を当てることであった．しかし，経済学者エドワード・プレスコットは，ソローの残差をより短い期間における技術変化の尺度として考察を行った．彼の結論は，技術の変動が経済活動の短期的変化の主要な源泉であるというものであった．

　図3-1は1960年から2019年までの期間におけるアメリカの年次データを用いてソローの残差と産出の成長とを示したものである．ソローの残差がかなり変動していることに注目しよう．もしプレスコットの解釈が正しければ，この短期的変動から，技術は1982年には悪化し，1984年には改善したといったような結論を引き出すことができるだろう．また，ソローの残差が産出とよく似た変動を示していることにも注意しよう．産出が減少する年には，ソローの残差はしばしば負である．プレスコットの見方によれば，この事実が意味することは，景気後退が技術に対する不利なショックによって引き起こされるということである．技術的ショックが短期の変動の背後にある推進力であるという仮説は，金融政策がその変動を説明するのに何の役割も果たさないという補完的仮説とともに，リアル・ビジネス・サイクル理論（real

---

7)　生産性の趨勢とその測定に関するさまざまな見方については，*Journal of Economic Perspective* の1988年秋季号，2000年秋季号，および2017年春季号におけるシンポジウムを参照．アイディアの枯渇仮説を支持する最近の研究については，Nicholas Bloom, Charles I. Jones, John Van Reenen and Michael Webb, "Are Ideas Getting Harder to Find?" *The American Economic Review*, Vol. 110, No. 4, April 2020, pp. 1104-1144を参照．

図3-1 ● 産出の成長とソローの残差：アメリカ

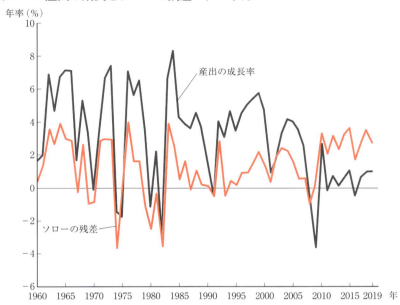

一部の経済学者が技術的ショックの尺度と解釈するソローの残差は経済の財・サービスの産出とともに変動している．

（出所）　米国商務省．

business cycle theory）と呼ばれるアプローチの基礎となっている．

　しかしながら，プレスコットのこのデータの解釈は問題が多い．多くの経済学者は，ソローの残差は短期における技術の変化を正確に表すものではないと考えている．ソローの残差の循環的な動きについての標準的な説明は，それが2つの測定上の問題によって作り出されたものだというものである．

　第1は，景気後退期にも，企業は必要でない労働者を雇い続けるかもしれないということである．経済が回復するときのために企業はそれらの労働者を手元に残すという**労働保蔵**（labor hoarding）と呼ばれる現象である．景気後退期には，保蔵された労働者はおそらく通常ほど熱心に働いていないので，労働投入の測定結果は過大評価されるだろう．また，産出は測定された労働投入の相応の減少なしに下落するので，ソローの残差で測定された生産性の成長は，たとえ技術が変化していなくても，景気後退期に下落する．そ

図3-1′ ● 産出の成長とソローの残差：日本

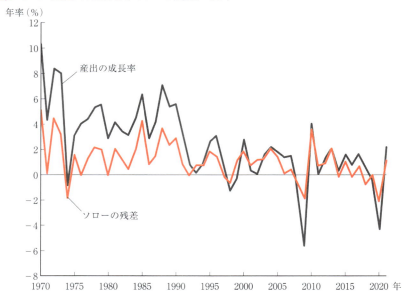

（注）　資本ストックのデータとして，民間企業資本ストックと民間企業設備を使用している．また，労働のデータについては，就業者数に総実労働時間を掛け合わせたものを採用している．
（出所）　独立行政法人 労働政策研究・研修機構，総務省統計局「労働力調査結果」，内閣府「固定資本ストック速報」，内閣府「民間企業資本ストック」，内閣府「国民経済計算」，厚生労働省「毎月勤労統計調査」．

の結果ソローの残差は，利用可能な生産技術の変動よりも循環的変動が大きくなる．

　第2は，需要があまりないときには，企業は測定しにくいものを生産するかもしれないことである．景気後退期には，労働者は工場を掃除したり，在庫を整理したり，何らかの職業訓練を受けたり，その他産出の標準的な尺度には当てはまらないような有用な仕事を行うかもしれない．もしそうであれば，産出は景気後退期には過小評価され，測定されたソローの残差を技術以外の理由によって循環的に変動させる．

　このようにソローの残差の循環的な動きはさまざまな解釈が可能である．一部の経済学者は，景気後退期における低い生産性を不利な技術的ショックの証拠と指摘する．一方で，景気後退期に測定された生産性が低下するのは，

労働者が通常ほど熱心に働かないからであり，また彼らの産出の多くが測定されないからだと考える経済学者もいる．残念ながら，労働保蔵の重要性と産出の循環的な計測の誤りについての明確な証拠はない．したがって，図3-1についての解釈の違いは未解決のままである．[8]

3-3 成長を促進する諸政策

これまでは，ソロー・モデルを用いて経済成長の異なる源泉の間の理論的関係を明らかにし，実際の成長の経験を説明するいくつかの実証研究をみてきた．今度は，その理論と証拠を，経済政策について考える場合の手引きとして用いてみよう．

貯蓄率の評価

ソローの成長モデルによれば，一国がどれだけ貯蓄や投資を行うかは，その国民の生活水準の主要な決定要因である．そこで，ごく自然な質問から政策に関する議論を始めよう．アメリカ経済の貯蓄率は低すぎるのだろうか，高すぎるのだろうか，それともちょうど適当な水準なのだろうか．

すでにみたように，貯蓄率は定常状態の資本と産出の水準を決定する．ある貯蓄率が黄金律の定常状態を生み出し，そのとき労働者1人当たりの消費，したがって経済厚生は最大になる．この黄金律によって与えられる基準との比較で実際のアメリカ経済をみることができる．

アメリカ経済が黄金律の定常状態と同水準にあるか，それ以上か，それともそれ以下かを決定するには，減価償却を除いた資本の限界生産力 $MPK-\delta$ を総産出の成長率 $n+g$ と比べる必要がある．第2章で証明したように，黄金律の定常状態では，$MPK-\delta=n+g$ が成り立っている．もし経済活動が

---

8) このトピックについてより詳しく知るためには，次の文献を参照のこと．Edward C. Prescott, "Theory Ahead of Business Cycle Measurement,"; Lawrence H. Summers, "Some Skeptical Observations on Real Business Cycle Theory," both in *Federal Reserve Bank of Minneapolis, Quarterly Review*, Vol. 10, No. 4, Fall 1986; N. Gregory Mankiw, "Real Business Cycles: A New Keynesian Perspective," *The Journal of Economic Perspectives*, Vol. 3, No. 3, Summer 1989, pp. 79-90; Charles I. Plosser, "Understanding Real Business Cycles," *The Journal of Economic Perspectives*, Vol. 3, No. 3, Summer 1989, pp. 51-77.

黄金律の定常状態よりも少ない資本の下で行われているならば，限界生産力逓減により，$MPK-\delta>n+g$ が成り立っている．この場合には，貯蓄率を上昇させると，資本蓄積と経済成長が上昇し，やがてより高い消費を伴う定常状態に達する（ただし，新しい定常状態に移行する過程で，一次的に消費は低くなる）．逆に，経済活動が黄金律の定常状態よりも多い資本の下で行われているならば，$MPK-\delta<n+g$ が成り立っている．この場合，資本蓄積は過剰であり，貯蓄率を低下させると即時的にも長期的にもより高い消費がもたらされる．

　アメリカ経済のような現実の経済に関してこの比較を行うには，産出の成長率 $n+g$ の推定値と資本の純限界生産力 $MPK-\delta$ の推定値を必要とする．アメリカの実質 GDP は年率平均 3％ で成長しているので，$n+g=0.03$ である．一方，資本の純限界生産力は次の 3 つの事実から推定できる．

1．資本ストックは 1 年間の GDP の約 3 倍である．
2．資本の減価償却は GDP の約15％ である．
3．資本所得は GDP の約33％ である．

われわれのモデルの記号（そして資本の所有者が資本 1 単位について MPK の所得を稼得するという第 I 巻第 3 章の結果）を用いると，これらの事実は次のように書くことができる．

1．$k=3y$
2．$\delta k=0.15y$
3．$MPK\times k=0.33y$

2 番目の式を 1 番目の式で割って，減価償却率 δ について解くと，

$$\frac{\delta k}{k}=\frac{0.15y}{3y}$$

$$\delta=0.05$$

となる．また，3 番目の式を 1 番目の式で割って，資本の限界生産力 MPK について解くと，

$$\frac{MPK\times k}{k}=\frac{0.33y}{3y}$$

$$MPK=0.11$$

となる．したがって，資本ストックの約 5％ が毎年減耗しており，資本の限

界生産力は年率約11%である．資本の純限界生産力（$MPK-\delta$）は年率約6％である．

以上から，資本に対する収益（$MPK-\delta=$年率6％）が経済の平均成長率（$n+g=$年率3％）を上回っていることがわかる．この事実は，前の分析と結びつけると，アメリカ経済の資本ストックが黄金律水準よりも少ないことを示している．いい換えると，もしアメリカが所得に占める貯蓄や投資の割合を高めれば，成長のスピードは急速になり，やがてより高い消費を伴う定常状態に到達するだろう．

この結果はアメリカ経済に特有なものではない．他の諸国の経済について上と同様の計算を行うとほぼ同じような結果が得られる．黄金律水準を上回る過剰な貯蓄と資本蓄積の可能性は理論の問題としては興味深いが，現実の経済が直面する問題ではないように思われる．実際，経済学者がより多くの場合関心を持つのは貯蓄の不足である．この関心に対して知的な基礎を与えるのが上記のような計算なのである．[9]

貯蓄率の変化

上で行った計算は，アメリカ経済を黄金律の定常状態に向かわせるには，政策立案者が国民貯蓄を奨励する諸政策を実行に移さなければならないことを示している．しかし，どうすればそのようにできるだろうか．たんなる会計上の事実にすぎないことだが，第Ⅰ巻第3章でみたように，国民貯蓄の増加は，公的貯蓄の増加，民間貯蓄の増加，あるいはその両者の組合せを意味する．成長を高める諸政策に関する論争の多くは，これらの選択肢のなかでどれが最も有効かという問題に集中する．

政府が国民貯蓄に影響を及ぼす最も直接的な方法は，公的貯蓄——政府が税収として受け取る額と支出する額との差——を通じるものである．政府支出が政府収入を上回っているときには，政府は**財政赤字**（budget deficit）に陥っており，それは負の公的貯蓄を表す．第Ⅰ巻第3章でみたように，政

---

9) このトピックと国際的な証拠に関してより詳しくは，Andrew B. Abel, N. Gregory Mankiw, Lawrence H. Summers, and Richard J. Zeckhauser, "Assessing Dynamic Efficiency: Theory and Evidence," *The Review of Economic Studies*, Vol. 56, No. 1, January 1989, pp. 1-19を参照．

84　第1部　成長理論：超長期の経済

府の財政赤字は利子率を高め，投資のクラウディング・アウトをもたらす．その結果生じる資本ストックの減少は，将来世代にかかる国債の負担の一部となる．反対に，政府支出が収入よりも少なければ，政府は**財政黒字**（budget surplus）の状態にある．その場合，国債の一部を償還し，投資を刺激することができる．

　政府が国民貯蓄に影響を及ぼすには，民間貯蓄——家計と企業によってなされる貯蓄——に影響を与える方法もある．人々がどれほど貯蓄しようと決意するかは，彼らが直面するインセンティブに依存するが，そのインセンティブはさまざまな公共政策によって変えることができる．多くの経済学者は，資本所得への高率の課税——法人所得税，連邦所得税，資産税および多くの州の所得税と資産税を含む——は，貯蓄の収益率を低下させることによって民間貯蓄を阻害すると主張する．他方，IRA（個人退職口座）のような退職口座に対する税の免除は，これらの口座に貯蓄される所得に対して優遇措置を与えることで，民間貯蓄を奨励するように意図されている．一部の経済学者は，現行の所得税制から消費税制へ移行することによって貯蓄へのインセンティブを高めることができると提案している．

　公共政策に関して経済学者の間で見解が分かれるのは，こうしたさまざまなインセンティブに対して民間貯蓄がどれくらい反応するかについての見方の相違が原因であることが多い．たとえば，人々が非課税の退職口座に入金できる最高額を政府が引き上げたとしよう．このインセンティブに反応して，人々は貯蓄を増やすだろうか．それとも，人々は課税対象となる貯蓄口座にすでになされている貯蓄をたんにこの税の優遇措置のある口座に移すだけで，民間貯蓄に何も刺激を与えることなく税収と公的貯蓄を減らすだけだろうか．その政策が望ましいかどうかは，これらの質問に対する解答にかかっている．残念ながら，この問題に関しては多くの研究がなされているものの，まだ合意するには至っていない．

経済の投資配分

　ソロー・モデルは，資本のタイプがただ1つしか存在していないという単純化の仮定を置いている．実際には多くのタイプの資本がある．民間企業は，ブルドーザーや鉄鋼プラントのような伝統的なタイプの資本に投資する一方

で，コンピューターやロボットのような新しいタイプの資本にも投資する．政府は，道路，橋および下水道のようなインフラストラクチャーと呼ばれるさまざまな形態の公共資本に投資する．

さらに，人的資本（human capital）がある．これは，ヘッドスタート計画（就学前の経済的・文化的に恵まれない児童に教育を提供するプログラム）のような幼児プログラムから，労働力としての成人に対する職場訓練（OJT）に至るまでの，教育をとおして労働者が獲得する知識や熟練のことである．ソローの基本モデルは，通常は物的資本のみを含むものと解釈されるが，多くの点で，人的資本は物的資本と類似している．物的資本と同様，人的資本は財・サービスを生産する能力を高める．人的資本の水準を高めるには，教師，図書館，そして学生として学ぶ時間という形での投資を必要とする．経済成長に関する最近の研究では，生活水準の国際的格差を説明するのに，人的資本が少なくとも物的資本と同じくらい重要であることが強調されている．この事実をモデル化する1つの方法は，「資本」と呼ばれる変数の定義を広げ，人的資本と物的資本の両方を含むようにすることである．[10]

政策立案者が経済成長を刺激しようとするときには，経済がどの種類の資本を最も必要としているかという問題に直面しなければならない．いい換えれば，どの種類の資本が最も高い限界生産力をもたらすかという問題である．ほとんどの場合，政策立案者は蓄積された貯蓄をさまざまな種類の投資に配分するにあたって，市場を有効に活用することができる．資本の限界生産力が最も高い産業は，当然ながら，最も積極的に新規投資の資金調達のために市場利子率で借り入れようとするだろう．多くの経済学者が提唱しているのは，政府は——たとえば，あらゆる形態の資本を平等に扱う税制を保証することによって——さまざまなタイプの資本に対して「対等な競争の場」を作

---

10) 第Ⅱ巻第2章で，K を物的資本のみとして解釈していたときには，人的資本は労働の効率性の変数 E に含まれていた．ここで示唆されている代替的なアプローチは，その代わりに人的資本を K の一部として含むものである．したがって，E は人的資本でなく技術を表す．もし K にこのより広義の解釈が与えられるならば，労働所得と呼ばれるものの多くは実際には人的資本に対する収益を反映している．その結果，真の資本所得の割合は約3分の1という伝統的なコブ゠ダグラスの値よりもかなり大きい．このトピックについてより詳しくは，N. Gregory Mankiw, David Romer, and David N. Weil, "A Contribution to the Empirics of Economic Growth," *The Quarterly Journal of Economics*, Vol. 107, No. 2, May 1992, pp. 407-437を参照．

86　第1部　成長理論：超長期の経済

ることだけに専念すべきだということである．そうすれば，政府は資本を効率的に配分するために市場を活用できるようになる．

　政府が特定の形態の資本を助成すべきであると主張する経済学者もいる．たとえば，何らかの活動の副産物として技術進歩が生じるとしよう．このようなことが生じるのは，資本を製造する過程で生産工程の改善が考案され（**学習過程**（learning by doing）と呼ばれる現象），これらのアイディアが社会の知識の蓄積の一部になる場合である．そのような副産物は**技術的外部性**（technological externality），または知識の流出効果（knowledge spillover）と呼ばれる．技術的外部性が存在しているときには，資本の社会的収益は私的収益を上回り，資本蓄積が社会にもたらす利益は，ソロー・モデルの予測よりも大きい．[11] さらに，あるタイプの資本蓄積は他のタイプの資本蓄積よりも大きな外部性をもたらすかもしれない．たとえば，ロボットを導入するほうが，新たに製鋼所を建設することよりも大きな技術的外部性をもたらすのであれば，おそらく政府は税法を用いてロボットへの投資を助成すべきであろう．そうしたいわゆる**産業政策**（industrial policy）が成功するかどうかは，政府が，正しいインセンティブを与えることができるように，それぞれの経済活動の外部性を正確に測定できることにかかっている．

　ほとんどの経済学者は，こうした産業政策に対して2つの理由から懐疑的である．第1に，異なる部門の外部性を測定することは困難である．もし稚拙な測定に基づいた政策がとられれば，その効果は予測できないものとなり，何もしないよりも悪い結果となるかもしれない．第2に，政治的プロセスは完全というにはほど遠い．ひとたび政府が特定の産業に補助金や免税措置という形で報酬を与える仕事に関与すると，その報酬は外部性の大きさと同じく政治権力に基づいて与えられることになりかねない．

　政府が必然的に関与しなければならないタイプの資本は，公共資本である．地方・州・連邦各政府は，道路，橋，公共交通システムなどの新設資金を調達するためにいつ借金すべきかをつねに決定している．たとえば2016年にドナルド・トランプが大統領に選ばれたのは，彼が1兆ドルのインフラストラ

11）　Paul M. Romer, "Crazy Explanations for the Productivity Slowdown," *NBER Macroeconomics Annual*, Vol. 2, 1987, pp. 163-202.

クチャーへの支出を約束した後だった（それは2020年の半ばになってもまだ実行されていなかった）．経済学者の間でも，この提案に対しては意見が分かれていた．しかし，公共資本の限界生産力を測定することが困難であるという点では，経済学者の意見は一致している．私的資本の場合は，それを所有する企業にもたらされる利潤率によって容易に測定できるが，公共資本の利益はより広範囲に拡散してしまう．そのうえ，私的資本への投資は自分のお金を支出する投資家によって行われるが，公共資本への資源の配分は政治的プロセスと納税者の資金提供を必要とする．連邦議会の議員が必要な財源獲得を承認させる政治力を持つがゆえに，「無駄な橋」が建設されるのをあまりにもよく目にするのはこのためである．

ケース・スタディ 産業政策の実際

　政策立案者と経済学者は，経済にとって戦略的に重要である特定の産業や企業を政府が助成すべきか否かについて長らく論争を行ってきた．アメリカではその論争は200年前までさかのぼる．アメリカの初代財務長官であるアレクサンダー・ハミルトンは，国内の製造業の発展を奨励するため，特定の輸入に関税をかけることに賛成した．1789年に導入された関税制度は新しい連邦政府が通過させた2番目の法律であった．その関税は製造業者を助けたが，外国製品に多く代金を支払わなければならなくなった農家に損害を与えた．北部は大部分の製造業者の本場であったのに対して南部は農家が多かったので，その関税は地域的な緊張の1つの原因となり，やがて南北戦争へと導かれていった．

　技術を促進するのに政府が果たす役割の重要性を主張する人たちは，いくつかの成功例を指摘する．たとえば，現代のインターネットの先駆はアーパネットと呼ばれるシステムであり，それは情報を軍事施設の間に流す方法としてアメリカ国防省によって設置された．インターネットが生産性の大きな上昇に結びついてきたこと，そして政府がその創造に関係したことは疑うべくもない．産業政策の提唱者によれば，この例は新興技術のジャンプスタートを政府がどのように促進できるかを例示している．

　政府は，民間企業の決定に取って代わろうとする場合には，誤りを犯すこともありうる．日本の通商産業省（現，経済産業省）は，産業政策の実

践に成功したものとしばしばみなされているが、かつて本田技研工業（ホンダ）がその事業をオートバイから自動車へ広げるのを止めようとしたことがあった。通商産業省は日本にはすでに十分な自動車製造会社があると考えたのであった。幸いなことに政府はその戦いに敗れた。そしてホンダは世界で最も大きくて最も収益の多い会社の1つになったのである。

より最近においては、政府の政策は「グリーン・テクノロジー」の促進を目的としてきた。とくに、アメリカ連邦政府は、伝統的な方法よりも低い炭素の放出をもたらすようなエネルギー生産の方法を補助してきたが、それは地球規模の気候変動への人類の影響を減らすための試みであった。この政策の長期的な成功を判断するのは早すぎるが、短期的には若干困惑があった。2011年にソリンドラと呼ばれるソーラーパネル製造業者が破産を宣告したが、それは連邦政府が5億3500万ドルの貸付保証を与えてからたった2年後のことであった。

産業政策をめぐる論争は必ずやこれから何年も続くだろう。この種の政府の市場介入についての最終的な判断を行うには、制限のない市場の効率性と、政府機関が援助に値する技術を見分ける能力との両方を評価することが必要とされる。

ケース・スタディ インドと中国におけるミスアロケーション（不適正な配分）

完全に機能している市場経済においては、資本と労働は当然ながら最良の用途に向けられるだろう。その結果、資本の限界生産力の価値は企業間で等しくなり、労働の限界生産力の価値も同様に等しくなるだろう。

しかしながら、現実の経済は完全からほど遠い。ときには、不完全に機能する資本市場や不完全に計画された政府規制は、最も生産的な企業が拡張するのを妨げる。これらの企業は資本と労働の限界生産力が高いかもしれないが、これによる優位性を利用することができないのである。ときには、高圧的な政府による経済の統制が、おそらくお気に入りの企業に安価な信用貸しを提供することによって、あまり生産的でない企業を破産せずに継続させることもある。これらの企業は資本と労働の限界生産力が低いかもしれないが、それらの企業の所有者の政治的影響力によって、縮小することなく、より生産的な企業が使えたはずの資源を使うようになるので

ある．その結果，経済の資本と労働のミスアロケーション（不適正な配分）が生じ，生産性の全体的な水準を低下させるということが起こりうるのである．

　経済学者のチャン–タイ・シェとピーター・J・クレノウは，重要な研究論文のなかで，インドと中国における資本と労働のミスアロケーションをアメリカとの比較において研究した．彼らは，3つの国における製造業の工場に関する詳細なデータを用いて，各工場の資本と労働の限界生産力を測定した．シェとクレノウは，3つの国における工場レベルの限界生産力に相当な異質性があることを発見した．より重要なことだが，彼らは限界生産力のばらつきがアメリカよりもインドや中国においてはるかに大きいことを発見した．すなわち，最良の工場と最悪の工場との差は，アメリカよりもインドや中国のほうが大きかった．この発見が示唆することは，インドや中国にはより大きい資源のミスアロケーションがあるということである．

　このミスアロケーションはどれほど重要なのだろうか．シェとクレノウのこの問題に対する解答は，中国とインドの限界生産力のばらつきがアメリカで観察されるものと同じであったとすれば，製造業の全体的な生産性はどれほど上昇したかを推定することによってなされた．このばらつきの減少が起こりうるのは，たとえば，よりよく機能する市場あるいはよりよく計画された政策によって低生産性企業から高生産性企業へとより多くの資源が流れることが可能になる場合である．シェとクレノウは，そのような変化によって全体的な生産性が中国では30〜50％，インドでは40〜60％高まるであろうということを発見した．結論としては，発展途上国は資本と労働が最良の用途に向けて移動するのを妨げている障壁を低めることによって，生産性と生活水準をかなり高めることができるだろうということである．[12]

---

12)　Chang-Tai Hsieh and Peter J. Klenow, "Misallocation and Manufacturing TFP in China and India," *The Quarterly Journal of Economics*, Vol. 124, No. 4, November 2009, pp. 1403-1448.

90 第1部 成長理論：超長期の経済

適切な制度の確立

先に論じたように，生活水準の国際間格差を研究している経済学者は，こうした格差の原因の一部を物的資本と人的資本の投入量に求め，そして一部をそれらの投入物が用いられる場合の生産性に求める．国によって生産効率水準が異なる理由の1つは，希少資源を配分する制度が異なることにある．適切な制度を作ることは，諸資源が最善の方法で使われることを保証するのに重要である．

制度の重要性についてのおそらく最も明確な現今の例は，南北朝鮮の間の比較である．何世紀もの間，この2つの国は共通の政府，遺産，文化，および経済を共有していた．しかしながら，第2次世界大戦の直後にアメリカとソ連との合意によって朝鮮は2つに分裂した．38度線から北の北朝鮮は，独裁的共産主義のソ連モデルに基づく制度を確立した．38度線から南の南朝鮮（韓国）は，民主的資本主義のアメリカモデルに基づく制度を確立した．今日において，経済発展の差はこれ以上ありえないほど歴然としている．北朝鮮の1人当たりGDPは韓国のそれの10分の1より小さい．この差は夜間に撮影された衛星写真からみてとれる．韓国は灯りがよくともっているが，そのように電力の使用が広まっていることは経済発展が進んでいることの証しである．

民主的資本主義諸国の間でも，重要だがより微妙な制度上の差がある．その一例は各国の法律上の伝統である．アメリカ，オーストラリア，インド，シンガポールなどはイギリスの旧植民地だったので，イギリス型の慣習法の体制を備えている．イタリア，スペイン，およびほとんどのラテンアメリカ諸国は，フランスのナポレオン法典から発展した法律上の伝統を備えている．多くの研究によると，株主と債権者に対する法律上の保護は，イギリス型の法体制のほうがフランス型の法体制よりも強い．その結果，イギリス型の国々のほうがより発展した資本市場を持っている．そしてより発展した資本市場を持つ国々は，より急速な経済成長を経験する．なぜなら，小規模で起業したばかりの会社でも投資プロジェクトの資金をより簡単に調達できるため，その国の資本の配分がより効率的になるからである．[13]

国々の間でのもう1つの重要な制度上の違いは，政府そのものの質と政府職員の誠実さである．政府は，理想的には，財産権を保護し，契約を守らせ，

競争を促進し，詐欺行為を訴追するなどによって，市場システムに対して「救いの手」を差し伸べるべきである．だが政府はこの理想から外れ，国家権力を用いて人々の犠牲の下に有力な個人を富ませるという，むしろ「横領する手」のような行動をとりうる．一国の腐敗の程度が実際に経済成長の重要な決定要因となることは，実証研究で示されている．[14]

18世紀の偉大な経済学者であるアダム・スミスは，経済成長における制度の役割について十分認識していた．彼はかつて次のように書いた．「国家を最も未開の状態から最高度の豊かさへと移行させるのに必要なことは，平和，緩やかな課税，そして許容できる公正な行政以外にはほとんど何もない．それ以外のすべてのことは自然の成り行きによってもたらされる．」[15] 悲しいことだが，多くの国々はこれら3つの単純な利点さえ享受できていないのである．

ケース・スタディ　植民地時代に起源を持つ現代の諸制度

国際的なデータをみると，緯度と経済的繁栄の間に顕著な相関関係があることが示されている．すなわち，赤道に近い国々は，赤道から遠い国々よりも一般的に1人当たりの所得が低いのである．この事実は，北半球でも南半球でも当てはまる．

この相関関係はどのように説明できるだろうか．一部の経済学者は赤道付近の熱帯性気候が生産性に直接的な負の影響を及ぼすと主張した．熱帯地方の暑さは，農業に不向きで，病気が流行しやすい．このような環境が財・サービスの生産を妨げる．

しかし地理的条件の直接的な影響は熱帯地方の国々が貧しくなる傾向があることの1つの理由ではあるが，それがすべてではないかもしれない．

13）　Rafael La Porta, Florencio Lopez-de-Silanes, Andrei Shleifer, and Robert Vishny, "Law and Finance," *Journal of Political Economy*, Vol. 106, No. 6, December 1998, pp. 1113-1155; Robert G. King and Ross Levine, "Finance and Growth: Schumpeter Might Be Right," *The Quarterly Journal of Economics*, Vol. 108, No. 3, August 1993, pp. 717-737.

14）　Paulo Mauro, "Corruption and Growth," *The Quarterly Journal of Economics*, Vol. 110, No. 3, August 1995, pp. 681-712.

15）　Dugald Stewart, *Account of the Life and Writings of Adam Smith, LL.D.*, collected in *Biographical Memoirs*, Edinburgh: Royal Society of Edinburgh, 1811.

92 第1部 成長理論：超長期の経済

ダロン・アセモグル，サイモン・ジョンソン，ジェームズ・ロビンソンは，地理が制度に与える影響という間接的なメカニズムを示した．以下は彼らの説明であり，4段階に分けて提示されている．

1. 17～19世紀には，熱帯性気候はヨーロッパの入植者に病気——とくにマラリアと黄熱病——が蔓延する危険をもたらした．そのため，ヨーロッパの人々は世界の他の地域の多くを植民地化したが，アフリカの大部分や中央アメリカを含む熱帯地域に移住することは避けた．ヨーロッパの移住者は，現在のアメリカ，カナダ，ニュージーランドといった地域のように，気候が温暖で健康によい地域を選んだ．

2. ヨーロッパの人々が多数移住した地域において，移住者はヨーロッパ流の**包括的な諸制度**（inclusive institutions）を確立した．それは権力を広く分散し，財産権を保護し，法の支配を尊重した．対照的に，熱帯性気候の地域においては，植民地の権力者はしばしば，独裁主義的政府を含む**搾取的制度**（extractive institutions）を打ち立て，それによってその地域の先住民と天然資源を利用できるようにした．このような搾取的制度は入植者を豊かにしたが，経済成長を促進するのにはほとんど役立たなかった．

3. 植民地支配の時代はいまや遠い昔のこととなったが，ヨーロッパの入植者が確立した制度は，植民地だった地域の現代の制度と強く相関している．熱帯地方の国々では，植民地の権力者が搾取的制度を打ち立てたが，今日でも財産権の保護はあまり行われていない．入植者が去ったとき，搾取的な制度は残り，たんに新しい支配的エリート集団が取って代わっただけであった．

4. 制度の質は経済のパフォーマンスの重要な決定要因である．財産権と法の支配が尊重されているところでは，人々は経済成長をもたらす投資を行うことにより大きなインセンティブを持つ．財産権と法の支配があまり尊重されないところでは，熱帯地方の国々にしばしばみられるように，投資と成長はしばしば後れをとる．

この研究が示唆することは，今日において観察される生活水準の国際的

な相違の多くは，長い歴史を経て到達した結果だということである．[16]

成長推進的文化の支持

　一国の文化とは，その国の人々の価値観，態度および信念のことをいう．多くの社会科学者は，文化が経済成長に重要な影響を及ぼす可能性があると示唆している．たとえば，社会学者のマックス・ウェーバーが彼の1905年の古典的著書『プロテスタンティズムの倫理と資本主義の精神』において論じたのは，16世紀に始まった北ヨーロッパにおける経済成長の加速が，勤勉と倹約を強調するプロテスタントの一派であるカルビン主義の勃興に帰せられるということであった．

　文化は多くの側面を持ち，数量化することは困難である．しかしながら，なぜある国は豊かで他の国は貧しいのかを説明するのに文化の違いが何らかの方法で役に立つことは明らかである．ここで4つの例をあげよう．

- 社会によって女性の扱い方が異なる．一部の国では，支配的な文化的規範によって女性は十分な教育が受けられず，労働力に含まれず，生活水準が押し下げられている．
- 社会によって子どもに対する態度が異なる——何人子どもを持ち，どれほど教育するかの両面においてそうである．人口成長が高くなると所得は低下し，人的資本が多くなると所得は増加しうる．
- 社会によって新しいアイディア，とくに海外からのアイディアにどれほど開放的であるかが異なる．より開放的な国々は，技術進歩が生じる場合はどこからでもすばやく採用することができるが，開放的でない国々は，世界の技術フロンティアからはるかに引き離されている．
- 社会によって人々が互いにどれほど信頼し合うかが異なる．法的制度は同意を執行するのに費用がかかりかつ不完全なメカニズムなので，信頼

---

[16] Daron Acemoglu, Simon Johnson, and James A. Robinson, "The Colonial Origins of Comparative Development: An Empirical Investigation," *The American Economic Review*, Vol. 91, No. 5, December 2001, pp. 1369-1401. この研究の批評は以下を参照．David Y. Albouy, "The Colonial Origins of Comparative Development: An Empirical Investigation: Comment," *The American Economic Review*, Vol. 102, No. 6, October 2012, pp. 3059-3076.

が高いほうが経済的諸活動を調整するのは簡単である．実際，調査で報告されている信頼の水準と一国の1人当たり所得との間には正の相関関係がある．信頼は，一部の経済学者が「**社会的資本**（social capital）」と呼ぶもの，すなわち教会やボウリング・リーグのようなさまざまなグループを含む人々の間の協力的ネットワークと関係している．

一国の文化はさまざまな歴史的，人類学的および社会学的諸力から生じ，政策立案者によって容易に制御できないものである．しかし，文化は時間を通じて進化するため，政策はそれをサポートすることができる．アメリカで過去1世紀にわたって起こった女性に対する態度の変化はその好例である．今日における女性は，過去におけるよりも多くの教育を受け，労働市場に多く参加しているようである．そしてこのような変化はアメリカの家族をより高い生活水準へと導いた．公的政策はこのような発展の主たる原因ではなかったが，女性の教育機会を拡張し，職場における女性の権利を保護する法律は，文化の発展を補完した．

技術進歩の促進

ソロー・モデルでは，労働者1人当たり所得の持続的な成長は技術進歩から生じなければならないことが示されている．しかしながら，ソロー・モデルは技術進歩を説明せずに，それを外生的であるとみなしている．第2章で論じた内生的成長理論は，技術がどのようにして進歩するかについて若干の洞察を与えている．それにもかかわらず，技術進歩の決定要因は十分理解されていないのである．

このように理解が限られたものであるにもかかわらず，多くの公共政策は，技術進歩を促進することを意図している．それらの政策の多くは，民間部門が技術革新のために資源を向けることを促進しようとするものである．たとえば，特許制度は新しい生産物の発明者に一定期間の独占権を与えるものであり，また，研究開発を行う企業に免税措置を与えようとする税制もある．そして，全米科学財団（National Science Foundation）のような政府機関は，大学における基礎研究を援助する．さらに，先に論じたように，産業政策の推奨者は，急速な技術進歩の鍵となる産業を政府がより積極的に助成すべき

第3章 成長の実証と政策　95

だと論じている.

　近年では，技術進歩の促進は国際的な規模で行われるようになってきた.
技術開発研究を行っている会社の多くは，アメリカや他の先進諸国にある.
中国のような発展途上国は，知的所有権を厳密に守らずにその研究に「ただ
乗りする」インセンティブを持っている. すなわち，中国の会社はしばしば
外国で開発されたアイディアをその特許保有者に報酬を払わずに使っている.
アメリカはこの慣行に対して多年にわたり反対してきた. トランプ大統領が
2018年に中国製品に対して関税を課したとき，彼が発表した目標の1つは中
国が知的所有権の実施を促進するように仕向けることであった. もし知的所
有権が世界中でよりよく守られるようになるならば，企業が研究を行うイン
センティブは増し，それによって世界全体の技術進歩が促進されるだろう.

ケース・スタディ　自由貿易は経済成長に貢献するか

　少なくともアダム・スミス以来，経済学者は国の繁栄を促進する政策と
して自由貿易を奨励してきた. 以下の文章は，スミスが彼の古典的著書
『国富論』においてどのような議論を行ったかを示すものである.

　　買うよりも作るほうが高くつくものを自分の家で作るようなことは決
　してしないというのが，賢明な家長にとっての処世訓である. 仕立職人
　は靴を自分で作ろうとせず，靴職人から買う. 靴職人は服を自分で作ろ
　うとせず，仕立職人に頼む. ……
　　民間のどの家庭にとっても賢明な行動が，大国にとって愚かな行動で
　あることはめったにない. ある商品を自国で生産できるより安い価格で
　外国が供給してくれるのであれば，自国の労働を多少とも優位にある産
　業に振り向け，その労働の生産物の一部でその商品を外国から買うほう
　がよい.

　今日では，経済学者はデビッド・リカードの比較優位の原理や現代の国
際経済理論に基づいてその主張の正しさをより厳密に証明している. これ
らの理論によれば，貿易の進んでいる国は，比較優位を持つ財に特化する
ことによってより高い生産効率とより高い生活水準を達成することができ

る.

懐疑論者は, これがたんに1つの理論にすぎないと指摘するかもしれない. その証拠はどこにあるのだろうか. 自由貿易を行っている国々は実際により顕著な繁栄を享受しているだろうか. 多数の文献がまさにこの問題に取り組んでいる.

1つのアプローチは, 国際的なデータをみて, 貿易を行っている国々がより顕著な繁栄を享受しているか否かを調べることである. 実際に調べてみると, そのようである. 経済学者アンドリュー・ワーナーとジェフリー・サックスは, 1970年から1989年までの期間を対象として, この問題について研究した. 彼らによれば, 先進諸国の間では開放的な国々は年率2.3%で成長したのに対し, 閉鎖的な国々は年率0.7%でしか成長しなかった. 発展途上国の間では, 開放的な国々は年率4.5%で成長したのに対し, 閉鎖的な国々はやはり年率0.7%でしか成長しなかった. これらの発見は, 貿易が繁栄を増すというスミスの見方と整合的であるが, 決定的なものではない. 相関関係は因果関係を証明しないからである. おそらく貿易が盛んではないということは, 政府による他のさまざまな規制と相関関係があり, 成長を阻害するのはそれらの他の諸政策かもしれないのである.

第2のアプローチは, 閉鎖的な経済がさまざまな貿易制限を撤廃すると何が起こるかをみることである. ここでもスミスの仮説はうまく当てはまる. 歴史的にみて, ある国が世界経済に対して自国を開放したときには, 経済成長の速度は上昇するのが典型的な結果であった. このことは, 1850年代の日本, 1960年代の韓国, そして1990年代のベトナムでみられた. しかしここでも相関関係は因果関係を意味しない. 貿易の自由化は成長の促進をねらった他の改革と同時に行われることが多く, 貿易の効果だけを他の改革の効果から切り離すことは困難である.

貿易の成長に対する影響を測定する第3のアプローチは, 経済学者ジェフリー・フランケルとデビッド・ローマーによって提唱されたもので, 地理的な影響をみるものである. たんに地理的に不利な状況にあるという理由だけで, 貿易が他の国よりも少ない国がある. たとえば, ニュージーランドは他の人口の多い国々から遠く離れているので, ベルギーに比べて不利な状況にある. 同様に, 陸地に囲まれた国々は, 自国の港を持つ国々に

比べて不利な状況にある．これらの地理的な性質は貿易とは相関関係があるが，おそらく他の繁栄の決定要因とは相関関係がないので，貿易の所得に対する因果関係としての影響を識別するのに使うことができる（この目的のために使われる統計的な手法は，計量経済学の科目で勉強した読者もいるかもしれないが，操作変数と呼ばれる）．データを分析した後，フランケルとローマーは次のように結論づけた．「GDP比でみた貿易の1％の上昇は，1人当たり所得を少なくとも0.5％は上昇させる．貿易は人的資本と物的資本の蓄積を刺激し，所与の資本の水準に対する産出を増加させることによって所得を上昇させるようである．」

このような多数の研究から得られた証拠は，アダム・スミスが正しかったということを圧倒的に示唆している．国際貿易への開放は経済成長にとってよいことなのである．トランプ大統領が2018年に課した関税（第Ⅰ巻第6章で論じたトピック）のように，貿易を阻害する諸政策に対して経済学者はしばしば懐疑的であるが，それは以上のような理由によるのである．[17]

3-4 結　論

長期の経済成長は一国の国民の経済的福祉の最も重要な決定要因である．マクロ経済学者が研究する他のすべてのこと——失業，インフレ，貿易赤字，等々——はそれに比べると存在感が薄い．

幸運にも，経済学者は経済成長を支配する諸力についてきわめて多くのことを知っている．われわれが論じたさまざまなモデルと実証研究は，生活水準の急速な上昇を保証する魔法のようなレシピを提供するものではないが，それらは多くの洞察を提供する．それらは，長期の経済成長をどのようにして最もうまく促進するかに関する政策論争を理解するための知的な枠組みを提供する．

---

17) Jeffrey D. Sachs and Andrew Warner, "Economic Reform and the Process of Global Integration," *Brookings Papers on Economic Activity*, No. 1, 1995, pp. 1–95; Jeffrey A. Frankel and David Romer, "Does Trade Cause Growth?" *The American Economic Review,* Vol. 89, No.3, June 1999, pp. 379–399.

要約

1 ソロー・モデルが長期の経済成長を説明するのにどの程度役立つかということを調べた多くの実証研究がある．ソロー・モデルでは，均斉成長や条件付収束のような，データに表れている多くのことを説明できる．最近の研究は，生活水準の国際的な差異が資本蓄積と資本使用の効率性の組合せによるものであることを明らかにした．

2 成長会計は成長をその源泉に分解し，全要素生産性と呼ばれる技術進歩のペースの測度を作り出す．アメリカのデータで成長会計が示すのは，1973年頃に全要素生産性の著しい減速があったということである．

3 アメリカ経済では，資本の純限界生産力は成長率をかなり上回っている．そのことは，アメリカ経済では黄金律の定常状態の場合よりも貯蓄率が低く資本が少ないことを示している．アメリカや他の国々の政策立案者は，貯蓄と投資が国の産出に占める割合を高めるべきだとしばしば主張する．資本蓄積と経済成長を促進するのは，公的貯蓄の増加と民間貯蓄に対する租税によるインセンティブの両方である．

4 政策立案者はまた，諸資源が効率的に配分されるように適切な法的制度や金融制度を設定すること，成長に貢献するような文化を支持すること，そして研究と技術進歩を促進するように適切なインセンティブを助長することによっても経済成長を促進することができる．

キーワード

成長会計　均斉成長　収束　条件付収束　全要素生産性
ソローの残差　リアル・ビジネス・サイクル理論　人的資本

確認問題

1 技術進歩を伴うソロー・モデルの定常状態において，次の諸変数のうち一定でないものはどれか．

　a　有効労働1人当たりの資本

b 資本・産出比率

c 資本の実質レンタル価格

d 実質賃金

2 マクロ・アイランドの経済は次のようなデータによって表される.

● 所得のうちの労働の分け前は3分の1である.

● 産出は年率8％で成長する.

● 資本ストックは年率9％で成長する.

● 労働力は年率3％で成長する.

これらのデータが与えられると，全要素生産性は年率＿＿％で成長する.

a 1

b 2

c 3

d 4

3 全要素生産性は通常の場合，景気後退期には＿＿するが，それは労働の保蔵もしくは技術への＿＿＿＿ショックによる.

a 下落，有利な

b 下落，不利な

c 上昇，有利な

d 上昇，不利な

4 資本ストックは年間GDPの2倍，減価償却はGDPの8％，資本所得はGDPの20％であるとすれば，資本の純限界生産力はいくらか.

a 2

b 4

c 5

d 6

5 アメリカ経済は黄金律の定常状態におけるよりも＿＿＿＿資本を有し，したがって貯蓄率を＿＿させることが望ましい.

a より多い，上昇

b より多い，低下

c より少ない，上昇

d より少ない，低下

6　北朝鮮と韓国の経済発展の間の明白な相違によって例証される重要なことは，一国の何か．

a　制度

b　貯蓄率

c　歴史的伝統

d　言語

＞＞＞＞＞ 復習問題 ＜＜＜＜＜

1　ソロー・モデルの定常状態において，1人当たり産出はどのような率で成長するか．1人当たり資本はどのような率で成長するか．これをアメリカの経験と比較するとどうか．

2　ある経済の資本が黄金律の定常状態の資本よりも多いか少ないかを決定するには，どのようなデータが必要か．

3　政策立案者はどのような方法によって一国の貯蓄率に影響を与えることができるか．

4　全要素生産性の成長は何を測定するか．

5　1人当たり所得の差を説明すると考えられる国々の間での制度の違いの一例をあげなさい．

（（（（（ 応用問題 ）））））

1　典型的な個人が受ける教育の量は国によって非常に異なる．高等教育を受けた労働力を有する国と，より低い教育しか受けていない労働力を有する国とを比較するものとしよう．教育は労働の効率性の水準にのみ影響を与えると仮定する．また，他の点では両国は同じとする．すなわち，両国の貯蓄率，減価償却率，人口成長率および技術進歩率は同じとする．両国はソロー・モデルで表され，定常状態にある．以下の諸変数は両国でどのように異なるだろうか．

a　総所得の成長率

b　労働者1人当たりの所得水準

c　資本の実質レンタル料

d　実質賃金

2　ソロヴィア国の経済では，資本の所有者は国民所得の3分の2を受け取り，労働者は3分の1を受け取る.

　a　ソロヴィア国の男性は家庭に入って家事を行い，女性は工場で働く. もし一部の男性が外で働き始めることを決心し，その結果労働力が5％増加すると，経済の測定された産出はどのようになるか. 労働者1人当たりの産出で定義される労働生産性は上昇するか，低下するか，それとも変わらないか. 全要素生産性は上昇するか，低下するか，それとも変わらないか.

　b　第1年目の資本ストックは6，労働投入は3，産出は12であった. 第2年目の資本ストックは7，労働投入は4，産出は14であった. 2年の間に全要素生産性はどのようになったか.

3　労働生産性は Y/L，すなわち産出量を労働投入量で割ったものと定義される. 本章で導出された成長会計の方程式から出発して，労働生産性の成長は全要素生産性の成長と資本・労働比率の成長に依存することを示しなさい. とくに，次の式を証明しなさい.

$$\frac{\Delta(Y/L)}{Y/L} = \frac{\Delta A}{A} + \alpha\frac{\Delta(K/L)}{K/L}$$

（ヒント：以下の数学的手法が役に立つはずである. もし，$z = wx$ であれば，z の成長率は近似的に w の成長率と x の成長率の合計に等しい. すなわち，

$$\frac{\Delta z}{z} \approx \frac{\Delta w}{w} + \frac{\Delta x}{x}$$

である.）

4　ソロー・モデルによって表される経済が，人口成長率 n は年率1.8%，技術進歩率 g は年率1.8%の定常状態にあったとしよう. 総産出と総資本は年率3.6%で成長している. さらに，産出に占める資本所得の割合が3分の1であると仮定する. 成長会計の方程式を用いて産出の成長を資本，労働，全要素生産性の3つの源泉に分解すると，産出の成長に対するそれぞれの源泉の貢献はいくらになるか. この結果を表3-1でみた

102　第1部　成長理論：超長期の経済

アメリカの数字と比較しなさい.

5　興味ある2つの国（1つは豊かで1つは貧しい）を選びなさい. それ
ぞれの国の1人当たり所得はいくらか. 所得格差の説明に役立つような
国の特徴に関するデータ（投資率，人口成長率，教育の達成度，等々）
をみつけなさい（ヒント：世界銀行のウェブサイト https://www.world
bank.org はそのようなデータがみつかる場所の1つである）. 観察され
る所得格差の最も重要な原因となっているのはそれらの要因のうちどれ
かをみつけ出しなさい. その判断を行う際に，あなたが選んだ2国間の
格差を理解するための分析用具としてソロー・モデルはどのように役立
つだろうか.

PART 2

第 2 部

マクロ経済理論と
マクロ経済政策
のトピックス

Chapter 4

第4章

経済変動の動学モデル

●

「科学で重要なことは，新しい事実を手にすることというよりは，事実についての新しい考え方を発見することである．」
──ウィリアム・ローレンス・ブラッグ（物理学者，1915年ノーベル物理学賞受賞）

　冒頭のウィリアム・ブラッグ（約1世紀前の物理学者）の言葉は自然科学に当てはまるのとまったく同様に経済学にも当てはまる．経済学者が研究している事実の多くは，GDP，インフレ，失業，貿易収支などの変動のように，マスメディアによって毎日報道されている．経済学者はこうしたよくみかける事実について考えるための新しい方法を提供するモデルを開発する．よいモデルとは，事実に合うだけでなく，事実について新しい洞察を与えるものである．

　これまでの章では，長期と短期の経済を説明するモデルを展開した．ある意味，私たちのマクロ経済学の学習は完了したように思われる．しかし，他のすべての科学者のように経済学者も決して休まない．つねに答えなければならない問題があり，精緻化すべきことがある．本章とそれに続く4つの章では，経済への理解と政策立案者が直面する選択への理解を広げるため，マクロ経済の理論と政策のトピックスのいくつかをみていく．

　本章では動学的 *AD-AS* モデル（dynamic model of aggregate demand and aggregate supply）と呼ぶモデルを提示する．このモデルはもう1つの視点を提供し，それにより短期の産出量とインフレの変動およびその変動に対する金融・財政政策の影響をみることができるようになる．この名称が示唆するように，この新しいモデルは経済変動の動学的な性質を強調したものである．辞書によると，「動学的」とは，「エネルギーや運動中の物体に関するも

106 第2部　マクロ経済理論とマクロ経済政策のトピックス

ので，連続的な変化や動きが特徴」と定義される．この定義はそのまま経済
活動にも当てはまる．経済は絶えずさまざまなショックにより衝撃を受けて
いる．こうしたショックは，直ちに経済の短期均衡に衝撃を与えるだけでな
く，産出量，インフレーション，その他の多くの変数の以後の経路にも影響
を与える．動学的 AD-AS モデルは，経済環境の変化に対して，産出量や
インフレが時間とともにどのように反応するかに焦点を当てる．

　動学を強調することに加えて，本章のモデルはこれまでのモデルともう1
つの重要な点において異なる．すなわち，経済の諸条件に対する金融政策の
反応を明示的に取り入れたことである．これまでの章では，慣例となってい
る単純化に従い，中央銀行がマネーサプライを決め，それが均衡利子率を決
める1つの要因になると考えた．しかしながら，現実の世界では，多くの中
央銀行は利子率の目標を定め，その目標を達成するためにマネーサプライを
必要な水準まで調整するのである．さらに，中央銀行が設定するこの目標利
子率は，インフレや産出量などの経済状況に依存する．動学的 AD-AS モ
デルは，こうした現実の金融政策の特徴を取り入れる．

　動学的 AD-AS モデルを構成する多くの基本的な要素は，これまでの章
ですでに学んだものであるが，少し異なる形をとることがある．より重要な
ことは，これらの構成要素が新しい方法で組み立てられていることである．
このモデルは，いつもの材料を混ぜて驚くほど独創的な料理を作り出すレシ
ピのように，なじみのある経済的な関係を新しい方法で混ぜ合わせて，短期
の変動の本質に関するより深い洞察を生み出すものとなっている．

　これまでの章のモデルと比べると，動学的 AD-AS モデルは，経済学者
が最前線で研究してきたモデルにより近い．さらに，各国の中央銀行で働い
ている人を含め，マクロ経済政策の策定に従事している世界中のエコノミス
トは，経済的な現象が産出量とインフレにもたらす衝撃を分析するときに，
このモデルの修正版をしばしば用いる．

4-1　モデルの要素

　動学的 AD-AS モデルの構成要素を検討する前に，いくつか新しい表記
を導入する必要がある．本章を通じて，変数の下付きの添え字 t は時間を表

すことにしよう．たとえば，Y は本書を通じて総産出量と国民所得を表していたが，ここでは Y_t の形をとり，t 期の産出量を表すこととする．同様に，Y_{t-1} は，$t-1$ 期の産出量を表し，Y_{t+1} は，$t+1$ 期の産出量を表す．この新しい表記により，変数が時間とともに変化するとき，変数の軌跡を見失わずに追跡できる．

それでは，動学的 AD-AS モデルを構成する 5 本の方程式をみていこう．

産出量：財・サービスの需要

財・サービスの需要は方程式，

$$Y_t = \overline{Y_t} - \alpha(r_t - \rho) + \varepsilon_t$$

によって与えられる．ここで，Y_t は財・サービスの総産出量，$\overline{Y_t}$ は，経済の自然産出量，r_t は実質利子率，ε_t はランダムな需要ショック，α と ρ はゼロより大きい値のパラメーターである（すぐ後に説明する）．この方程式の考え方は第 I 巻第 3 章の財・サービスの需要の方程式と，第 I 巻第 9 章の IS 方程式と似ている．この方程式は動学的 AD-AS モデルで中心的な位置を占めるので，それぞれの項について注意深く検討することが重要である．

方程式の右辺の第 1 項 $\overline{Y_t}$ は，経済の自然産出量 $\overline{Y_t}$ が増加すると財・サービスの需要 Y_t が増加することを意味する．ほとんどの場合，$\overline{Y_t}$ の値が一定（すなわち，すべての期間 t を通じて同じ値）であるとすることで分析を単純化できる．しかし，本章の後半では，時間の経過とともに $\overline{Y_t}$ が外生的に増加する長期の成長をこのモデルでどのように取り入れることができるかを検討する．他の事情を一定として，長期的な成長で（自然産出量 $\overline{Y_t}$ で表される）経済での財・サービスの供給能力が高まると，それにより経済はより豊かになり，財・サービスの需要も増加するのである．

方程式の右辺の第 2 項は，実質利子率 r_t と財・サービスの需要 Y_t との間の負の相関関係を表している．実質利子率が上昇すると，借入の費用が高まり，貯蓄への報酬が大きくなる．その結果，企業が取り組む投資プロジェクトが少なくなり，消費者は貯蓄を増やして消費を減らす．両方の効果で，財・サービスの需要は減る．パラメーター α により需要が実質利子率にどれほど感応的であるかがわかる．α の値が大きいほど，実質利子率のある大きさの変化に対して，財・サービスの需要が大きく反応する．また利子率は

$r_t - \rho$ のようにパラメーター ρ からの乖離としてこの式に入る（これについてはこの後すぐに説明する）ことに注意しよう.

需要方程式の最後の項 ε_t は，需要の外生的なシフトを表す. ε_t は**確率変数**（random variable），すなわち偶然によって値が決まる変数であると考える. これは，平均するとゼロであるが，時間を通じて変動する. たとえば，（ケインズが示唆した周知のことであるが）投資家が合理性のない楽観と悲観の波である「アニマル・スピリッツ」によっていくらか左右されるとき，こうした気分の変化は ε_t によってとらえられるだろう. 投資家が楽観的になるとき，財・サービスの需要を増やし，ε_t は正の値をとる. 逆に，投資家が悲観的になると，支出を減らし，ε_t は負の値をとる.

次に，パラメーター ρ について考察しよう. ρ は，何のショックもない場合に財・サービスの需要が自然産出量に等しくなるような実質利子率であり，**自然利子率**（natural rate of interest）と呼ばれる. すなわち，もし $\varepsilon_t = 0$ であり，$r_t = \rho$ であれば，$Y_t = \overline{Y_t}$ となる. 本章の後半でみるように，実質利子率 r_t は自然利子率 ρ に長期的に近づいていく傾向がある. 本章を通じて，自然利子率は一定である（すなわち毎期同じ値である）と仮定される. 章末の応用問題 7 では，それが変化したときに何が起こるかを検討する.

最後に，金融・財政政策が財・サービスの需要にどのように影響するかについて一言述べておこう. 金融政策立案者は実質利子率 r_t を変化させることにより需要に影響を与える. そのため，彼らの行動は方程式の第 2 項を通じて機能する. それとは対照的に，財政政策立案者は，税や政府支出を変化させるとき，所与の利子率の下で需要を変化させる. その結果，変数 ε_t が財政政策の変化をとらえる. 消費者の支出を刺激する政府支出の増加や減税は変数 ε_t が正の値をとることを意味する. また，政府支出の減少や増税は ε_t が負の値をとることを意味する. 後にわかるように，このモデルの 1 つの目的は，金融・財政政策の変化の動学的な影響を検討することである.

実質利子率：フィッシャー方程式

このモデルでの実質利子率は，これまでの章で定義されたものである. 実質利子率 r_t は名目利子率 i_t から将来の期待インフレ率 $E_t \pi_{t+1}$ を差し引いた

ものである．すなわち，

$$r_t = i_t - E_t \pi_{t+1}$$

である．このフィッシャー方程式は，第Ⅰ巻第5章でみたものに似ている．ここでは，$E_t \pi_{t+1}$ は，t 期において形成された $t+1$ 期のインフレの予想を表している．変数 r_t は事前の実質利子率，すなわち人々が抱く期待インフレに基づいて予想する実質利子率である．

符号と時間の測り方の慣習について少し述べておくと，これらの変数の意味が明らかになるだろう．変数 r_t と i_t は，t 期に実現している利子率である．したがって，t 期と $t+1$ 期の間の報酬率を表す．変数 π_t は，現行のインフレ率を示し $t-1$ 期と t 期の間の物価の変化率である．同様に，π_{t+1} は，t 期と $t+1$ 期の間に起こるであろう物価の変化率である．t 期において，π_{t+1} は，将来のインフレ率を表し，未知である．t 期において，人々は π_{t+1} の予想（$E_t \pi_{t+1}$ と書かれる）を形成するが，実際の π_{t+1} の値を知り，期待が正しかったかどうかを知るには $t+1$ 期になるまで待たなければならない．

変数の下付き添え字は，その変数がいつ決定されたかを示すことに注意しよう．t 期と $t+1$ 期の間の名目利子率と事前の実質利子率は t 期にわかり，i_t, r_t と書かれる．それに反して，t 期と $t+1$ 期の間のインフレ率は π_{t+1} と書かれ，$t+1$ 期になるまでわからない．

この下付き添え字のルールは，期待の演算記号 E が変数に先立つときにも当てはまるが，とくに注意深くならないといけない．これまでの章のように，変数の前に付く演算記号 E は，その変数の実現前の期待を示す．期待の演算記号の下付き添え字は，その期待がいつ形成されたかを示す．$E_t \pi_{t+1}$ は，t 期（E の下付き添え字）に利用可能な情報に基づいて，$t+1$ 期（π の下付き添え字）にインフレ率がいくらになるかの期待である．インフレ率 π_{t+1} は，$t+1$ 期にならないとわからないが，将来のインフレ期待 $E_t \pi_{t+1}$ は t 期に形成される．その結果，事後の実質利子率 $i_t - \pi_{t+1}$ は $t+1$ 期になるまでわからないが，事前の実質利子率 $r_t = i_t - E_t \pi_{t+1}$ は t 期にわかる．

インフレーション：フィリップス曲線

この経済でのインフレーションは，伝統的なフィリップス曲線に，期待インフレと外生的な供給ショックを含むべく拡張されたものによって決まる．

インフレを表す式は,

$$\pi_t = E_{t-1}\pi_t + \varphi(Y_t - \overline{Y_t}) + \nu_t$$

である. このモデルの式は, 第Ⅰ巻第12章で紹介されたフィリップス曲線と短期の総供給の式に類似している. この式によると, インフレ率 π_t は, 過去の期待インフレ率 $E_{t-1}\pi_t$, 産出量の自然産出量からの乖離 $(Y_t - \overline{Y_t})$, 外生的な供給ショック ν_t によって決まる.

インフレ率が期待インフレ率に依存するのは, 前もって価格を設定する企業があるからである. こうした企業が高いインフレ率を予想するとき, コストが近々上昇し, 競争相手も価格を大きく引き上げると予想しているのである. 高いインフレ期待があると, こうした企業は自社の製品の大幅な価格引上げを公表する. この価格引上げは, 現実にインフレを引き起こす. 逆に, 企業のインフレ期待が低いとき, 企業はコストや競争相手の価格がほどほどにしか上昇しないと予想している. この場合, 企業は自社の価格上昇幅を小さくし, 現実に低いインフレ率につながるのである.

ゼロより大きいパラメーター φ は, 産出量が自然産出量の上下で変動するときに, インフレがどれほど反応して生じるかを表す. 他の条件を一定にして, 経済が好景気にあり, 産出量が自然産出量を上回るとき $(Y_t > \overline{Y_t})$, 企業は限界費用が上昇することを経験し, そこで価格を引き上げるだろう. こうした価格の上昇はインフレ率 π_t を高める. また経済が不景気になり, 産出量が自然産出量を下回ると $(Y_t < \overline{Y_t})$, 限界費用は低下し, 企業は価格を切り下げる. こうした価格の低下はインフレ率 π_t を低める. パラメーター φ は, 限界費用が経済活動の状態にどれほど反応するか, そしてコストの変化に反応してどれほど迅速に企業が価格を調整するかを反映する.

このモデルで, 景気循環の状況は, 産出量の自然産出量からの乖離 $(Y_t - \overline{Y_t})$ で測られる. 第Ⅰ巻第12章のフィリップス曲線は失業の自然失業率からの乖離を強調した. しかしながら, この違いは重要ではない. オークンの法則を思い出してみよう. それは, 短期の産出量と失業の変動には, 強い負の相関があるというものである. 産出量が自然産出量を上回っていると, 失業は自然失業率を下回る. その逆に産出量が自然産出量を下回ると, 失業は自然失業率を上回る. このモデルを今後も発展させるが, 失業は産出量と一緒に, しかし反対向きに変動することを覚えておいてほしい.

供給ショック ν_t は確率変数で，平均はゼロであるが，時期によってプラスにもマイナスにもなりうる．この変数は，（第1項 $E_{t-1}\pi_t$ でとらえられる）インフレ期待と（第2項 $\varphi(Y_t - \overline{Y_t})$ でとらえられる）短期的な経済状態以外のすべてのインフレへの影響をとらえたものである．たとえば，積極的な石油カルテルが世界の石油価格を高め，それにより全体的なインフレを引き上げるならば，そうした出来事は正の値の ν_t によって表されるだろう．もし石油カルテルの協調が崩れて世界の石油価格が急落し，インフレ率を引き下げるならば，ν_t は負になるだろう．要するに，ν_t はインフレに直接的に影響を与えるすべての外生的な出来事を反映する．

期待インフレ：適応的期待

これまでみてきたように，期待インフレは，インフレを表すフィリップス曲線と，名目利子率と実質利子率を関係づけるフィッシャー方程式で重要な役割を果たしている．動学的 AD–AS モデルを単純にしておくために，人々は直近で観察したインフレ率に基づいてインフレ期待を形成すると仮定しよう．すなわち，人々は物価がこれまで上昇してきたのと同じ率で上昇し続けると予想する．この行動は**適応的期待**（adaptive expectations）と呼ばれる．それは，

$$E_t\pi_{t+1} = \pi_t$$

と表せる．t 期において $t+1$ 期に実現するインフレ率を予想するときに，人々は t 期のインフレ率をみて，それが将来も続くと予想するのである．

同じ仮定はすべての期に当てはまる．したがって，$t-1$ 期に t 期のインフレ率を予想するとき，人々は $t-1$ 期のインフレ率が続くと期待する．これは，$E_{t-1}\pi_t = \pi_{t-1}$ であることを意味する．

インフレ期待についてのこの仮定は，明らかに大まかなものである．多くの人々は期待を形成するにあたって，もう少し複雑な過程を経る．第 I 巻第12章で議論したように，経済学者のなかには**合理的期待**（rational expectations）と呼ばれるアプローチを支持する人もいる．それによると，人々は将来を予測するときに利用可能なあらゆる情報を最大限用いる．しかしながら，合理的期待をモデルに組み込むことは本書の範囲を超えるものである（さらに，合理的期待の実証的な妥当性は未解決の論点でもある）．ここでは，

112　第2部　マクロ経済理論とマクロ経済政策のトピックス

その洞察の多くを失うことなく，理論を単純化する適応的期待の仮定を用いることにする．

名目利子率：金融政策ルール

モデルの最後は金融政策の方程式である．中央銀行は，

$$i_t = \pi_t + \rho + \theta_\pi(\pi_t - \pi_t^*) + \theta_Y(Y_t - \overline{Y_t})$$

というルールを用い，インフレと産出量に基づいて名目利子率 i_t を目標に設定すると仮定する．

この式で，π_t^* は中央銀行によるインフレ率の目標である（ほとんどの場合，目標インフレ率は定数と仮定することができるが，この時間の添え字を保つことで，後に中央銀行が目標を変更するときに何が生じるかを検討することができる）．2つの重要なパラメーターは θ_π と θ_Y であり，どちらもゼロより大きいと仮定される．それらは，中央銀行が，利子率の目標を経済状況の変動にあわせてどのように調整するかを示している．θ_π の値が大きいほど，中央銀行はインフレの目標からの乖離に対して大きく反応し，θ_Y の値が大きいほど，中央銀行は産出量の目標からの乖離に対して大きく反応する．この式では定数である ρ は自然利子率（何らのショックもない場合に，財・サービスの需要が自然産出量に等しくなる実質利子率）であることを思い出されたい．この式は，中央銀行が金融政策を用いてどのように直面する状況に対応するかを述べたものである．とくに，それはインフレと産出量が中央銀行の名目利子率の目標をどのように決めるかを示している．

この式を理解するために最適なのは，名目利子率 i_t だけでなく，実質利子率 r_t にも焦点を当てることである．財・サービスの需要は実質利子率に依存し，名目利子率には依存しないことを思い出そう．そのため，中央銀行は名目利子率 i_t の目標を設定するが，中央銀行による経済への影響は，実質利子率 r_t を通じて働く．定義により，実質利子率は $r_t = i_t - E_t\pi_{t+1}$ であるが，われわれの期待の方程式 $E_t\pi_{t+1} = \pi_t$ を用いると，$r_t = i_t - \pi_t$ となる．金融政策の方程式によると，もしインフレ率が目標値に等しく（$\pi_t = \pi_t^*$），産出量が自然産出量に等しい（$Y_t = \overline{Y_t}$）ならば，式の最後の2つの項はゼロになり，実質利子率は自然利子率 ρ に等しくなる．インフレ率が目標を上回る（$\pi_t > \pi_t^*$）か，産出量が自然産出量を上回る（$Y_t > \overline{Y_t}$）ならば，実質利子率

は上昇する．そして，インフレ率が目標を下回る（$\pi_t < \pi_t^*$）か，産出量が自然産出量を下回る（$Y_t < \overline{Y_t}$）と，実質利子率は低下する．

ここで，マネーサプライはどうなるのか，という質問が出るかもしれない．第I巻第9章と第10章のように，これまでの章では，マネーサプライはしばしば中央銀行の政策手段であるとされ，マネーサプライと貨幣需要が均衡するように利子率が調整された．ここで，その論理を頭のなかで置き換えよう．すなわち，中央銀行は名目利子率を目標に設定すると仮定する．マネーサプライは，（マネーサプライと貨幣需要を等しくする）均衡利子率が目標値に等しくなるのに必要な水準まで，それがどのような水準であっても調整されるのである．

動学的 *AD-AS* モデルで政策手段として，マネーサプライでなく利子率を用いることの利点は，より現実的であることである．今日，連邦準備を含めてほとんどの中央銀行は，短期的に目標とする名目利子率を設定する．もっとも，目標利子率を実現するにはマネーサプライの調整が必要であることを心にとどめておこう．このモデルでは，貨幣市場での均衡条件を明示する必要はない．しかし，それは背後に潜んでいる．中央銀行が利子率を変化させることを決めるとき，それはまた，マネーサプライを調整することにコミットしているのである．

ケース・スタディ テイラー・ルール

産出量や雇用量の大きな変動を避けながら安定したインフレを達成するように利子率を設定するには，どのようにすればいいだろうか．連邦準備の理事たちはこの問題を日々考えなければならない．連邦準備が現在用いている短期の政策手段が，**フェデラル・ファンド・レート**（FF 金利，短期の銀行間貸借の利子率）である．連邦公開市場委員会（FOMC）の会合では，毎回 FF 金利の目標を定める．連邦準備の債券トレーダーたちは，公開市場操作によって望ましい目標に FF 金利を誘導するように命じられる．

連邦準備の仕事で難しいのは，FF 金利の目標を定めることである．2つの一般的な指針は明白である．第1に，インフレが過熱したときには FF 金利を上昇させるべきである．利子率の上昇は，マネーサプライを縮

小させ，その結果として投資が減少し，産出量が減少し，失業が増加しインフレーションが減退することを意味する．第2に，低い実質GDP成長や失業増加で表されるように実質的な経済活動が減速したときには，FF金利を低下させるべきである．利子率の低下は，マネーサプライを拡大させ，その結果として投資が増加し，産出量が増加し，失業が減少することを意味する．こうした2つの指針は，動学的 *AD-AS* モデルの金融政策方程式によって表される．

しかしながら，連邦準備は，こうした一般的な指針を超えて，インフレーションと経済活動の変化にどの程度対応するかを決める必要がある．経済学者ジョン・テイラーはFF金利について次のようなルールを提案した．[1]

$$名目FF金利＝インフレ率＋2.0＋0.5×（インフレ率－2.0）$$
$$＋0.5×（GDPギャップ）$$

GDPギャップは，実質GDPの自然産出量の推計値に対する実質GDPの乖離をパーセント表示したものである（動学的 *AD-AS* モデルと整合的にするため，ここでのGDPギャップは，GDPが自然産出量を上回ると正の値，下回ると負の値とする）．

テイラー・ルール（Taylor rule）によると，実質FF金利（名目利子率からインフレ率を差し引いたもの）はわれわれの動学モデルの金融政策方程式のように，インフレとGDPギャップに反応すべきである．テイラーはまたパラメーターに特別な示唆をした．彼は自然利子率 ρ と連邦準備のインフレ目標 π_t^* がともに2％であると推計した．テイラーはまたインフレやGDPギャップの1％ポイントの上昇が，実質FF金利の0.5％ポイントの上昇につながるべきであること，つまり θ_π と θ_Y がともに0.5であると示唆した．同様にインフレやGDPギャップの1％ポイントの下落は実質FF金利の0.5％ポイントの下落につながるべきである．

テイラーの金融政策ルールは，単純で合理的なことに加え，いくつかの期間中の実際の連邦準備の行動に近似している．図4-1は，現実のFF金

---

1) John B. Taylor, "Discretion Versus Policy Rules in Practice," *Carnegie-Rochester Conference Series on Public Policy*, Vol. 39, December 1993, pp. 195-214.

図4-1 ● FF金利：現実の値と推奨される値

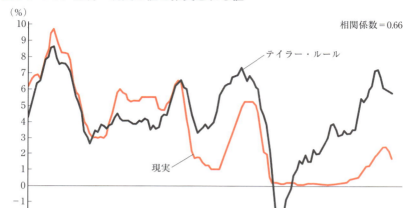

この図は連邦準備が設定したFF金利と，ジョン・テイラーの金融政策ルールが推奨すると思われる目標値を示している．2つのグラフはしばしば密接に関係するように動く．

（出所）　連邦準備，米国商務省，米国労働省および筆者の計算による．テイラー・ルールを実行するため，インフレ率は過去4四半期のGDPデフレーターのパーセント表示で測られ，（第Ⅰ巻図7-1に示されるとおり）GDPギャップは失業率の自然率からの乖離にマイナス2を乗じたもので測られる．

利とテイラーの提唱したルールで決まる目標レートを示している．2つの系列の動きが関連しながら動く傾向にあることに注目してほしい．ジョン・テイラーの金融政策ルールには，学問的な処方箋以上の意味があるかもしれない．テイラー・ルールは，連邦準備の理事たちが潜在的に依拠しているルールかもしれないのである．

　もしインフレ率と産出量がともに十分に低いならば，テイラー・ルールは負の名目金利を指図しうることに注意されたい．その状況は2008〜2009年の大不況の間に実際に起こった．しかしながら，そのような政策は実行可能ではない．第Ⅰ巻第10章で議論したように，中央銀行は負の名目金利を設定することができない．人々は負の金利で貸すのではなく（名目金利がゼロの）現金を保有するだろうからである．こうした状況ではテイラ

116 第2部 マクロ経済理論とマクロ経済政策のトピックス

一・ルールには厳密には従うことができない．中央銀行がなるべくルールに従おうとしてできることは，金利をほとんどゼロにすることであり，この期間に連邦準備はそうしたのである．

テイラー・ルールは2011年頃にFF金利の引上げを促し始めた．しかし，連邦準備は金利をほぼゼロに維持した．この乖離は論争の種となっている．経済学者のなかには，連邦準備の政策は，ルールが推奨した負の水準を上回っていた期間を補うために適切であると主張する人がいる．すなわち，経済が深刻な不況から回復するのに役立つため，ルールを上回る金利の期間が続いたのを補うためにルールを下回る金利の期間が必要であると考えているのである．

他の経済学者たちのなかには，自然利子率が低下したため，テイラー・ルールの定数項は下げられるべきであると示唆して，その乖離を説明する人がいる．現実のFF金利が大不況の後に長期間，テイラー・ルールで推奨されるよりもかなり低くとどまり，しかしインフレは緩やかなままだったという事実は，自然利子率の低下の仮説と整合的である．自然利子率の低下の説明としては，(1)世界の利子率を低下させる海外での貯蓄過剰，(2)少ない資本投資で創業できる新ビジネスを可能とした技術変化，がある．

4-2 モデルの解

ここまでで，動学的AD-ASモデルの構成要素を1つずつみた．表4-1は要約としてモデルの方程式，変数，パラメーターを列挙している．変数は（モデルによって定まる）内生であるか，（モデルでは所与とされる）外生であるかによって分類されている．

モデルの5本の方程式で5つの内生変数，すなわち，産出量Y_t，実質利子率r_t，インフレ率π_t，期待インフレ率$E_t\pi_{t+1}$，名目利子率i_tの経路が決まる．どの期においても，5つの内生変数は，式のなかの4つの外生変数と前期のインフレ率によって影響を受ける．ラグ付きのインフレ率π_{t-1}は既決変数（predetermined variable）と呼ばれる．すなわち，過去において内生的であった変数だが，t期になったときには確定しているので，現在の均衡

第4章 経済変動の動学モデル 117

表4-1 ● 動学的 *AD-AS* モデルにおける方程式，変数とパラメーター

方程式

$Y_t = \overline{Y}_t - \alpha(r_t - \rho) + \varepsilon_t$	財・サービスの需要
$r_t = i_t - E_t\pi_{t+1}$	フィッシャー方程式
$\pi_t = E_{t-1}\pi_t + \varphi(Y_t - \overline{Y}_t) + \nu_t$	フィリップス曲線
$E_t\pi_{t+1} = \pi_t$	適応的期待
$i_t = \pi_t + \rho + \theta_\pi(\pi_t - \pi_t^*) + \theta_Y(Y_t - \overline{Y}_t)$	金融政策ルール

内生変数

Y_t	産出量
π_t	インフレ率
r_t	実質利子率
i_t	名目利子率
$E_t\pi_{t+1}$	期待インフレ率

外生変数

$\overline{Y}_t$	自然産出量
π_t^*	中央銀行の目標インフレ率
ε_t	財・サービスの需要へのショック
ν_t	フィリップス曲線へのショック（供給ショック）

既決変数

π_{t-1}	前期のインフレ率

パラメーター

α	財・サービスの需要の実質利子率に対する反応
ρ	自然利子率
φ	フィリップス曲線における，インフレの産出量に対する反応
θ_π	金融政策ルールにおける，名目利子率のインフレに対する反応
θ_Y	金融政策ルールにおける，名目利子率の産出量に対する反応

をみつけるという目的にとっては本質的に外生的である．

　これで，この5本の方程式を使って，経済へのさまざまなショックが時間の経過とともにこれらの変数にどのような影響を与えるかをみるための準備が整った．だがその前に，この分析をするにあたって必要な，この経済における長期均衡を求めよう．

長 期 の 均 衡

　長期の均衡は正常な状態を表し，経済はその上下を変動する．長期均衡はショックがなく（$\varepsilon_t = \nu_t = 0$），インフレが安定的である（$\pi_t = \pi_{t-1}$）ときに起こ

118　第2部　マクロ経済理論とマクロ経済政策のトピックス

る.

　モデルの5本の方程式を用いた簡単な計算により, 5つの内生変数の長期の値を得ることができる.

$$Y_t = \overline{Y_t}$$
$$r_t = \rho$$
$$\pi_t = \pi_t^*$$
$$E_t \pi_{t+1} = \pi_t^*$$
$$i_t = \rho + \pi_t^*$$

長期均衡は, 言葉では次のように記述される. 産出量と実質利子率は自然率の値になる. インフレ率と期待インフレ率は目標インフレ率になる. 名目利子率は自然利子率と目標インフレ率の和になる.

　このモデルの長期均衡は, 古典派の二分法と貨幣の中立性という2つの関連する原理を反映している. 古典派の二分法は, 実質変数の名目変数からの分離であり, 貨幣の中立性は金融政策が実質変数に影響しないということを思い出そう. 上記の式から直ちに, 中央銀行のインフレ目標 π_t^* はインフレ率 π_t, 期待インフレ率 $E_t\pi_{t+1}$, 名目利子率 i_t にのみ影響する. もし中央銀行がインフレ目標を高めると, インフレ率, 期待インフレ率, 名目利子率がすべて同じ大きさだけ上昇する. 金融政策は実質変数——産出量 Y_t, 実質利子率 r_t——に影響を与えない. このように, 動学的 AD-AS モデルの長期均衡は, 第Ⅰ巻の第3章から第7章と, 第Ⅱ巻の第1章から第3章で検討した古典派モデルを反映している.

動学的総供給曲線

　この経済の短期的な動きを学ぶためには, グラフを用いてモデルを分析するのが有益であろう. グラフは2つの軸を持つので, 2つの変数に焦点を当てる必要がある. 産出量 Y_t とインフレ率 π_t が関心の的であるので, これらを用いることにしよう. 従来の AD-AS モデルと同様に, 産出量を横軸にとろう. しかし, 物価水準は背後に姿を消したので, グラフの縦軸は新たにインフレを表すことになる.

　このグラフを書くために, 産出量 Y_t とインフレ率 π_t の間の関係を要約する2本の式が必要となる. この式は, すでにみたモデルの5本の式から導出

される.しかし,Y_tとπ_tの関係を2つに分離するためには,少し算術を用いて他の3つの変数($r_t, i_t, E_t\pi_{t+1}$)を取り除かなければならない.

産出量とインフレの間の第1の関係は,フィリップス曲線からほとんど直接的に導出される.期待の方程式($E_{t-1}\pi_t = \pi_{t-1}$)を用いて,期待インフレ率$E_{t-1}\pi_t$に過去のインフレ率π_{t-1}を代入することにより,この式のなかの1つの内生変数($E_{t-1}\pi_t$)を取り除くことができる.この代入により,フィリップス曲線の式は次のようになる.

$$\pi_t = \pi_{t-1} + \varphi(Y_t - \overline{Y_t}) + \nu_t \quad (DAS)$$

この方程式は,2つの外生変数(自然産出量$\overline{Y_t}$と供給ショックν_t)と既決変数(前期のインフレ率π_{t-1})を所与として,インフレ率π_tと産出量Y_tの関係を表している.

図4-2は,この式でのインフレ率π_tと産出量Y_tの関係を図示したものである.この右上がりの曲線を**動学的総供給曲線**(DAS, dynamic aggregate supply curve)と呼ぶことにしよう.動学的総供給曲線は,縦軸が物価水準でなくインフレ率であることを除いて,第Ⅰ巻第12章でみた総供給曲線と類

図4-2 ● 動学的総供給曲線

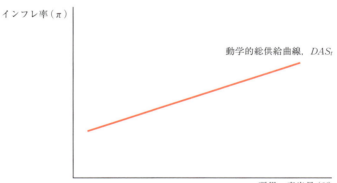

動学的総供給曲線DAS_tは,産出量Y_tとインフレ率π_tとの間の正の相関を示している.その右上がりの曲線はフィリップス曲線の関係を反映している.他の事情が一定ならば,高い水準の経済活動は高いインフレ率と関係づけられる.動学的総供給曲線は,過去のインフレ率π_{t-1},自然産出量$\overline{Y_t}$,供給ショックν_tを所与として描かれている.こうした外生変数が変わるとき,DAS_t曲線はシフトする.

似している．DAS 曲線は，短期的にインフレ率が産出量とどのような関係
にあるかを示している．その曲線が右上がりであることは，他の事情が一定
ならば高い水準の経済活動は高いインフレ率と関係するというフィリップス
曲線を反映している．

DAS 曲線は，過去のインフレ率 π_{t-1}，自然産出量 $\overline{Y_t}$，供給ショック ν_t を
所与の値として描かれている．もしこれら3つの変数のいずれかが変化する
と，DAS 曲線はシフトする．この後の作業は，そのようなシフトの含意を
図示することである．しかし，まずもう1つの曲線が必要である．

動学的総需要曲線

動学的総供給曲線は，経済の短期均衡を決定する産出量とインフレ率の間
の2つの関係のうちの1つである．もう1つの関係とは，（驚くことではな
いが）動学的総需要曲線である．それは，モデルの4本の式から産出量とイ
ンフレ率以外の内生変数を消去して導出される．2つの内生変数（Y_t と π_t）
からなる方程式となれば，2次元のグラフにその関係を表示することができ
る．

まず財・サービスの需要から始めよう．

$$Y_t = \overline{Y_t} - \alpha(r_t - \rho) + \varepsilon_t$$

内生変数の実質利子率 r_t を消去するために，フィッシャー方程式を用いて，
r_t に代えて $i_t - E_t\pi_{t+1}$ を代入すると，

$$Y_t = \overline{Y_t} - \alpha(i_t - E_t\pi_{t+1} - \rho) + \varepsilon_t$$

となる．もう1つの内生変数である名目利子率 i_t を消去するために金融政
策方程式を用いて i_t に代入すると，

$$Y_t = \overline{Y_t} - \alpha[\pi_t + \rho + \theta_\pi(\pi_t - \pi_t^*) + \theta_Y(Y_t - \overline{Y_t}) - E_t\pi_{t+1} - \rho] + \varepsilon_t$$

を得る．次に，内生変数の期待インフレ率 $E_t\pi_{t+1}$ を消去するために，イン
フレ期待の方程式を用い，$E_t\pi_{t+1}$ に代えて π_t を用いると，

$$Y_t = \overline{Y_t} - \alpha[\pi_t + \rho + \theta_\pi(\pi_t - \pi_t^*) + \theta_Y(Y_t - \overline{Y_t}) - \pi_t - \rho] + \varepsilon_t$$

となる．この方程式は，当初の目的であったように，産出量 Y_t とインフレ
率 π_t の2つの内生変数を持つだけとなった．カッコのなかの，正の値をと
る π_t と ρ は負の値と相殺されることに注意されたい．したがって，方程式
は，

$$Y_t = \overline{Y_t} - \alpha[\theta_\pi(\pi_t - \pi_t^*) + \theta_Y(Y_t - \overline{Y_t})] + \varepsilon_t$$

となる．同じ変数の項を集め，Y_t について解くと，

$$Y_t = \overline{Y_t} - \left(\frac{\alpha\theta_\pi}{1+\alpha\theta_Y}\right)(\pi_t - \pi_t^*) + \left(\frac{1}{1+\alpha\theta_Y}\right)\varepsilon_t \quad (DAD)$$

を得る．この方程式は，3つの外生変数 ($\overline{Y_t}, \pi_t^*, \varepsilon_t$) の値を所与とした，産出量 Y_t とインフレ率 π_t の関係である．インフレ率が目標に達し ($\pi_t = \pi_t^*$)，需要ショックがないとき ($\varepsilon_t = 0$)，産出量は自然産出量となる．インフレ率が目標を下回るか ($\pi_t < \pi_t^*$)，正の需要ショックがあると ($\varepsilon_t > 0$)，産出量は自然産出量を上回る．インフレ率が目標を上回るか ($\pi_t > \pi_t^*$)，負の需要ショックがあると ($\varepsilon_t < 0$)，産出量は自然産出量を下回る．

図4-3は，この式で記述されるインフレ率 π_t と産出量 Y_t の関係をグラフにしたものである．この右下がりの曲線を**動学的総需要曲線**（*DAD*, dynamic aggregate demand curve）と呼ぶことにする．*DAD* 曲線は短期の需要量がインフレ率とどのように関係するかを示している．それは，方程式中の外生変数である自然産出量 $\overline{Y_t}$，インフレ目標 π_t^*，需要ショック ε_t を一定に保

図4-3 ● 動学的総需要曲線

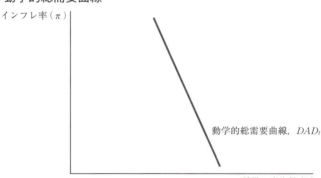

動学的総需要曲線 DAD_t は産出量とインフレの間の負の相関関係を示している．曲線が右下がりであることは，金融政策と財・サービスの需要の関係を反映している．すなわち，インフレ率が高いと中央銀行が名目および実質利子率を引き上げ，財・サービスの需要量が減少する．動学的総需要曲線は，自然産出量 $\overline{Y_t}$，目標インフレ率 π_t^*，需要ショック ε_t を所与として描かれている．こうした外生変数が変化すると，DAD_t 曲線はシフトする．

って描かれている．もしこれらの3つの外生変数のいずれかが変化すると，*DAD* 曲線はシフトする．そのようなシフトの効果はこの後で検討する．

この動学的総需要曲線は，縦軸が物価水準ではなくインフレ率であるが，ちょうど第Ⅰ巻第10章の標準的な総需要曲線であると思えるかもしれない．ある意味で，両者は似ている．というのも，両者とも利子率と財・サービスの需要の間の関係を有しているからである．しかし，重要な違いがある．第Ⅰ巻第10章の通常の総需要曲線は所与のマネーサプライに対して描かれている．だが対照的に，動学的総需要方程式を導くのには金融政策ルールが用いられているので，動学的総需要曲線は所与の金融政策に対して描かれている．そのルールの下で，中央銀行は利子率をマクロ経済の状況に基づいて設定し，マネーサプライはそれに従って調整されることになる．

動学的総需要曲線の傾きが右下がりになるのは次のようなメカニズムのためである．インフレ率が上昇するとき，中央銀行はルールに従って名目利子率を高めるように反応する．そのルールでは，中央銀行はインフレ率の上昇以上に名目利子率を上げるようになっているので，実質利子率も上昇する．実質利子率の上昇は財・サービスの需要量を減少させる．中央銀行の政策を通じて働く，このインフレと需要量の負の相関関係により，動学的総需要曲線は右下がりになる．

動学的総需要曲線は，金融・財政政策の変化に反応してシフトする．以前にみたように，経済ショックの変数 ε_t は，（他のショックとともに）政府支出と租税の変化を反映する．財・サービスの需要を増やす財政政策の変更は ε_t の正の値を意味するため，*DAD* 曲線を右側へシフトさせる．財・サービスの需要を減らす財政政策の変更は，ε_t を負の値にするため，*DAD* 曲線を左側へシフトさせる

金融政策は，目標インフレ率 π_t^* を通じて動学的総需要曲線に入っている．他の事情を一定にしたとき，*DAD* 方程式は，π_t^* の上昇が需要量を高めることを示す（π_t^* の前には2つの負の符号があるのでその全体としての影響は正となる）．この結果の背後にあるメカニズムは次のようなものである．中央銀行は目標インフレ率を引き上げるとき，金融政策ルールが指示するように，名目利子率を引き下げ，より拡張的な金融政策を追求する．どのような所与のインフレ率の下でも，名目利子率が低いほど実質利子率が低くなり，

低い実質利子率は財・サービスへの支出を刺激する．このようにして，所与のインフレ率に対して，産出量は大きくなり，動学的総需要曲線は右側にシフトする．逆に，中央銀行が目標インフレ率を引き下げるとき，名目および実質利子率を高めることになり，財・サービスの需要を減らし，動学的総需要曲線は左側にシフトする．

短期均衡

経済の短期均衡は，動学的総需要曲線と動学的総供給曲線の交点で決まる．代数的には，いま導いた2本の方程式，すなわち，

$$Y_t = \overline{Y_t} - \left(\frac{\alpha\theta_\pi}{1+\alpha\theta_Y}\right)(\pi_t - \pi_t^*) + \left(\frac{1}{1+\alpha\theta_Y}\right)\varepsilon_t \qquad (DAD)$$

$$\pi_t = \pi_{t-1} + \varphi(Y_t - \overline{Y_t}) + \nu_t \qquad\qquad (DAS)$$

を用いて表すことができる．t期において，これらの方程式が一緒になって2つの内生変数であるインフレ率π_tと産出量Y_tが決まる．解は，外生である（あるいは少なくともt期の前に決まっている）5つの他の変数に依存している．その外生的（および既決の）変数とは，自然産出量$\overline{Y_t}$，中央銀行の目標インフレ率π_t^*，需要ショックε_t，供給ショックν_t，および既決のインフレ率π_{t-1}である．

こうした外生変数を所与とすると，図4-4のように，経済の短期均衡を動学的総需要曲線と動学的総供給曲線の交点で図示することができる．短期の均衡産出量Y_tは，この図のように自然産出量$\overline{Y_t}$よりも小さくなりうるし，大きくも，また等しくもなりうる．すでにみたように，経済が長期均衡にあると，産出量は自然産出量$\overline{Y_t}$になる（$Y_t = \overline{Y_t}$）．

短期の均衡では産出量Y_tだけでなくインフレ率π_tも決まる．このインフレ率は，次の$t+1$期において動学的総供給曲線の位置に影響を与えるラグ付きのインフレ率となる．この期間のつながりが次節で検討するような動学的なパターンを生み出すのである．すなわち，ある期は次の期と，インフレについての期待を通じてつながる．t期のショックはt期のインフレ率に影響を与え，それが次に，人々の$t+1$期の期待インフレ率に影響を与える．$t+1$期の期待インフレ率は，その期の動学的総供給曲線の位置に影響を与え，それがさらに$t+1$期の産出量とインフレ率に影響を与える．それがま

図4-4 ● 短期均衡

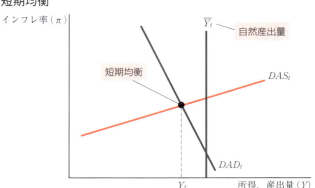

短期均衡は，動学的総需要曲線 DAD_t と動学的総供給曲線 DAS_t の交点で決まる．この均衡において，t期のインフレ率と産出量が決まる．この図で示される均衡では，短期均衡の産出量 Y_t は経済の自然産出量 $\overline{Y}_t$ に届かない．

た$t+2$期の期待インフレ率に影響を与えるというように続く．

このような期間を通じた経済的帰結のつながりは，一連の例を学ぶにつれて明らかになるだろう．

4-3 モデルの利用

動学的 AD-AS モデルを用いて，外生変数の変化に対して経済がどのように反応するかについて分析することにしよう．モデルのなかの4つの外生変数は，自然産出量 $\overline{Y}_t$，供給ショック ν_t，需要ショック ε_t，中央銀行のインフレ目標 π_t^* である．話を単純にするために，経済はつねに初期には長期均衡にあり，1つの外生変数の変化を受けると仮定する．また，その他の外生変数も一定であると仮定する．

長期的成長

経済の自然産出量 $\overline{Y}_t$ が，第Ⅱ巻第1章～第3章で議論したように，人口成長，資本蓄積，技術進歩などのために時間を通じて変化するとしよう．ここでの私たちの目的にとって，そのような成長は外生として，このモデルの

図4-5 ● 長期的成長

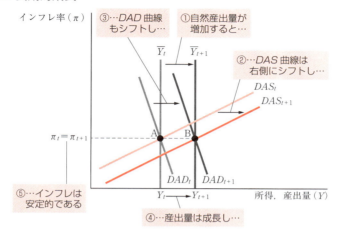

長期的な成長によって自然産出量 $\overline{Y}_t$ が増加すると，それと同量だけ動学的総需要曲線 DAD_t と動学的総供給曲線 DAS_t は右側にシフトする．産出量 Y_t は増加するが，インフレ率 π_t は変わらない．

外側で決まると仮定することができる．図4-5は，$\overline{Y}_t$ の上昇の影響を図示したものである．自然産出量は動学的総需要曲線と動学的総供給曲線の両方に影響を及ぼすので，両曲線ともシフトする．実際，両方とも，ちょうど $\overline{Y}_t$ が増加した大きさだけ右側にシフトする．

これらのシフトにより，経済の均衡は図の A 点から B 点に移る．産出量 Y_t は，自然産出量 $\overline{Y}_t$ の増加分と同じだけ増加する．インフレ率 π_t は変わらない．

これは次のように説明できる．自然産出量が増加するとき，経済では財・サービスをより多く生産することができる．これは動学的総供給曲線の右側シフトで表される．同時に，自然産出量の増加により，人々はより豊かになる．他の事情が一定であれば，人々はより多くの財・サービスを購入したいと考えるようになる．これは動学的総需要曲線の右側シフトで表される．供給と需要のシフトが同時に起こることにより，経済の産出量は増えるが，インフレ率への上方圧力も下方圧力も生じない．このように，経済は長期の成長と安定したインフレを経験することができる．

総供給へのショック

次に総供給へのショックを考察しよう．ν_t が1期だけ1%上昇し，次期にはゼロに戻るとしよう．こうしたフィリップス曲線へのショックは，たとえば中東の大混乱が石油価格を引き上げたり，干ばつが食料価格を引き上げることによって起こると考えられる．一般的に，供給ショック ν_t は，期待インフレ率 $E_{t-1}\pi_t$ や，$Y_t - \overline{Y_t}$ によって測られる現在の経済活動とは別の，インフレに影響を与える出来事をとらえたものである．

図4-6はその結果を示している．t 期にショックが起こり，動学的総供給曲線が DAS_{t-1} から DAS_t へと上方にシフトする．正確に述べると，この曲線はショックの大きさ（1%と仮定されている）だけ上方にシフトする．供給ショック ν_t は動学的総需要曲線内の変数ではないので，DAD は変わらない．したがって，経済は，動学的総需要曲線に沿ってA点からB点へと移

図4-6 ● 供給ショック

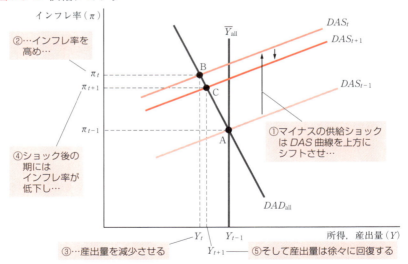

　t 期の供給ショックにより，動学的総供給曲線は DAS_{t-1} から DAS_t へと上方にシフトする．動学的総需要曲線は変化しない．経済の短期均衡はA点からB点へと動く．それに続く期（$t+1$）において，動学的総供給曲線は DAS_{t+1} にシフトし，経済はC点に移る．供給ショックは正常な値のゼロに戻るが，インフレへの期待は高いままである．その結果，経済は初期の均衡であるA点へと徐々に戻る．

動する．図示されるように，t 期の供給ショックはインフレを π_t に引き上げ，産出量を Y_t に引き下げる．

こうした影響の一部は，ショックに対する金融政策の反応を通じて作用する．供給ショックによりインフレ率が上昇するとき，中央銀行は政策ルールに従い，名目および実質利子率を引き上げるように反応する．実質利子率が高まると，財・サービスの需要量が減少し，産出量を自然産出量以下に引き下げる（この一連の出来事は，DAD 曲線に沿った A 点から B 点への移動によって表される）．産出量の水準が低くなると，インフレ圧力をいくぶん弱め，インフレ率の上昇は初期のショックよりもいくらか小さくなる．

ショックの後の期において，期待は過去のインフレ率に依存するため，期待インフレ率は高くなっている．たとえば，$t+1$ 期において経済が C 点にいるとしよう．ショック変数 ν_t は正常な値のゼロに戻るが，動学的総供給曲線は直ちにはその初期の位置に戻らない．そうではなく，経済活動の水準が低くなるにつれて，インフレ率，次に将来の期待インフレ率が下がっていくので，DAS 曲線は初期の位置 DAS_{t-1} に向けて，下方へゆっくりと戻るようにシフトする．最終的に，経済は A 点に戻る．しかしながら，この移行過程を通じて，産出量は自然産出量を下回っている．

供給ショックに対して経済は図4-6で A 点から B 点，C 点へ，そしてしだいに A 点に戻るような動きで反応する．モデルのすべての変数がそれぞれ方程式に従って反応する．図4-7は，モデルの主要な変数がショックに反応する時間経路を示したものである（129ページのコラムで説明されるようにこうしたシミュレーションは現実的なパラメーターに依存している）．パネル（a）が示すように，ショック ν_t は t 期に 1％上方に跳ね上がって，その後の期にはゼロに戻っている．インフレ率は，パネル（d）に示されるように，0.9％ポイント上昇し，長い時間をかけて目標の 2％にしだいに戻っていく．産出量はパネル（b）に示されるように，供給ショックに反応して低下するが，最終的には自然産出量に戻る．

図4-7はまた名目利子率と実質利子率の経路も示している．供給ショックが起こった期では，名目利子率は，パネル（e）に示されるように1.2％ポイント上昇し，実質利子率は，パネル（c）に示されるように0.3％ポイント上昇する．両方の利子率は経済が長期均衡に戻るにつれて正常な値に戻る．

図4-7 ● 供給ショックへの動学的な反応

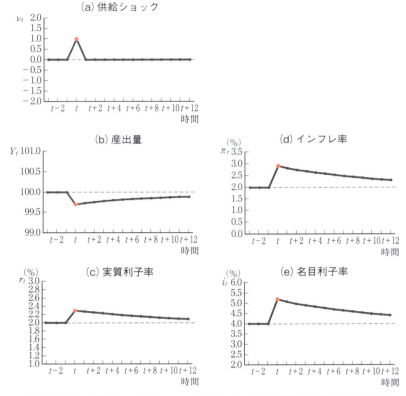

これらの図は一度限りの供給ショックに対して，主要な変数が時間を通じてどのように反応するかを示したものである．

　これらの図は，動学的 $AD\text{-}AS$ モデルにおける**スタグフレーション**（stagflation）の現象を示している．すなわち供給ショックによりインフレ率が上昇し，それにより期待インフレ率が上昇する．中央銀行は金融政策のルールを適用して利子率を上げるように反応するのでインフレはしだいに沈静化していくが，経済活動の長期にわたる沈滞というコストを払わなくてはならないのである．

| コラム | Column |

数値例としてのカリブレーションとシミュレーション

　本書では，動学的 AD–AS モデルのシミュレーションの数値例を示している．その結果を解釈するときには，各期が1年間を表すと考えるのがわかりやすいだろう．経済的ショックのあった年（t 期）と，それに続く12年間への衝撃を検討しよう．

　シミュレーションでは次のパラメーター値を用いる．

$$\overline{Y_t}=100$$
$$\pi_t^*=2.0$$
$$\alpha=1.0$$
$$\rho=2.0$$
$$\varphi=0.25$$
$$\theta_\pi=0.5$$
$$\theta_Y=0.5$$

これらの値は次のように理解できる．自然産出量 $\overline{Y_t}$ は100である．この数字を選ぶことで，$Y_t-\overline{Y_t}$ の変動は，通常，産出量の自然産出量からのパーセント表示の乖離とみることができる．中央銀行のインフレ目標 π_t^* は2.0%である．パラメーター $\alpha=1.0$ は，1%ポイントの実質利子率の上昇で産出量が1，すなわち自然産出量の1%の需要が減ることを意味する．経済の自然利子率 ρ は2.0%である．フィリップス曲線のパラメーター $\varphi=0.25$ は，産出量が自然産出量を1%上回ると，インフレ率が0.25%ポイント高まることを意味する．金融政策ルールのパラメーター $\theta_\pi=0.5$ と $\theta_Y=0.5$ は，ジョン・テイラーによって示唆されたもので，連邦準備の行動として妥当な近似である．

　すべての場合に，シミュレーションでは，関心のある外生変数の1%ポイントの変化を仮定する．それより大きなショックによる影響は質的には同様だが，大きさは比例して大きくなるだろう．たとえば，3%ポイントのショックはすべての変数を1%ポイントのショックのときと同じ方向に動かすが，その大きさは3倍になると考えられる．

　（図4-7，図4-9，図4-11に示される）ショック後の変数の時間経路のグラフは，インパルス反応関数と呼ばれる．「インパルス」という言葉はここではショックを表し，「反応関数」は内生変数がショックに対してどのように反応するかという経路を示す．こうしたシミュレーションされたインパルス反応関

数は，モデルがどのように動くかを示す1つの方法を提供する．それは，経済にショックが与えられたときに内生変数がどのように動くか，そして次の期以降にそれらがどのように調整されるか，そして，それらが時間を通じてどのように相互に関係するかを示す．

総需要へのショック

総需要へのショックについて考察しよう．現実的なものとするために，ショックは数期にわたって持続すると仮定する．ここでは，5期間にわたって $\varepsilon_t = 1$ であると仮定し，その後，正常な値のゼロに戻るとしよう．政府購入を増やす戦争や，富や消費支出を増やす株式市場のバブルなどが起こった場合に，このような正のショックが生ずる．一般的に，需要ショックは，自然産出量 $\overline{Y_t}$ と実質利子率 r_t の値を所与として，財・サービスの需要に影響を与えるあらゆる出来事をとらえたものとなる．

図4-8はその結果を示している．t 期にショックが起こると，動学的総需要曲線は DAD_{t-1} から DAD_t へと右側にシフトする．需要ショック ε_t は動学的総供給曲線内の変数ではないので，DAS は $t-1$ 期から t 期にかけて不変である．経済は動学的総供給曲線に沿って A 点から B 点へと移る．産出量とインフレ率はともに上昇する．

総供給へのショックのときと同じように，こうした影響の一部は，ショックに対する金融政策の反応を通じて作用する．需要ショックが産出量とインフレ率を上昇させるとき，中央銀行は名目および実質利子率を引き上げるように反応する．実質利子率が高くなると財・サービスの需要が減少し，部分的には需要ショックによる拡張効果を相殺する．

ショックが生じた後の期では，期待インフレ率は過去のインフレ率に依存するために高くなる．その結果，動学的総供給曲線は繰り返し上方にシフトしていく．それにつれて，産出量は減少し，インフレは高まる．図では経済はショックの初期の B 点から始まり，それに続く期において C 点，D 点，E 点，F 点へと移動する．

6（すなわち $t+5$）期目において，需要ショックは消える．このとき，動学的総需要曲線は初期の位置に戻る．しかしながら，経済は直ちには初期

図4-8 ● 需要ショック

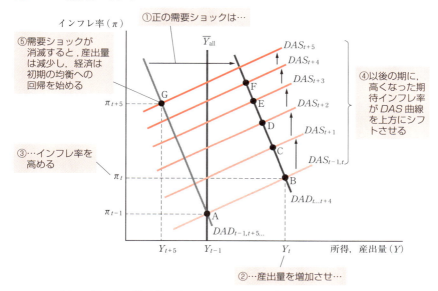

この図は t 期から5期間続く正の需要ショックの影響を示している．ショックは直ちに動学的総需要曲線を DAD_{t-1} から DAD_t へと右側にシフトさせる．経済はA点からB点に移る．インフレと産出量はともに上昇する．次の期に，期待インフレ率の上昇により動学的総供給曲線は DAS_{t+1} へとシフトする．経済はB点からC点に，そしてそれに続く期には，D点，E点，F点へと動く．5期間後，需要ショックが消滅すると，動学的総需要曲線は初期の位置に戻るようにシフトし，経済はF点からG点に移る．産出量は自然産出量以下に低下し，インフレは低下し始める．時間が経つと，動学的総供給曲線は下方へシフトし始め，経済はしだいに初期の均衡であるA点に戻る．

の均衡のA点には戻らない．需要の高い期にインフレ率は高かったため，期待インフレ率も高くなっていた．高いインフレ期待により動学的総供給曲線は初期よりも高い位置となる．その結果，需要が減少するときに経済の均衡はG点に移動し，産出量は Y_{t+5} という自然産出量より低い水準まで低下する．その後，低い水準の産出量が目標よりも高いインフレ率を沈静化していくにつれ，経済はしだいに復活する．時間とともにインフレ率と期待インフレ率が下がり，経済はゆっくりとA点に戻る．

図4-9は，モデルの主要な変数について，需要ショックに反応する時間経

図4-9 ● 需要ショックへの動学的な反応

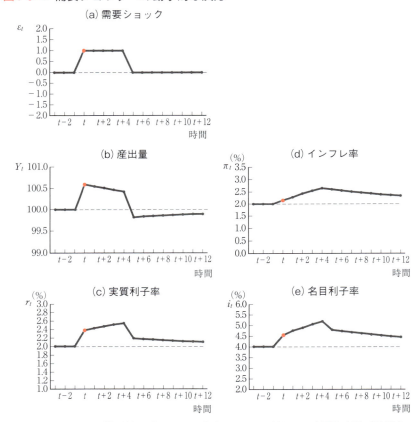

これらの図は5期間続く正の1％の需要ショックに対して，主要な変数が時間を通じてどのように反応するかを示したものである．

路を示したものである．正の需要ショックは実質および名目の利子率を高めることに注意してほしい．需要ショックが消滅すると，両方の利子率は下落する．こうした反応が生じるのは，中央銀行が名目利子率を設定するときに，インフレ率と産出量の自然率からの乖離を考慮に入れるからである．

金融政策のシフト

中央銀行がインフレ率の目標を引き下げることに決めたとしよう．たとえ

図4-10 ● 目標インフレ率の下落

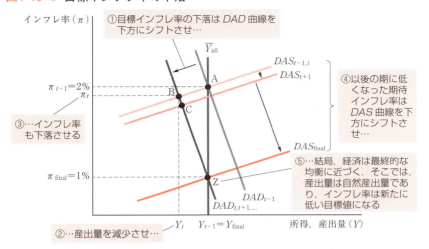

　t 期に目標インフレ率が永続的に下落すると，動学的総需要曲線が DAD_{t-1} から DAD_t と左側にシフトし，以後はそこから動かない．初期に経済は A 点から B 点に移る．インフレ率と産出量が低下する．それ以降の期には，期待インフレ率が低下するため，動学的総供給曲線は下方にシフトする．$t+1$ 期に，経済は B 点から C 点に移動する．時間が経つと，期待インフレ率が下落し，動学的総供給曲線が繰り返し下方にシフトするので，経済は新しい均衡の Z 点に近づく．産出量は自然産出量 $\overline{Y}_{\text{all}}$ に戻り，インフレ率は結果として新たに低い目標値になる（1％）．

ば t 期に π^* を2％から1％に低下させ，その後もその低い水準にとどめると想定する．金融政策のこのような変更に対して経済はどのように反応するだろうか．

　インフレ目標は動学的総需要曲線に外生変数として入っていることを思い出そう．インフレ目標が低下すると，DAD 曲線は図4-10に示されるように左側にシフトする（正確にいうと，下方に1％ポイントだけシフトする）．目標インフレ率は動学的総供給曲線の式に入っていないので，DAS 曲線は初期にはシフトしない．経済は初期の均衡の A 点から新しい均衡の B 点に動く．産出量は自然産出量以下となる．インフレ率も低下するが，中央銀行がインフレ目標を1％引き下げているところ，低下するのは1％ポイントに満たない．

　この結果を説明する際に手がかりとなるのは，金融政策である．中央銀行

がインフレ目標を引き下げたので，現行のインフレ率は新しい目標値を上回ることとなる．中央銀行はその政策ルールに従って実質および名目の利子率を引き上げる．実質利子率が高くなると，財・サービスの需要が減少する．フィリップス曲線によると，産出量が低下するときに，インフレ率も低下する．

　インフレ率が低くなると，今度は，人々による次の期の期待インフレ率が低下する．$t+1$ 期になると，低くなった期待インフレ率は，動学的総供給曲線を DAS_{t+1} へと下方にシフトさせる（正確には，DAS 曲線は期待インフレ率が下落するのとちょうど同じだけ下方にシフトする）．このシフトは経済を B 点から C 点へと動かし，さらにインフレ率を引き下げ，産出量を拡大させる．時間が経つと，インフレ率が新しい 1 ％の目標に向かって下落し続け，DAS 曲線が DAS_{final} に向けてシフトし続けるにつれて，経済は新しい長期均衡 Z 点に近づく．そこでは，産出量は自然産出量に戻り（$Y_{final}=\overline{Y}_{all}$），インフレ率は新しく低い目標値になる（$\pi_{final}=1$ ％）.

　図4-11は，目標インフレ率の低下に対して，諸変数が時間を通じてどのように反応するかを示したものである．パネル（e）は名目利子率 i_t の時間経路である．政策を変更する前には，名目利子率は長期均衡値の4.0％（自然率での実質利子率 ρ の2.0％と目標インフレ率 π_{t-1}^{*} の2.0％の和に等しい）である．目標インフレ率が 1 ％に低下すると，名目利子率は4.2％に上昇する．しかしながら，時間が経過すると，インフレ率と期待インフレ率が新しい目標率に向けて低下するにつれて，名目利子率も低下する．最終的に i_t は3.0％の新しい長期均衡の値に近づく．このように，低いインフレ目標に向かうシフトは，短期の名目利子率を高めるが，長期的には名目利子率は低下する．

　最後に注意点を 1 つ示しておこう．この分析では，適応的期待の仮定を採用した．すなわち，人々は直近に経験したインフレ率に基づいてインフレ期待を形成すると仮定した．しかし，もし中央銀行が目標インフレ率引下げという新しい政策について信頼できるアナウンスメントをするならば，人々はインフレ期待を直ちに変更するということもありうる．すなわち，人々は経験したことに適応的に反応するのではなく，政策のアナウンスメントに基づいて合理的に期待を形成するかもしれない（この可能性については第Ⅰ巻第

図4-11 ● 目標インフレ率の下落に対する動学的な反応

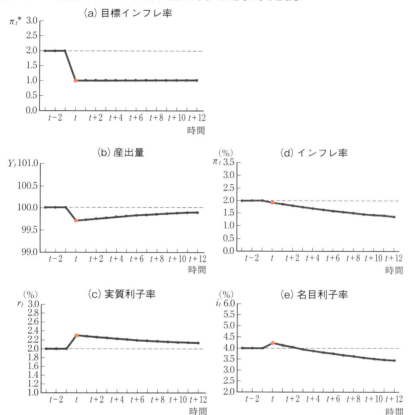

これらの図は目標インフレ率の永続的な下落に対して，主要な変数が時間を通じてどのように反応するかを示したものである．

12章で議論した）．もしそうならば，政策の変化後，動学的総需要曲線と並んで動学的総供給曲線も直ちに下方にシフトする．この場合，経済はすぐに新しい長期均衡に達する．これとは対照的に，もし人々が低いインフレ率というアナウンスされた政策を実際に目にするまで信じないならば，ここで採用した適応的期待の仮定は適切であり，低いインフレ率に至るまでには，図4-11に示されるように産出量が減少する期間も経験することになる．

136 第2部 マクロ経済理論とマクロ経済政策のトピックス

4-4 2つの応用：金融政策への教訓

　本章ではこれまでインフレと産出量の動学モデルを組み立て，それを用い
てさまざまなショックが，時間の経過とともに産出量，インフレ率，利子率
にどのような影響を与えるかを示した．ここでは，モデルを用いて，金融政
策のデザインに焦点を当てよう．

　ここで「金融政策のデザイン」とは何を意味するかについて考察しておく
価値がある．これまでの分析では，中央銀行は単純な役割を有していた．す
なわち，金融政策ルールによって規定される目標水準に，名目利子率が達す
るようマネーサプライを調整するだけだった．その政策ルールの2つの重要
なパラメーターは，θ_π（インフレに対する目標利子率の反応の度合い）と θ_Y
（産出量に対する目標利子率の反応の度合い）である．われわれは，これら
のパラメーターがどのようにして選ばれるかについて議論することなく所与
としてきた．だがここまででモデルがどのように作用するかを理解したので，
今度は金融政策ルールのパラメーターはどのようなものであるべきかという，
より奥の深い問題を考察しよう．

産出量の変動とインフレ率の変動のトレードオフ

　供給ショックの産出量とインフレ率への影響について考察しよう．動学的
$AD\text{-}AS$ モデルによると，供給ショックの影響は動学的総需要曲線の傾きに
決定的に依存する．とくに，供給ショックが産出量とインフレ率にどれほど
大きな影響を与えるかは，DAD 曲線の傾きによって決まる．

　この現象は図4-12に図示されている．この図の2つのパネルでは，経済は
同じ供給ショックを経験している．パネル（a）では，動学的総需要曲線は
水平に近く，供給ショックはインフレに対して小さな影響しか及ぼさないが，
産出量に対しては大きな影響を及ぼす．パネル（b）では，動学的総需要曲
線の傾斜は急であり，供給ショックはインフレに大きな影響を及ぼすが，産
出量には小さな影響しか及ぼさない．

　なぜこれが金融政策にとって重要なのであろうか．それは，中央銀行は動
学的総需要曲線の傾きに影響を与えることができるからである．DAD 曲線

図4-12 ● 供給ショックに対する2つの起こりうる反応

(a) *DAD* 曲線が水平に近い場合

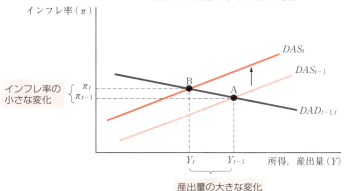

(b) *DAD* 曲線が垂直に近い場合

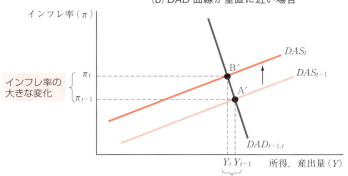

パネル（a）のように，動学的総需要曲線が水平に近ければ，供給ショックはインフレ率に対して小さな影響しか及ぼさないが，産出量に対しては大きな影響を及ぼす．パネル（b）のように，動学的総需要曲線が垂直に近ければ，同じ供給ショックがインフレ率に対しては大きな影響を及ぼすが，産出量には小さな影響しか及ぼさない．動学的総需要曲線の傾きは，一部には，利子率がインフレと産出量の変化にどのように反応するかという金融政策のパラメーター（θ_π, θ_Y）に基づいている．こうしたパラメーターを選ぶとき，中央銀行はインフレの変動率と産出量の変動率のトレードオフに直面している．

138　第2部　マクロ経済理論とマクロ経済政策のトピックス

の方程式,

$$Y_t = \overline{Y_t} - \left(\frac{\alpha\theta_\pi}{1+\alpha\theta_Y}\right)(\pi_t - \pi_t^*) + \left(\frac{1}{1+\alpha\theta_Y}\right)\varepsilon_t$$

を思い出されたい. ここでの2つの重要なパラメーターは θ_π と θ_Y であり, それらは中央銀行の利子率の目標がどのようにインフレと産出量に反応するかを決定する. 中央銀行がこれらのパラメーターを選ぶとき, DAD 曲線の傾きが決まるのであり, その結果, 経済の供給ショックへの反応を決めることになる.

　1つのケースとして, 中央銀行がインフレに強く反応し (θ_π が大きい), 産出量に対して弱く反応する (θ_Y が小さい) としよう. この場合, 上記の方程式で, インフレに関する係数が大きくなる. すなわち, インフレの小さな変化は産出量に大きな影響を与えることになる. その結果, 動学的総需要曲線はかなり水平に近くなり, 供給ショックは産出量には大きな影響を及ぼし, インフレには小さな影響しか及ぼさなくなる. これは次のように説明できる. 経済がインフレ率を押し上げるような供給ショックを経験するとき, 中央銀行の政策ルールでは利子率をかなり高くすることで対応する. 急激に高くなる利子率は, 財・サービスの需要量を著しく減少させ, それにより, 大きな景気後退を引き起こすことで供給ショックのインフレへの影響を抑圧する (それこそ金融政策の反応の目的である).

　もう1つのケースとして, 中央銀行はインフレに弱く反応し (θ_π が小さい), 産出量に対して強く反応する (θ_Y が大きい) としよう. この場合, 上記の方程式で, インフレに関する係数は小さくなり, インフレ率が大きく変化しても産出量には小さな影響しか与えない. その結果, 動学的総需要曲線はかなり垂直に近くなり, 供給ショックは産出量には小さな影響しか及ぼさないが, インフレには大きな影響を与える. この説明は前のケースとは逆になる. 経済がインフレを高めるような供給ショックを経験するとき, 中央銀行の政策ルールは利子率をわずかに高くするだけにとどまる. この小さな政策的な反応は, 大きな景気後退を妨げるが, インフレを引き起こすショックを受け入れることになる.

　金融政策の選択において, 中央銀行はこの2つのシナリオのうちのどちらを用いるかを決める. すなわち, 政策パラメーター θ_π と θ_Y を設定するとき,

中央銀行は経済が図4-12のパネル（a）に近くなるか，パネル（b）に近くなるかを暗黙のうちに選択している．この選択をするとき，中央銀行は産出量の変動とインフレの変動の間のトレードオフに直面する．中央銀行は，パネル（a）のように，強硬なインフレ退治者になることができ，その場合には，インフレ率は安定的であるが産出量は変動しやすくなる．反対に，パネル（b）のようにもっとインフレに受容的になることもでき，その場合にはインフレ率は変動しやすいが，産出量はより安定的である．また中央銀行はこの2つの両極端の間のどこか中間的な位置を選ぶこともできる．

中央銀行の1つの仕事は経済を安定させることである．しかしながら，この目的にはさまざまな次元があり，中央銀行はどのような種類の安定に重点を置くかを決めなければならない．動学的 AD-AS モデルでは，インフレの変動のしやすさと所得の変動のしやすさの間のトレードオフという，基本的なトレードオフが示されている．

このトレードオフは，インフレと産出量の間の単純なトレードオフとかなり異なっていることに注意してほしい．このモデルの長期において，インフレは目標インフレ率に達し，産出量は自然産出量に届くのである．古典派のマクロ経済理論がそうであるように，政策立案者はインフレと産出量の間の長期のトレードオフには直面しない．そうではなく，政策立案者は，これらのマクロ経済の成果の指標のうち，どれを安定させたいかという選択に直面する．金融政策ルールのパラメーターを決めるとき，政策立案者は供給ショックがインフレ率を大きく変動させるか，産出量を大きく変動させるか，あるいは両方をいくらかずつ変動させるかを決めるのである．

ケース・スタディ **異なる委任と異なる現実：連邦準備と ECB**

動学的 AD-AS モデルでは，どの中央銀行も直面する重要な政策選択は，政策ルールのパラメーターに関係している．金融パラメーター θ_π と θ_Y は経済条件に利子率がどれほど反応するかを示し，インフレと産出量の変動のしやすさを決める．

アメリカ連邦準備とヨーロッパ中央銀行（ECB）は，この決定に異なる接近法をとっているようである．連邦準備を創設した法制は，その目的が，「最大の雇用，安定した価格，適度の長期利子率という目的を効果的

140　第2部　マクロ経済理論とマクロ経済政策のトピックス

に推進する」ことであると明確に述べている．連邦準備は雇用と物価を安定させることになっているので，二重の任務があるといわれる（適度な長期利子率という第三の目的は安定した物価により自然に達成できる）．対照的に，ECB は HP 上で，「ECB の金融政策の主要な目的は物価の安定を維持することである．ECB は中期的に 2 ％以下で，2 ％に近いインフレ率を目指す」と公表している．産出量と雇用の安定を含むその他のすべてのマクロ経済的目的は二次的のようである．[2]

　こうした違いはモデルに照らせばはっきり理解することができる．連邦準備と比べて，ECB は産出量の安定性よりもインフレ率の安定性のほうにより重きを置いているようである．この目的の違いは，金融政策ルールのパラメーターに反映されているはずである．二重の任務を達成するために，連邦準備は ECB と比べると，産出量により大きく反応し，インフレにあまり反応しないだろう．

　2008〜2009年の金融危機はこうした違いを示す例となる．2008年に世界経済は原油価格の上昇と金融危機を経験し，経済活動は低迷していた．連邦準備はこうした事態に対して目標利子率を年初の4.25％から，年末には0〜0.25％の範囲に引き下げた．ECB は同様の事態に直面し，やはり利子率を切り下げたが，その程度は 3 ％から 2 ％へと小さかった．ECB は，景気後退の深刻さが明らかで，インフレ懸念が沈静化した2009年にのみ利子率を0.25％に引き下げた．この出来事を通じて，ECB は景気後退にそれほど関心を払わず，インフレを抑制することに関心を払った．

　動学的 *AD-AS* モデルでは，他の事情が一定ならば，ECB の政策は産出量の大きな変動とインフレ率の安定を導くだろうと予測される．しかしながらこの予測の検証は難しい．実際，他の事情が一定であることは希である．ヨーロッパとアメリカは，中央銀行の政策以外にもさまざまな点で異なっている．たとえば，2010年にいくつかのヨーロッパ諸国は国債のデフォルト寸前となった．最も有名なのはギリシャであった．このヨーロッパ危機は政府への信認を損ない，世界中の総需要を抑制した．しかしその

───────────
　2）　訳者注：日本銀行は物価の安定を通じた経済の健全な発展と金融システムの安定（信用秩序の維持）を目的としている．

インパクトはアメリカよりもヨーロッパに対してはるかに大きかった．このようにヨーロッパとアメリカは異なる金融政策を有するだけでなく異なるショックに直面する．

テイラー原理

中央銀行によって設定される名目利子率はインフレ率の変化にどれぐらい反応すべきであろうか．動学的 AD-AS モデルでは，決定的な答えではないが，重要な指針が示される．

以下の金融政策の方程式を思い出そう．

$$i_t = \pi_t + \rho + \theta_\pi(\pi_t - \pi_t^*) + \theta_Y(Y_t - \overline{Y_t})$$

ここで θ_π と θ_Y は中央銀行が設定する利子率に，インフレ率と産出量がどれほど反応するかを表すパラメーターである．この方程式によると，1％ポイントのインフレ率 π_t の上昇により，$1+\theta_\pi$％ポイントの名目利子率 i_t の上昇がもたらされる．θ_π はゼロより大きいと仮定しているので，インフレ率が上昇するときはいつでも，中央銀行は名目利子率をそれ以上の大きさで引き上げる．

$\theta_\pi > 0$ という仮定は実質利子率の動きにとって重要な意味がある．実質利子率は $r_t = i_t - E_t\pi_{t+1}$ と書けることを思い出そう．われわれの適応的期待の仮定では，この式は $r_t = i_t - \pi_t$ と書ける．その結果，もしインフレ率 π_t よりも名目利子率 i_t が大きく上昇すると，実質利子率 r_t も上昇する．この章の前の説明を思い起こすと，この事実はなぜ動学的総需要曲線が右下がりになるかを説明する重要なところである．

しかしながら，中央銀行がそれとは異なるように行動すると想定しよう．すなわち，名目利子率をインフレ率の上昇よりも小さく引き上げるのである．この場合，金融政策パラメーター θ_π はゼロより小さくなるだろう．この変更はモデルを深刻なほど変えてしまう．動学的総需要方程式が，

$$Y_t = \overline{Y}_t - \left(\frac{\alpha\theta_\pi}{1+\alpha\theta_Y}\right)(\pi_t - \pi_t^*) + \left(\frac{1}{1+\alpha\theta_Y}\right)\varepsilon_t$$

であることを思い起こそう．もし θ_π が負であれば，インフレ率の上昇は，需要量を増加させる．その理由を理解するために実質利子率に何が起こっているかに留意しよう．もしインフレ率の上昇が（$\theta_\pi < 0$ なので）それより小

さい名目利子率の上昇をもたらせば，実質利子率は低下する．実質利子率が低くなると借入の費用が低下し，財・サービスへの需要量が増加する．このように，θ_π が負であれば，動学的総需要曲線は右上がりとなる．

$\theta_\pi < 0$ の経済と右上がりの DAD 曲線はいくつかの問題に直面する．とくに，インフレは不安定になりうる．たとえば，総需要に1期間だけ正の経済ショックがあるとしよう．本来なら，そうした出来事は経済に一時的な影響しか持たず，（図4-9で示される分析と同様に）インフレ率は時間とともに目標値に戻るだろう．しかしながら，もし $\theta_\pi < 0$ ならば，出来事の展開は以下のように大きく異なる．

1. 正の需要ショックはそれが生じた時期に産出量とインフレ率を高める．
2. 期待が適応的に決まるため，高いインフレ率は期待インフレ率を高める．
3. 企業は価格を一部は期待インフレ率に基づいて設定するため，期待インフレ率が高いと現実のインフレ率も次の期には（需要ショックがすでに消えた後でさえ）高くなる．
4. インフレ率が高くなると中央銀行は名目利子率を引き上げる．しかし，$\theta_\pi < 0$ のため，中央銀行の名目利子率の引上げはインフレ率の上昇率に満たない．そのため実質利子率は低下する．
5. 実質利子率が低下すると財・サービスへの需要が自然産出量以上に増加する．
6. 産出量が自然産出量を上回ると，企業にとって限界費用が高まり，インフレ率は再び上昇する．
7. 経済はステップ2に戻る．

経済はインフレ率と期待インフレ率がいつまでも高くなる悪い循環になる．インフレ・スパイラルはコントロールできない．

図4-13ではこのプロセスを説明している．t 期に1回限りの正の総需要ショックが起こるとしよう．すなわち，1期限りで動学的総需要曲線は DAD_{t-1} から右側の DAD_t にシフトする．そして，次の $t+1$ 期には元の位置 DAD_{t+1} に戻る．t 期に経済はA点からB点に移り，産出量もインフレも

図4-13 ● テイラー原理の重要性

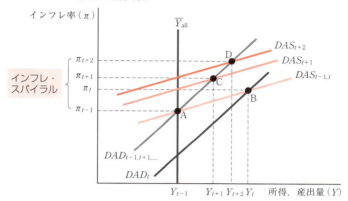

　この図は，金融政策がテイラー原理を満たさないために，動学的総需要曲線が右上がりとなる経済での需要ショックの影響を示している．需要ショックにより，DAD 曲線は DAD_t へと1期だけ右に動き，経済は A 点から B 点へと動く．産出量とインフレ率は増加する．インフレ率の上昇は期待インフレ率を高め，次期には動学的総供給曲線が DAS_{t+1} へと上方にシフトする．したがって，$t+1$ 期には経済は B 点から C 点へと動く．DAD 曲線は右上がりであるため，産出量はなお自然産出量を上回っており，インフレも上昇し続ける．$t+2$ 期には経済は D 点に動き，産出量とインフレ率はさらに高くなる．インフレ・スパイラルで制御不能となる．

高まる．次の期には，高くなったインフレ率が期待インフレ率を高めるので，動学的総供給曲線は上方の DAS_{t+1} にシフトする．経済は B 点から C 点に移る．しかし，動学的総需要曲線は右上がりなので，需要ショックは消滅しているにもかかわらず，産出量は自然産出量以上にとどまる．したがって，インフレ率は再度上昇し，DAS 曲線は次の期にさらに上方にシフト（DAS_{t+2}）し，経済は D 点に移る．そしてこれが続き，インフレは終わりなく上昇し続ける．

　動学的 AD-AS モデルからは強固な結論が導かれる．すなわち，インフレを安定的に保つためには，中央銀行はインフレの上昇に対して，それを上回る名目利子率の上昇率で対応しなければならない．この結論は，金融政策のデザインの重要性を強調した経済学者であるジョン・テイラーにちなんで，テイラー原理（Taylor principle）と呼ばれることがある（すでにみたように，テイラーは彼の名を冠したルールで，θ_π を 0.5 にすべきと提案した）．

144　第 2 部　マクロ経済理論とマクロ経済政策のトピックス

本章のほとんどの分析は，テイラー原理が当てはまると仮定している．すなわち，$\theta_\pi > 0$ と仮定した．中央銀行がこの指針に固執する十分な理由があることが，ここからも理解できる．

ケース・スタディ　何がひどいインフレを引き起こしたのか

　1970 年代にアメリカのインフレは制御不能となった．これまでの章でみたように，1970 年代のインフレ率は 2 ケタ台に達した．物価上昇は当時の主要な経済問題と考えられるようになった．1979 年に，新たに連邦準備の議長に任命されたポール・ボルカーは，インフレを制御下に置くことができるような金融政策への変更を発表した．ボルカーと，次の議長となるアラン・グリーンスパンは次の四半世紀に低く安定したインフレ率を達成した．

　動学的 *AD-AS* モデルはこうした出来事に対する新しい視点を提供するものである．経済学者のリチャード・クラリダ，ジョルディ・ガリ，マーク・ガートラーの研究によると，重要なのはテイラー原理である．クラリダとその共同研究者たちは，利子率，産出量，インフレ率のデータを検証し，金融政策ルールのパラメーターを推計した．それによると，ボルカーとグリーンスパンの金融政策はテイラー原理に従っていたが，それ以前の金融政策はそうではなかった．とくに，1979 年以降のボルカーとグリーンスパンの体制の間，（金融政策のルールにおいてインフレ率に対する利子率の反応の大きさを測る）パラメーター θ_π は 0.72 と推計され，テイラーの提案した値の 0.5 に近かったが，1960 年から 1978 年までのボルカー以前の時代には -0.14 であった．[3] ボルカー以前の時代におけるこの負の θ_π は，金融政策がテイラー原理を満たしていなかったことを意味している．いい換えれば，ボルカー以前の連邦準備はインフレに対して強く対応していなかった．

　この発見は，1970 年代のひどいインフレの原因を示唆している．アメリカ経済が（ベトナム戦争のような）需要ショックや（OPEC の原油価格上昇のような）供給ショックを受けたとき，連邦準備はインフレ率の上昇

---

3)　この推計値は次の文献の表 VI のものである．Richard Clarida, Jordi Galí, and Mark Gertler, "Monetary Policy Rules and Macroeconomic Stability: Evidence and Some Theory," *The Quarterly Journal of Economics*, Vol. 115, No. 1, February 2000, pp. 147-180.

に対応して名目利子率を引き上げたが，その引上げ幅は十分ではなかったのである．したがって，名目利子率の上昇にもかかわらず，実質利子率は下落した．この不十分な金融面の対応は，こうしたショックから生じたインフレを鎮めるのに失敗した．実際，実質利子率の低下は財・サービスの需要を増加させ，インフレ圧力を悪化させた．インフレ・スパイラルの問題は，インフレに対して利子率がより大きく反応するように金融政策が変更されるまで解決されなかった．

では，政策立案者はなぜ以前の時代にそれほど消極的であったのだろうか．クラリダ，ガリ，ガートラーの推測は次のようなものである．

「1979年以前の時期に連邦準備は，明らかに劣ったルールになぜ従っていたのだろうか．その問題をみるもう1つの方法は，なぜ連邦準備は，高いまたは上昇するインフレに直面して持続的に低い短期実質利子率を維持したのかを問うことである．1つの可能性は，連邦準備がこのときの自然失業率が実際よりもかなり低い（あるいは同じことであるが，産出量ギャップがもっと小さい）と考えたことである．

これといくらか関係するが，もう1つの可能性は，当時，連邦準備も経済学の専門家もインフレの動学を十分に理解していなかったということである．実際，1970年代の後半になって初めて，中級レベルの教科書でインフレと産出量の長期のトレードオフがないことが強調され始めた．インフレを引き起こすのには期待が重要であり，政策立案には信認が重要であるという考えは，その時代にはまだ十分に確立されていなかったのである．これらすべてから示唆されることは，歴史的な経済行動を理解するには，当時の政策立案者の経済に関する知識の状況を考慮し，そうした知識がどのように発展してきたかを考えなければならない．」

4-5 結論：DSGE モデルに向けて

マクロ経済学のより上級のコースをとると，**動学的確率的一般均衡モデル**（dynamic stochastic general equilibrium model，DSGE モデル）について学ぶことになるだろう．これらのモデルは時間を通じた変数の経路をたどるの

で動学的であり，経済生活の偶然性を本質的に含むので確率的であり，またすべてが他のすべてに依存することを考慮するので一般均衡である．DSGEモデルは多くの点において，短期の経済変動の分析で最先端のモデルである．

本章の動学的 AD-AS モデルはこうした DSGE モデルを単純化したバージョンだといえる．上級の DSGE モデルとは異なり，マクロ的経済関係の基礎となる家計と企業の最適化の決定からは始めなかった．しかし，本章で仮定したマクロ的経済関係はより洗練された DSGE モデルにみられるものと同様である．動学的 AD-AS モデルは，これまでの章でみた基礎的な総需要と総供給のモデルから，より上級のコースで出合うであろうさらに複雑な DSGE モデルにたどりつくまでのよい足がかりとなる．[4]

さらに，動学的 AD-AS モデルはいくつかの重要な教訓を与えてくれる．それは，産出量，インフレ率，実質と名目の利子率といったさまざまなマクロ経済変数がショックに反応し，時間を通じて相互に作用することを示す．また，金融政策のデザインにおいて，中央銀行はインフレ率の変動と産出量の変動の間のトレードオフに直面することが示された．さらに，インフレが制御不能になることを避けるためには，中央銀行はインフレに対して力強く対応する必要があることも示唆された．もし読者が中央銀行を経営する立場になったとしたら，これらの教訓は心にとどめておいていいであろう．

要約

1　動学的 AD-AS モデルは5つの経済的な関係を結びつけるものである．第1は財市場の方程式であり，需要量を実質利子率に関係づける．第2はフィッシャー方程式であり，実質利子率と名目利子率を関係づけ

---

4) このトピックについての簡潔な紹介は，Argia M. Sbordone, Andrea Tambalotti, Krishna Rao, and Kieran Walsh, "Policy Analysis Using DSGE Models: An Introduction," *Federal Reserve Bank of New York Economic Policy Review*, Vol. 16, No. 2, October 2010, pp. 23-43．DSGE モデルの開発において重要な初期の論文は，Julio J. Rotemberg and Michael Woodford, "An Optimization-Based Econometric Framework for the Evaluation of Monetary Policy," *NBER Macroeconomics Annual*, Vol. 12, 1997, pp. 297-346である．この文献について教科書でのよい紹介としては，Jordi Galí, *Monetary Policy, Inflation, and the Business Cycle*, Princeton, NJ: Princeton University Press, 2008がある．

る．第3はフィリップス曲線であり，インフレ率を決定する．第4は期待インフレの方程式である．第5は金融政策のルールであり，それに基づいて，中央銀行がインフレ率と産出量の関数として名目利子率を設定する．

2　このモデルの長期均衡は古典派の示す均衡となる．産出量と実質利子率は自然率になり，金融政策から独立している．中央銀行のインフレ目標は，インフレ率，期待インフレ率，名目利子率を決定する．

3　動学的 $AD\text{-}AS$ モデルは，ショックの直接的な経済への影響を明らかにするのに用いられるとともに，時間の経過につれて現れる影響を追跡することにも用いられる．

4　金融政策のルールのパラメーターは動学的総需要曲線の傾きに影響を与えるので，政策立案者は供給ショックが産出量とインフレ率のどちらに大きな影響を与えるかを決めることになる．金融政策のパラメーターを選択するときに，中央銀行は産出量の変動とインフレ率の変動の間のトレードオフに直面する．

5　動学的 $AD\text{-}AS$ モデルでは，インフレ率の1％の変化に対して中央銀行が名目利子率を1％以上引き上げるように対応すると仮定するので，実質利子率も上昇する．もし中央銀行があまり強くインフレに反応しなければ，経済は不安定になり，ショックによって制御不能のインフレ・スパイラルに陥る可能性が出てくる．

キーワード

動学的 $AD\text{-}AS$ モデル　　確率変数　　テイラー・ルール　　既決変数
動学的総供給曲線（DAS）　　動学的総需要曲線（DAD）
テイラー原理

確認問題

1　本章で示された動学的 $AD\text{-}AS$ モデルで，中央銀行は，
a　貨幣供給が一定率で増加することを保証する．

148 第2部 マクロ経済理論とマクロ経済政策のトピックス

  b 実質利子率を自然利子率に維持する.

  c 状況の変化に応じて名目利子率を調整する.

  d 金融政策でルールよりも裁量を使用する.

2 動学的モデルの長期均衡において，自然利子率は何と等しくなるか.

  a インフレ率

  b 期待インフレ率

  c 名目利子率

  d 実質利子率

3 中央銀行のインフレ目標が高まると，短期の名目利子率は_____が，長期の名目利子率は_____.

  a 上昇する，低下する

  b 上昇する，変化しない

  c 低下する，上昇する

  d 低下する，変化しない

4 もし中央銀行が産出量ギャップに積極的な対応をとると，供給ショックは，

  a インフレへの効果はより大きくなるが，産出量への効果はより小さくなる.

  b インフレへの効果はより小さくなるが，産出量への効果はより大きくなる.

  c インフレと産出量への効果はともにより大きくなる.

  d インフレと産出量への効果はともにより小さくなる.

5 動学的モデルで政策パラメーターを設定するとき，中央銀行が選択するのは，

  a 低いインフレ目標と堅調な長期的成長のいずれかである.

  b 安定的なインフレと安定的な産出量のいずれかである.

  c 低いインフレと低い名目利子率のいずれかである.

  d 傾きの急な需要曲線と傾きの急な供給曲線のいずれかである.

6 テイラー原理によると，インフレの安定を確実にするためには，中央銀行は1％ポイントの_____の上昇に対して，名目利子率を1％ポイントよりも____するべきである.

a　産出量ギャップ，高く

b　インフレ率，高く

c　産出量ギャップ，低く

d　インフレ率，低く

＞＞＞＞＞ 復習問題 ＜＜＜＜＜

1　グラフの軸が何を表すかに注意しながら，動学的総供給曲線を描きなさい．傾きがそのようになる理由を説明しなさい．

2　グラフの軸が何を表すかに注意しながら，動学的総需要曲線を描きなさい．傾きがそのようになる理由を説明しなさい．

3　中央銀行の新しい総裁がインフレ目標を2％から3％に引き上げることに決定したとしよう．動学的 $AD\text{-}AS$ モデルを用いて，この変化の影響を示しなさい．この政策変化の直後と長期において，名目利子率がどう動くかについて説明しなさい．

4　中央銀行の新しい総裁がインフレに対する利子率の反応を高めることにするとしよう．この政策の変化に伴って，供給ショックへの経済の反応はどのように変化するだろうか．グラフを用いた説明と，直観的な経済的説明の両方を行いなさい．

＜＜＜＜＜ 応用問題 ＞＞＞＞＞

1　動学的 $AD\text{-}AS$ モデルの長期均衡を求めなさい．需要と供給へのショックがなく（$\varepsilon_t = \nu_t = 0$），インフレ率も安定している（$\pi_t = \pi_{t-1}$）と仮定し，表4-1にある5本の方程式を用いてモデルでの各変数の値を求めなさい．なお，結論に到達する過程も必ず示しなさい．

2　中央銀行は金融政策ルールで誤った自然利子率の値を使い，以下のようにするとしよう．

$$i_t = \pi_t + \rho' + \theta_\pi(\pi_t - \pi_t^*) + \theta_Y(Y_t - \overline{Y_t})$$

ここで，ρ' は，財・サービスの需要を表す方程式における自然利子率 ρ に等しくない．残りの動学的 $AD\text{-}AS$ の方程式は，本章で用いられた

ものと同様である．この政策ルールの下での長期均衡を計算により求めなさい．またその解答を直観的に言葉で説明しなさい．

3 「名目利子率を低くするためには，中央銀行は名目利子率を上げなければならない．」この意味の理解の仕方を説明しなさい．

4 犠牲率とは，中央銀行がインフレ目標を 1 ％ポイント引き下げる結果として生じる，産出量の減少分である．本書のシミュレーションで用いられたパラメーター（129ページのコラム参照）で，犠牲率はどのようになるかについて説明しなさい．

5 教科書では，財・サービスへの一時的なショックの場合を分析している．しかし，ε_t が上昇し，その高い水準に永続的にとどまると仮定しよう．そのとき，経済には何が生じるだろうか．インフレ率は長期的に目標値に戻るだろうか．その理由も説明しなさい（ヒント：ε_t がゼロに等しいという仮定をはずして長期均衡を解くとわかりやすい）．中央銀行はこの問題に対処するために，どのように政策を変更するだろうか．

6 中央銀行がテイラー原理を満たさないとしよう．とくに，θ_π はゼロよりわずかに小さいと仮定しよう．そのため，名目利子率はインフレが生じても同率では上昇しない．図4-13と同じようなグラフを用いて，供給ショックの影響を分析しなさい．この分析は金融政策のデザインの指針としてのテイラー原理と矛盾するだろうか，それともテイラー原理を強化するものだろうか．

7 教科書では自然利子率のパラメーター ρ が一定であると仮定している．だがここでは，ρ は時間を通じて変動するものとし，ρ_t と書かれなければならないとしよう．

a この変化は動学的総需要曲線と動学的総供給曲線にどのような影響を与えるだろうか．

b ρ_t へのショックは，産出量，インフレ率，名目利子率，実質利子率にどのような影響を与えるだろうか．

c ρ_t が変動する場合に，中央銀行が直面するかもしれない実務的な困難とはどのようなものだろうか．

8 人々のインフレへの期待がランダムなショックに従うとしよう．すなわち，単純な適応的期待ではなく，t 期に予想される $t+1$ 期の期待イン

フレは $E_t\pi_{t+1}=\pi_t+\eta_t$ である．ここで，η_t はランダム・ショックである．このショックは通常はゼロであるが，過去のインフレ以外に何か出来事が生じ，期待インフレ率を変化させるようなときにゼロから乖離する．同様に，$E_{t-1}\pi_t=\pi_{t-1}+\eta_{t-1}$ である．

a この多少一般的なモデルで，動学的総需要曲線（*DAD*）と動学的総供給曲線（*DAS*）の 2 本の方程式を導出しなさい．

b 経済がインフレ・パニックを経験するとしよう．すなわち，t 期に何らかの理由で人々が $t+1$ 期にはインフレ率が高くなり，（この期だけ）η_t がゼロより大きくなると信じるようになるとしよう．t 期に *DAD* 曲線と *DAS* 曲線に何が起こるか，またその期の産出量，インフレ率，名目および実質利子率に何が起こるかについて説明しなさい．

c $t+1$ 期の *DAD* 曲線と *DAS* 曲線に何が起こるか，またその期の産出量，インフレ率，名目および実質利子率に何が起こるかについて説明しなさい．

d それに続く期には何が起こるだろうか．

e どのような意味でインフレ・パニックは自己実現的であるといえるだろうか．

9 動学的 *AD-AS* モデルを用いて，インフレ率をラグ付きインフレ率，および供給と需要のショックのみの関数として解きなさい（目標インフレ率は一定であると仮定しなさい）．

a 導いた方程式によると，ショックの後にインフレ率は目標値に戻るだろうか（ヒント：ラグ付きインフレ率の係数をみなさい）．

b 中央銀行が産出量の変化には対応せず，インフレの変化にのみ対応するとしよう．すなわち，$\theta_Y=0$ である．これによって，問 a の答えはどのように変わるだろうか．

c 中央銀行はインフレ率の変化には対応せず，産出量の変化にのみ対応するとしよう．すなわち，$\theta_\pi=0$ である．これによって問 a の答えはどのように変わるだろうか．

d 中央銀行はテイラー原理に従わず，1 ％ポイントのインフレ率の上昇に対して，名目利子率を0.8％ポイントしか上げないとしよう．この場合，θ_π はどうなるか．需要や供給へのショックはインフレの経

路にどのような影響を与えるか.

C h a p t e r 5

第**5**章

安定化政策に関する異なる考え方

・

「連邦準備の仕事とは，パーティーの真っ最中にパンチ酒の入ったボウルを片づけるようなものだ.」
——ウィリアム・マクチェズニー・マーティン（元連邦準備制度理事会議長）

「われわれに必要なのは，道路の予測できない不規則性に対応して絶えずハンドルを調整している（経済という自動車の）熟練した（金融）ドライバーではない. バラスト（安定化のための錘）として後部座席にいる（金融）乗客が，傾いてハンドルに衝撃を与えたりして車が道から飛び出してしまうことを防ぐ，何らかの手立てが必要なのである.」
——ミルトン・フリードマン

　政府の政策立案者は，景気循環に対してどのように対応すべきだろうか. 上に掲げた2つの引用文（1番目は元連邦準備制度理事会議長のもので，2番目は連邦準備に対する代表的批判者のもの）は，この問題に対して意見がどれだけ広く分かれているかを示している.

　ウィリアム・マクチェズニー・マーティンなどのように，経済が本質的に不安定だと考えるエコノミストが一方にいる. 経済には総需要や総供給へのショックが頻繁にあると，彼らは論じる. 政策立案者が金融・財政政策を用いて経済を安定化しないと，そうしたショックによって生産，雇用，インフレーションなどに不必要で非効率な変動がもたらされる. よく知られたいい方を使えば，マクロ経済政策は「風に逆らう」べきなのであり，経済が下降すれば刺激し，過熱すれば減速させるべきなのである.

　他方で，ミルトン・フリードマンなどのエコノミストは，経済は本質的に安定的であると考えている. 彼らは，拙い経済政策こそが，しばしば観察される非効率で大きな変動の原因であると非難している. 政策立案者は経済を「ファイン・チューニング（微調整）」すべきではないと，彼らは主張する.

政策立案者は自らの能力の限界を認めて，マイナスの影響をもたらさないことで満足すべきだというのである．

　この論争は数十年にわたって継続しており，多くのエコノミストが登場して，さまざまな論点を示してきた．根本にある問題点は，第Ⅰ巻で展開された短期変動の理論を，政策立案者がどう利用すべきかである．本章では，この論争において提起された2つの問題について考察する．第1は，金融・財政政策は経済安定化のために積極的な役割を担うべきか，あるいは受動的な役割にとどまるべきかという問題である．第2は，経済状況の変化に対応して政策立案者が自由裁量的に行動すべきか，あるいは一定の政策ルールにコミットしてそれを守るべきかという問題である．

5-1 | 政策は積極的であるべきか，受動的であるべきか

　政策立案者たちは，経済安定化を政策課題の1つとみなしている．マクロ経済政策の分析は，連邦準備（Fed），大統領経済諮問委員会（CEA），議会予算局（CBO）など諸政府機関の日常的な仕事である．第Ⅰ巻の諸章でみてきたように，金融・財政政策は総需要に，ひいてはインフレと雇用に大きな影響力を及ぼす．したがって，議会が財政政策の変更を検討しているときや，連邦準備が金融政策の変更を考えているときには，総需要に刺激と抑制のどちらが必要なのか，といった点が議論の中心となる．

　政府が金融・財政政策を実施してきた歴史は長いが，そうした政策手段を経済の安定化に用いるべきだという考え方は比較的新しいものである．1946年の雇用法は，政府がマクロ経済のパフォーマンスに対して責任を持つということを初めて示したという意味で，きわめて重要な法律である．この法律の条文には，「完全雇用と生産を促進することは，……連邦政府の継続的な政策方針でありかつ責任である」と述べられている．この法律は，大恐慌の経験がまだ記憶に新しかった時代に作られた．この条文を書いた議員たちは，多くのエコノミストと同様に，政府が積極的に経済に介入しないと，大恐慌のような状況が繰り返し生じるだろうと信じていたのである．

　多くの経済学者にとって，積極的な政策の正当化は明確かつ単純である．景気後退は，高失業，低所得，そして困難の増大する期間である．総需要−

総供給モデルは，経済へのショックがどのようにして景気後退をもたらすかを説明できる．さらに，金融・財政政策がそうしたショックにどのように対応すれば，景気後退を防いだり，和らげたりできるのかも示している．多くの経済学者は，そうした政策手段を経済安定化に利用しない手はないと考えるのである．

　経済を安定化しようという政府の努力に批判的な経済学者たちもいる．批判的な人たちは，政府はマクロ経済政策について不干渉主義をとるべきだと主張する．一見したところ，この考え方は驚くべきものにみえる．われわれのモデルが景気後退を防いだり，それを軽減する手段を示しているのであれば，なぜ批判者たちは，金融・財政政策を経済安定化に利用することを政府が慎むべきだと要求するのだろうか．それを探り出すために，彼らの主張を考察してみよう．

政策の実施ラグと効果ラグ

　政策に即効性があるのであれば，経済安定化は容易なものとなるだろう．政策の決定は，車を運転するようなものになる．政策立案者は，経済を望ましい経路に保つように，政策手段を調整するだけでいいのである．

　しかし，経済政策の立案は，車の運転よりも，むしろ大型船の操舵に似ている．車の場合は，ハンドルを切ると，ほぼ即座に車の進行方向も変わる．船の場合は，舵を切ってから大分経ってからでないと針路が変わらず，舵を元に戻した後もしばらくの間は曲がり続けてしまう．未熟な舵取りは舵を切りすぎることがよくあり，また失敗に気づくと過剰に反応してしまい，今度は逆方向に舵を切りすぎることがよくある．未熟な人間が前の失敗に対してより大きな修正で対応することを繰り返すと，船の針路は不安定になってしまう．

　船の舵取りと同様に，経済政策の立案者も長いラグという問題に直面している．実際，政策立案者の問題のほうがはるかに困難である．というのも，彼らの直面しているラグの長さが予測しにくいからである．長くて可変的なラグは，金融・財政政策の運営を複雑なものにしている．

　経済学者は，経済安定化政策に関わるラグを内部ラグと外部ラグの2つに区別している．内部ラグ（inside lag）は，経済へのショックの発生から，

それに対応する政策発動までの間に経過する時間である．このラグが発生するのは，政策立案者がショックの発生を認識するのに時間がかかり，適切な対策を実施するのに時間がかかるからである．外部ラグ（outside lag）は，政策を実施してから，それが経済への効果として表れるまでの時間である．このラグが発生するのは，政策が支出や所得，雇用に対して，すぐには影響を及ぼさないからである．

内部ラグが長いことは，財政政策を経済安定化に利用するにあたっての中心的な問題となっている．このことはとくにアメリカに当てはまる．アメリカでは，支出や課税の変更には，大統領と上下両院の承認が必要である．もちろん政策立案者たちが素早く行動できることもある．2020年の新型コロナウイルス感染症による景気後退（新型コロナ不況）に対しては，2兆ドルのコロナウイルス支援・救済・経済安全保障法（CARES法）が，発災後1カ月で立法化された．しかし，緩慢で煩瑣な立法過程は，しばしば遅れをもたらすため，財政政策は経済安定化には不適切な手段になってしまう．内部ラグは，イギリスのような内閣制をとっている国々では比較的短い．政権与党が，政策変更を素早く立法化できるからである．

金融政策の内部ラグは，財政政策よりも短い．中央銀行は，政策変更をその日のうちに決定して実行できるからである．ただし，金融政策の外部ラグは長い．金融政策は，マネーサプライと利子率を変化させることを通じて，投資と総需要に影響を与えるという形で機能する．しかし，多くの企業はそれよりも大分前に投資計画を作成してしまっている．したがって，金融政策の変更は，その発動から約6カ月経たないと，経済活動に影響を与えないと考えられている．

金融・財政政策に関わる長くて可変的なラグは，確かに経済安定化を難しくする．受動的政策を提唱する人たちは，こうしたラグが存在するため，安定化政策を成功させることはほとんど不可能だと主張する．確かに，経済安定化の試みには，経済を不安定化させる危険性もある．政策を実施してからその影響が出るまでの間に，経済の状況が変化したとしよう．この場合，積極的政策運営は，過熱しつつある経済をさらに刺激したり，冷え込みつつある景気をさらに抑制したりすることになってしまう．積極政策の提唱者たちも，こうしたラグが存在するために慎重な政策決定が必要なことは認めてい

る．しかしながら，ラグがあることは政策が完全に受動的であるべきだということを意味するのではなく，とくに大幅で持続的な経済の落込みに直面したときには別だと主張している．

自動安定化装置（automatic stabilizer）と呼ばれる政策手段は，安定化政策に伴うラグを軽減するように設計されている．自動安定化装置は，意図的な政策変更を必要とせずに，必要に応じて経済を刺激したり抑制したりするものである．たとえば，所得税制は，景気が後退すれば自動的に税金が減少するようになっている．税法を変更しなくても，個人や企業の所得が減少すると，支払うべき税金も減少するのである．同様に，失業保険や生活扶助制度も，景気が後退すると受給申請者が増加するので，移転支払を自動的に増加させる．こうした自動安定化装置は，内部ラグを伴わないタイプの財政政策とみなすことができる．

経済予測という難しい仕事

政策が経済に影響を及ぼすには相当なラグが伴うので，安定化政策が成功するには，将来の経済状況を正確に予測する能力が必要となる．6カ月から1年後に経済が好況なのか景気後退なのかを予測することができなければ，現時点における金融・財政政策を（総需要の）拡張方向に向けるべきか収縮方向に向けるべきかも決められない．だが残念なことに，経済状況の推移は予測不能なことが多い．

経済予測家たちは**先行指標**（leading indicators）をモニターすることによって，将来を予見しようとする．第Ⅰ巻第8章でみたように，先行指標とは，経済全体よりも先に変動する傾向を持つような変数の系列である．先行指標が大きく低下すると，景気後退の可能性が高まっていることを示すシグナルとなる．

予測家たちは，マクロ計量経済モデル（macroeconometric model）も使って，将来を予見しようとする．マクロ計量経済モデルは，政府機関や民間企業がそれぞれに開発してきたものであり，定性的にとどまらずに，定量的に経済を描写しようとする．そうしたモデルの多くは，第Ⅱ巻第4章で学んだような総需要と総供給の動学モデルの，より複雑でより現実的なバージョンである．マクロ計量経済モデルを構築するエコノミストは，過去のデータ

158 第2部 マクロ経済理論とマクロ経済政策のトピックス

を用いて，モデルのパラメーター値を推定する．モデルを構築すると，さま
ざまな政策の効果をシミュレートすることができるし，予測に用いることも
できる．金融・財政政策や原油価格など外生変数の経路に関するシナリオを
モデルの使用者が想定すると，これらのモデルから失業やインフレーション
などの内生変数に対する予測値を得ることができる．ただし，モデルそのも
のの妥当性や外生変数に関する想定の妥当性によって，予測の妥当性の限界
が決められてしまう点を忘れてはならない．

ケース・スタディ 予測の失敗

「軽いにわか雨，合間は晴天，微風.」——これは，イギリス国立気象サ
ービスの1987年10月14日における天気予報であった．翌日，イギリスはこ
の2世紀で最も激しい嵐に見舞われた．

天気予報と同様に，経済予測も公的部門や民間部門における意思決定に
おいて利用されている．経営者は，どれだけ生産し，機械や設備にどれだ
け投資するかを決定するときに予測を利用する．政府の政策立案者も，経
済政策を立案するときに予測を利用する．ただし，完璧とはほど遠い点で
も，経済予測は天気予報に似ている．

アメリカ史上最悪の不況である1930年代の大恐慌も，予測専門家たちに
とってはまったく予想外の展開であった．彼らは，1929年に株式市場が暴
落してからも，経済は重大な後退局面には陥らないと確信していたのであ
る．1931年後半になると，景気は明らかに悪化しつつあったが，有名な経
済学者であったアーヴィング・フィッシャーは，景気がすぐに回復すると
考えた．その後の事態の推移は，そうした予測が楽観的すぎたことを示し
ている．失業率は1933年まで上昇し続けて25％に到達し，その後1930年代
末まで高水準にとどまることとなった．[1]

図5-1は，大恐慌以後ではアメリカ史上最悪の下降局面の1つであった

---

1) Kathryn M. Dominguez, Ray C. Fair, and Matthew D. Shapiro, "Forecasting the Depression:
Harvard Versus Yale," *The American Economic Review*, Vol. 78, No. 4, September 1988, pp. 595-
612. この論文は大恐慌の期間中に経済予測家たちの行動がどれだけ拙いものであった
かを示すとともに，最新の予測手法を用いても改善することはできなかったと主張し
ている．

第5章 安定化政策に関する異なる考え方　159

図5-1 ● 2008～2009年の景気後退の予測の失敗

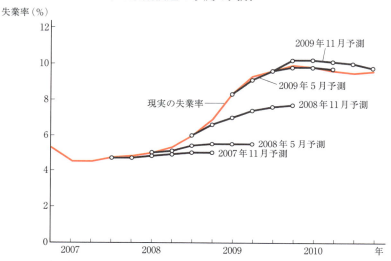

オレンジの線は，2007年から2010年までの現実の失業率を示す．黒い線は，さまざまな時点において作成された失業率予測値を示す．各時点で作成された予測について，白丸印は，作成時点における現実値とその後の5四半期分の予測値を示している．失業率がかなり上昇することが予測できていないことに注目しよう．

(出所)　失業率は米国商務省．失業率予測値は，Survey of Professional Forecasters による予測値の中央値（メディアン）．

2008～2009年の景気後退期における，景気予測家たちの見通しを表したものである．現実の失業率（オレンジの線）と複数の予測値（それぞれ5四半期分，黒線）とが図示されている．これをみると，予測家たちが1～2四半期後の失業率をよく予測できていることがわかる．しかし，それよりも先の予測はしばしば外れている．2007年11月の景気予測家アンケートでは，緩やかな減速が予測されていただけであった．アメリカの失業率は2007年第4四半期の4.7％から2008年第4四半期の5.0％へ上昇すると予想されていた．2008年5月のアンケートにおいては，年末における失業率の予測値が引き上げられたものの，それはたったの5.5％までであった．実際には，2008年第4四半期の失業率は6.9％となったのである．景気後退が明らかになっていくにつれて，予測家たちも悲観的になっていったが，それでも現実には追いつかなかった．2008年11月に彼らは，2009年第4四

半期の失業率が7.7%にまで上昇するだろうと予測したが，現実には約10%にまで上昇したのである．

1930年代の大恐慌と2008〜2009年の景気後退という2つのエピソードは，最も劇的な経済的事件がしばしば予測不能であることを示している．公的部門や民間部門の意思決定者は，経済予測を利用するほかはないが，そうした予測の誤差の範囲が大きいことに留意しておくことが必要である．

無知，予想とルーカス批判

著名な経済学者であるロバート・ルーカスは，かつてこう書いたことがある．「アドバイスを提供する専門家として，われわれは，いわば能力を超えた仕事をしている.」政策立案者の顧問をしている経済学者の多くでさえ，この評価には賛成するであろう．経済学は歴史の浅い科学であり，経済学者の理解していないことはまだまだ多い．代替的な政策諸案の効果を評価するときも，経済学者は十分な確信を持てない．このことは，政策アドバイスを提示するにあたって，経済学者は慎重でなければならないことを意味している．

マクロ経済政策の立案に関する諸研究において，ルーカスは人々の将来に対する予想（期待）の形成方法に留意すべきであると強調した．将来予想はあらゆる種類の経済活動に影響するので，経済にとって決定的に重要である．たとえば，家計は将来所得の予想に基づいて現在の消費額を決定し，企業は将来利潤の予想に基づいて現在の投資額を決定する．こうした将来予想は多くの要因に依存しているが，ルーカスがとくに重視したのは政府が遂行しつつある経済政策である．政策立案者が政策変更の効果を推測するときには，人々の将来予想が政策変更にどう反応するのかを知る必要がある．ルーカスは，（標準的なマクロ計量経済モデルを用いるような）伝統的な政策評価方法では政策が将来予想に与える影響を適切に考慮できないと論じた．伝統的政策評価に対するこの評価は，ルーカス批判（Lucas critique）として知られている．[2]

---

2) Robert E. Lucas, Jr., "Econometric Policy Evaluation: A Critique," *Carnegie-Rochester Conference Series on Public Policy*, Vol. 1, 1976, pp. 19-46. ルーカスはこれを含む業績で1995年にノーベル経済学賞を受賞した．

第5章　安定化政策に関する異なる考え方　　161

　ルーカス批判の例は，ディスインフレーションの分析に表れている．第I
巻第12章で学習したように，インフレ率を低下させることのコストは犠牲率
（インフレ率を1％低下させるために失わなければならないGDPの大きさ
（％））で測られることが多い．犠牲率の推定値はかなり大きいことが多いの
で，政策立案者はインフレ率を低下させるための大きなコストを支払うより
もインフレーションと共存していく方法を学ぶべきだ，と論じる経済学者も
いた．

　しかし，合理的期待（予想）学派の意見では，こうした犠牲率の推定値は，
ルーカス批判を解決できていないので，信頼できるものではない．伝統的な
犠牲率の推定値は，適応的期待の考え方に基づいている．すなわち，期待イ
ンフレ率は過去のインフレ率に依存すると想定している．適応的期待が妥当
な状況もあるかもしれないが，政策立案者が信認を得られる形で政策を変更
すれば，賃金や価格を設定する労働者や企業も合理的に対応するべきであり，
自分たちのインフレ予想を適切に調整するであろう．インフレ予想のこの変
化は，インフレーションと失業の短期的トレードオフを即座に変化させる．
その結果，犠牲率の伝統的推定値が示唆するよりもはるかに少ないコストで
インフレ沈静化を実現できる可能性がある．

　ルーカス批判は2つの教訓を与えてくれる．第1の教訓は適用範囲の明確
なもので，代替的な諸政策を評価するときに，経済学者は政策が予想や行動
にどのような影響を与えるかを考慮しなければならない，ということである．
第2の教訓はもう少し広い内容であり，政策評価は困難な課題なので，それ
に携わる経済学者はそれなりの謙虚さを示さなければならないということで
ある．

過去の成績表

　政策が経済のなかで積極的な役割と受動的な役割のどちらを果たすべきか
を判断する際には，過去の成績も考慮に入れる必要がある．経済が多くの大
規模な総需要・総供給ショックに見舞われ，かつ巧みな政策によって経済を
それらのショックから隔離することに成功してきたのであれば，積極的な政
策を支持する明瞭な論拠となろう．逆に，経済に大きなショックがあまり生
じておらず，観察された景気変動が不適切な経済政策によって生じているこ

とが判明していれば，受動的な政策を支持する明らかな証拠となる．いい換えると，安定化政策に対するわれわれの見方は，過去において政策が安定化要因であったか不安定化要因であったかに左右されるのである．このため，マクロ経済政策に関する論争は，しばしばマクロ経済史に関する論争に転化してきた．

しかし，歴史をみても安定化政策に関わる論争に決着はつかない．歴史に関して意見の不一致が起こるのは，経済変動の原因を識別することが困難だからである．歴史的記録の解釈は何通りもあることが多い．

大恐慌はその好例である．経済学者の安定化政策に対する考え方は，それぞれの大恐慌の原因に関する考え方と関連することが多い．一部の経済学者は，民間支出への大規模な収縮的ショックが大恐慌を引き起こしたと考える．彼らは，政策立案者が総需要を刺激するように金融・財政政策を利用すべきだったと主張する．一方で，マネーサプライの大幅な減少が大恐慌を引き起こしたと信じる経済学者もいる．彼らは，連邦準備が受動的な金融政策を実施して，マネーサプライを一定の割合で増加させていれば，大恐慌を回避できただろうと主張する．つまり，その原因に関する信念しだいで，大恐慌は積極的金融・財政政策の必要性の根拠とも危険性の根拠とも解釈できるのである．

ケース・スタディ 政策不確実性は，経済にどう影響するだろうか

金融・財政政策の策定者が経済を積極的に調整しようとする場合，政策の将来経路は不確実なものになることが多い．政策立案者は，いつも自分の意図を明らかにするとは限らない．さらに，実施される政策は，意見が分かれたり紛糾したりする，予想困難な政治プロセスの結果であったりもする．したがって，どのような政策が最終的に決定されるかについて，国民には不確実であることが多い．

2016年に発表された研究において，スコット・ベイカー，ニコラス・ブルーム，スティーヴ・デイヴィスは，政策の不確実性の影響を検討した．彼らは，政策不確実性を測る指数を作ることから始めた．彼らの指数は，3つの要素から構成されている．

第1の要素は，新聞記事に依拠している．1985年にまで遡って，彼らは

主要10紙に対して,「不確実性」か「不確実な」,「経済の」か「経済」,および次のグループのうちの少なくとも1語を含む記事を検索したのである.そのグループには,「連邦議会」,「立法」,「ホワイトハウス」,「規制」,「連邦準備」,「赤字」が含まれる.3カテゴリー全部の言葉を含む記事の数が多いほど,政策不確実性指数も大きくなる.

　指数の第2の要素は,連邦税制に設けられた一時的措置の数である.ベイカー,ブルームとデイヴィスは,「一時的な租税措置は,企業や家計にとっての不確実性の源となる.連邦議会がぎりぎりのタイミングで,そうした措置の期限を延長することがしばしばなので,税制の安定性や確実性を低下させてしまう」と,述べている.一時的な租税措置が多いほど,またその金額が大きいほど,政策不確実性指数も大きくなる.

　指数の第3の要素は,マクロ経済政策に関わる主要変数についての,民間予測家間での意見不一致の程度である.ベイカー,ブルームとデイヴィスは,将来の物価水準や政府支出水準に関して,民間予測家たちの意見不一致が高いほど,金融・財政政策に関する不確実性も大きいと考えた.つまり,民間の予測値の散らばりが大きいほど,政策不確実性指数も大きくなる.

　図5-2は,以上3つの要素からなる指数を描いている.(戦争やテロ攻撃のような)海外の重大な政治的事件が起きたり,(ブラックマンデーのような株式市場崩壊や新型コロナウイルス感染症のパンデミックと都市封鎖といった)経済危機が発生したり,(新しい大統領の選挙のように)主要な政治的出来事があったりすると,指数は急上昇して,政策不確実性の増大を示している.

　この指数を作った後,ベイカー,ブルームとデイヴィスは,政策不確実性指数と経済パフォーマンスとの相関を調べた.彼らは,不確実性が高いほど,景気を低下させる傾向があることを発見した.とくに,経済政策の不確実性が高まると,翌年の投資や生産および雇用が(正常時の成長率に比べて)低下しやすいという.

　この効果に関する1つの説明は,不確実性が財・サービスへの総需要を低下させるというものだろう.政策不確実性が高まると,家計や企業は,不確実性が低下するまで,高額な購入を延期するかもしれない.たとえば,

図5-2 ● 政策不確実性指数：アメリカ

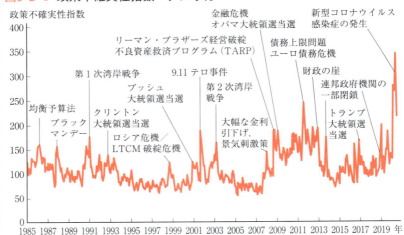

さまざまなイベントが，政策に関する不確実性を高める．政策不確実性の急上昇は，経済活動を低下させることもある．

（出所）https://www.policyuncertainty.com/us_monthly.html

図5-2′ ● 政策不確実性指数：日本

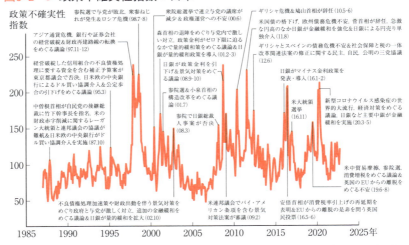

（出所）Elif C. Arbatli Saxegaard, Steven J. Davis, Arata Ito, and Naoko Miake, "Policy Uncertainty in Japan," *Journal of the Japanese and International Economies*, Vol. 64, 2022.

企業が新工場建設を検討していて，その投資の収益性が政策内容に依存している場合，政策が決定されるまで企業も待つだろう．そうした延期は当該企業にとっては合理的な選択だが，総需要の低下につながり，経済の生産や雇用の低下ももたらすことになるだろう．

　もちろん，ある程度の政策不確実性は避けられない．しかし，不確実性の度合いはある程度政策立案者が左右できるものであり，高い不確実性が経済にマイナスの影響をもたらしうることを，政策立案者は認識しておくべきだろう．[3]

5-2 政策の運営：ルールか裁量か

　経済学者間の第2の論争点は，経済政策の運営をルールで行うか裁量で行うかというものである．政策立案者がさまざまな状況への対応方法を前もって公表しておき，その公表内容を遵守することを約束（コミット）する場合を，ルールによる政策運営と呼ぶ．政策立案者が事態の推移に応じて自由に判断を行い，各時点において適切だと考えられる政策を選択する場合を，裁量による政策運営と呼ぶ．

　ルールか裁量かという論争は，前節で扱った積極策か受動策かの論争とは別のものである．ルールによる政策運営にも積極策と受動策がある．たとえば，受動的政策ルールを，マネーサプライを年率3％で安定的に成長させることとしよう．これに対応する積極的政策ルールとしては，たとえば次のようなものがある．

　　　マネーサプライ成長率＝3％＋（失業率－6％）

この政策ルールの下で，失業率が6％であればマネーサプライは3％で成長

---

3)　このケース・スタディは，次の論文に基づいている．Scott R. Baker, Nicholas Bloom, and Steven J. Davis, "Measuring Economic Policy Uncertainty," *The Quarterly Journal of Economics*, Vol. 131, Issue 4, November 2016, pp. 1593-1636. 関連するその後の更新については，次を参照のこと．https://www.policyuncertainty.com. 不確実性とマクロ経済については，次の論文を参照のこと．Nicholas Bloom, "Fluctuations in Uncertainty," *The Journal of Economic Perspectives*, Vol. 28, No. 2, Spring 2014, pp. 153-176 と，Susanto Basu and Brent Bundick, "Uncertainty Shocks in a Model of Effective Demand," *Econometrica*, Vol. 85, Issue 3, May 2017, pp. 937-958.

するが，失業率が 6 ％を 1 ％超えるごとに，マネーサプライ成長率も 1 ％ずつ上昇する．この政策ルールは，景気後退時にマネーサプライ成長率を引き上げることで，経済を安定化しようとするものである．

本節では，はじめに，政策ルールにコミットするとなぜ政策が改善されうるのか，その理由を議論する．次いで，考えられる政策ルールをいくつか検討する．

政策立案者および政治的プロセスへの不信

経済政策は非常に重要なものなので，政策立案者の自由裁量には任せられないと考える経済学者もいる．この考え方は経済的というよりも政治的な視点によるものだが，それを検討することは経済政策の役割を評価するにあたって重要である．政治家が能力不足だったり機会主義的だったりすれば，金融・財政政策という強力な道具を彼らに渡すべきではないかもしれない．

経済政策について能力不足が生じる原因はいくつかある．政治的プロセスはさまざまな利益団体間でのパワーの変化を反映するので，不安定だと指摘する経済学者もいる．さらに，マクロ経済学は複雑で，政治家は熟練した判断を下すほどの知識を持っていないことが多い．こうした無知につけこんで，複雑な問題に対してイカサマ師がいい加減ではあるが魅力的にみえる解決策を提案することとなる．政治的プロセスでは，優秀な経済学者たちの提言とイカサマ師の提言とを区別できないことが多い．

経済政策における機会主義は，経済政策立案者の目標と一般国民の厚生とが一致しない場合に生じる．政治家たちがマクロ経済政策を左右して，有利な選挙結果が得られるようにすることを懸念する経済学者もいる．もし有権者が選挙時の経済状況に基づいて投票するならば，選挙の年の経済が好調にみえるような経済政策を遂行するインセンティブを政治家は持つことになる．大統領が当選直後に景気を後退させてインフレ率を下げておいて，その後選挙が近づくにつれて失業率が低下するように経済を刺激してやれば，選挙時には失業率とインフレ率が両方低くなるであろう．選挙を有利にするために経済をコントロールしようとすることを，政治的景気循環（political business cycle）と呼ぶ．この問題については，経済学者や政治学者の多くの研究が積み重ねられてきた．[4]

政治的プロセスに対する不信感があるため，経済政策を政治の領域外に置くことを主張する経済学者もいる．連邦整備はその一例であり，金融政策をある程度は政治的圧力から隔離するように，設計されている．また，憲法を改正して，均衡予算を義務づけるような修正条項を付け加えようと提言する経済学者もいる．そうした立法によって議会の自由裁量を束縛し，財政政策を能力不足や機会主義から隔離しようというのである．均衡予算修正条項に関する潜在的な問題点については，第6章において議論する．

裁量的政策の時間非整合性

政策立案者を信用することにすれば，自由裁量政策がルールによる政策よりも優れているようにみえるだろう．自由裁量による政策運営はフレキシブルである．政策立案者が賢明で利他的であるならば，状況の変化に対応するフレキシビリティを否定する理由はあまりないように思えるかもしれない．

しかし，ルールによる政策が自由裁量政策に勝るケースは，政策に関する時間非整合性（time inconsistency）の問題からも発生する．民間の意思決定主体の予想（期待）に影響を与えるために，政策立案者がこれから遂行する政策ルールを公表しておきたいようなケースも存在する．しかし，民間主体がその予想に基づいて行動した後に，政策立案者は公約を破りたくなるかもしれない．政策立案者が時間の経過につれて非整合的に行動する可能性を理解すると，民間の意思決定主体は公表された政策を信用しなくなるだろう．その場合，自らの政策発表への信認を獲得するために，政策立案者は政策ルールにコミットしたいと考える可能性がある．

時間非整合性は，経済に関わらない例を用いたほうが，簡単に解説できる．人質の解放をめぐるテロリストとの交渉に関する公共政策の例を考えよう．多くの政府は，人質解放の交渉はしないと公表している．そうした公表は，テロの抑止を意図したものである．誘拐して人質をとってもメリットがないということになれば，合理的なテロリストは誘拐をしなくなる．すなわち，政策公表の目的は，テロリストの予想に影響を与え，彼らの行動を変化させ

---

4)　William D. Nordhaus, "The Political Business Cycle," *The Review of Economic Studies*, Vol. 42, No. 2, April 1975, pp. 169-190; Edward R. Tufte, *Political Control of the Economy*, Princeton, NJ: Princeton University Press, 1978.

ることにある.

しかし, 実際問題として, 政策立案者の (公表した) 政策へのコミットメントが信頼されなければ, 公表の効果は小さい. 人質をとってしまえば, 人質を解放するために何らかの譲歩をするという避けがたい誘惑に政策立案者が直面することをテロリストも知っている. 合理的なテロリストを抑止する唯一の方法は, 政策立案者から裁量権限を取り上げて, 決して交渉しないというルールにコミットさせることである. 本当に政策立案者が譲歩できなければ, テロリストが人質をとるインセンティブはほとんど消滅する.

同じ問題が, 上の例ほど劇的ではないが, 金融政策の運営にも生じる. 中央銀行がインフレーションと失業の両方を目標とする場合のジレンマを考えよう. フィリップス曲線によれば, インフレーションと失業との間のトレードオフは, 期待インフレ率に依存している. 中央銀行は, 人々に低いインフレ率を予想してほしい. そうすれば, トレードオフが有利になるからである. 期待インフレ率を低下させるために, 中央銀行は低インフレ率こそが至上目標であると発表するかもしれない.

しかし, この低インフレ政策の公表そのものは, 信頼できるものではない. 家計や企業が自分たちの予想したインフレ率に基づいて賃金や価格を決定してしまうと, 中央銀行には公約を破棄し, 拡張的な金融政策を実施して失業率を低下させようというインセンティブが発生してしまう. 民間側もこの公約破棄のインセンティブを理解しているので, 公表された低インフレ政策を最初から信用しないかもしれない. 人質事件に直面した大統領が人質の解放を交渉したくなるのと同様に, 自由裁量を持つ中央銀行はインフレ政策を実施して失業率を低下させたいという誘惑に駆られるのである. そして, テロリストが公表された交渉拒否政策を信用しないのと同様に, 家計と企業も公表された低インフレ政策を信用しなくなる.

この分析から導かれる結論は, 政策立案者が自らの裁量を放棄することで, 自分の目標の達成度を高められることもあるという, 驚くべきものである. 合理的なテロリストの場合は, 政策立案者が人質の解放交渉を拒否するという一見非情なルールの遵守にコミットすることで, 誘拐されて殺される人質の数も減少する. 金融政策の場合は, 中央銀行がゼロインフレ目標にコミットすることで, 失業率の上昇を招くことなしにインフレ率の低下を実現でき

第5章　安定化政策に関する異なる考え方　　169

るのである（金融政策に関するこの結論は，本章の補論でよりきちんとモデル化して示す）.

政策の時間非整合性は，他にもさまざまな局面で発生する.

●投資を促進するために，資本収入に対する課税を免除することを政府が公表する．しかし，工場が建設されると，政府は約束を破って資本収入にも課税して税収を増やそうとするインセンティブを持つ.

●研究を促進するために，政府が新薬を発明した会社に対して一定期間の独占販売権を与えると発表する．しかし，新薬が発明された後，政府は特許を取り消したり，薬の価格を下げるように価格規制を行ったりするインセンティブを持つ.

●子どもに行儀よくさせるために，子どもが違反すると罰を与えると親が約束する．しかし，子どもが悪いことをすると，許してやろうという誘惑に駆られる．罰を与えることは，親と子の双方にとって不愉快なものだからである.

●学生により勉強させるために，教授は期末テストを行うと発表する．しかし，学生がよく勉強して内容を習得した後になると，教授には試験を行わないインセンティブが生じる．採点しなくてすむからである.

どの場合も，合理的な主体は，政策立案者の違約インセンティブを理解しているので，行動もその予想の影響を受けることになる．固定（政策）ルールに信用性のあるコミットメントを行い，約束した側の裁量を取り上げることが，問題の解決法である.

ケース・スタディ　アレクサンダー・ハミルトンと時間非整合性

時間非整合性は，昔から裁量的政策運営にまつわる問題であった．実際，1789年にジョージ・ワシントン大統領がアレクサンダー・ハミルトンを財務長官に任命したとき，ハミルトンが最初に直面した問題の1つでもあったのである.

ハミルトンの抱えていた問題は，新国家がイギリスからの独立戦争を戦うなかで蓄積した借金への対応であった．革命政府は借金をする際，戦争

170 第2部 マクロ経済理論とマクロ経済政策のトピックス

が終わったときに返済すると約束した．しかし，戦争が終わると，多くの
アメリカ人が借金の踏み倒しを主張した．貸し手への返済には徴税が必要
であり，徴税はいつでも犠牲を伴う不人気なものだからである．

ハミルトンは負債の踏み倒しという時間非整合的な政策に反対した．彼
は，アメリカがいつかまた借金をする必要に迫られるだろうと認識してい
たのである．彼は1790年に連邦議会に提出した『公的信用に関する第1報
告』において，次のように書いている．

　　「そして，公的な信用の維持が本当に重要だとすれば，そのことが示
　唆する次の質問は，『公的信用を左右するものは何か』である．その問
　いに対する簡潔な答えは，誠実さ（good faith）である．すなわち，契
　約を期限どおりに守ることである．国家も個人と同じく，契約を守る場
　合は尊敬と信用を獲得するが，その逆の行為を行う場合は逆に尊敬と信
　用を失うことになる．」

このように，ハミルトンは，国家として借金返済を政策ルールとしてコ
ミットするように主張したのである．

ハミルトンによって提案されたこの政策ルールは，2世紀以上も守られ
てきた．ハミルトンの時代と違って，今日では連邦議会で予算案を議論す
るときに，減税するために国債を踏み倒そうと真面目に提案する議員はい
ない．公的負債に関しては，政府が政策ルールにコミットすべきだという
点で，アメリカでは意見が一致している．

金融政策のルール

たとえ政策ルールが自由裁量よりも優れていることを受け入れたとしても，
マクロ経済政策に関する論争に決着がつくわけではない．中央銀行が金融政
策のルールにコミットするとすれば，どのようなルールを選ぶべきだろうか．
さまざまな経済学者が提唱している3種類の金融政策のルールを検討してみ
よう．

マネタリスト（monetarists）と呼ばれる経済学者たちは，中央銀行が一
定率でマネーサプライを成長させること[5]を推奨した．本章の冒頭に掲げた

（最も有名なマネタリストである）ミルトン・フリードマンの文章は，金融政策に対するこの考え方をよく表している．マネタリストは，マネーサプライの変動こそが経済の大きな変動の原因だと考える．彼らは，マネーサプライを安定した低い率で成長させれば，生産，雇用，物価を安定させられると主張する．

マネタリストの政策ルールは，これまで経験してきた経済変動の多くを防止できたかもしれないが，多くの経済学者は，それは考えられる最良の政策ルールではないと考えている．マネーサプライの安定成長が総需要を安定させるのは，貨幣流通速度が安定しているときのみである．しかし，経済には貨幣需要のシフトのように流通速度を不安定にするショックもしばしば発生する．多くの経済学者は，さまざまな経済ショックに対応してマネーサプライを調整できることが，政策ルールには必要だと考えている．

多くの経済学者が提唱してきた第2の金融政策ルールは，名目GDP目標制度である．このルールの下では，中央銀行は名目GDPの予定経路を公表する．名目GDPが目標を上回れば，中央銀行は金融政策を調整して総需要を減らす．名目GDPが目標を下回れば，中央銀行は金融政策を調整して総需要を増やす．名目GDP目標制度は，貨幣流通速度の変化に金融政策が対応することを許容するので，マネタリストの政策ルールよりも産出や物価が安定すると多くの経済学者は考えている．

よく提唱される第3の政策ルールはインフレ・ターゲティング（inflation targeting）である．このルールの下では，中央銀行は（たいていは低率の）目標インフレ率を公表し，現実のインフレ率が目標値から乖離すると，金融政策を調整する．名目GDP目標制度と同様に，インフレ・ターゲティングも貨幣流通速度の変化から経済を隔離する．さらに，インフレ目標は一般大衆に説明しやすいという，政治的な利点も持っている．

マネーサプライ，名目GDP，物価水準と，すべてのルールが何らかの名目変数によって表現されていることに注意してほしい．実質変数で表現される政策変数を考案することも可能である．たとえば，中央銀行は5％の失業率を目標とすることもできるかもしれない．しかし，そうしたルールの問題

5）訳者注：k%ルールと呼ばれる．

172　第2部　マクロ経済理論とマクロ経済政策のトピックス

点は，誰も自然失業率の正確な値を知らないことである．もしも，中央銀行が自然率よりも低い失業を目標に選ぶと，インフレーションの加速という結果が生じてしまう．逆に，中央銀行が自然率よりも高い失業を選ぶと，デフレーションが加速してしまう．失業率や実質 GDP のような実質変数が経済パフォーマンスの最良の尺度であるにもかかわらず，実質変数のみで表現される金融政策ルールを経済学者が提唱しないのには，こうした理由があるのである．

ケース・スタディ　インフレ・ターゲティング：ルールか制約された裁量か

　1980年代後半から，オーストラリア，カナダ，フィンランド，イスラエル，ニュージーランド，スペイン，スウェーデン，イギリスなど，世界の中央銀行の多くが何らかの形でインフレ・ターゲティングを導入し始めた．中央銀行がその政策意図を公表する形のインフレ・ターゲティングもある．国家の法律として金融政策の目標を明示する形もある．たとえば，1989年ニュージーランド準備銀行法は，「一般物価水準の安定を達成し維持するという経済目的に向けて，金融政策を立案・遂行すること」を中央銀行に命じている．同法は，生産，雇用，利子率，為替レートの安定などの競合する他の政策目的を排除している．

　インフレ・ターゲティングを，政策ルールへのコミットメントと解釈すべきかというと，必ずしもそうではない．インフレ・ターゲティングを導入した国々では，中央銀行はどこもある程度の自由裁量を保持している．インフレ目標は，特定の数値ではなく，たとえば1〜3％のインフレ率というように，範囲で設定されることがある．中央銀行は目標の範囲内であれば，自分たちが望む目標を選択することができる．たとえば経済を刺激して目標圏内の最大のインフレ率を選択することもできるし，経済にブレーキをかけて目標圏内の最小のインフレ率を選択することもできる．さらに，中央銀行が，少なくとも一時的にインフレ目標から外れることを許容される場合もある．（明確な供給ショックのような）外生的な出来事が，インフレ率を目標範囲外に押し出すような場合である．

　このフレキシビリティを考慮して，インフレ・ターゲティングの導入目的は何かを考えてみよう．インフレ・ターゲティングは中央銀行に一定の

第5章　安定化政策に関する異なる考え方　　173

自由裁量権を残しているが，その自由裁量の利用法を制約しているのである．中央銀行に「正しいことをする」ように命じていても，中央銀行にアカウンタビリティ（説明責任）を果たさせることは難しい．各事態における正しい行動が何かについて，延々と議論が続く可能性があるからである．対照的に，中央銀行がインフレ目標を発表していれば，中央銀行が目標を達成しているかどうかを一般大衆はかなり容易に判定できる．したがって，インフレ・ターゲティングは中央銀行の手を縛るものではないが，金融政策の透明性を高めることを通じて，中央銀行により高いアカウンタビリティを果たさせるのである．[6]

　アメリカの連邦準備はインフレ・ターゲティングを採用するのが他の諸中央銀行より遅かったが，2012年に2％のインフレ目標を設定した．連邦準備は，次のように説明している．

　　連邦公開市場委員会（FOMC）は，2％のインフレ率（個人消費支出（PCE）の物価指数の年次変化率で測ったもの）が，物価安定と最大雇用という連邦準備に与えられた政策目標に対して，長期的に最も整合的な水準であると判定した．より高いインフレ率が続くと，長期的な経済的・金融的な意思決定をすることが難しくなってしまう．他方で，より低いインフレ率だと，物価やおそらく賃金も低下していき，デフレーションに陥る確率が高くなってしまう．そうなると，経済もきわめて沈滞してしまいやすい．小さくともある程度のインフレ率を維持することで，経済状況が悪化したとしても，危険なデフレーションに陥る確率を小さくすることができるのである．FOMCは，中期的に2％のインフレ率を維持するように，金融政策を運営している．

　最近，2％が正しいインフレ目標なのかという論争が生じている．2008〜2009年以降の大不況において，連邦準備は政策金利を下限であるゼロ％に維持した（ゼロの下限については第Ⅰ巻第10章で論じた）．2020年からの

---

6)　Ben S. Bernanke and Frederic S. Mishkin, "Inflation Targeting: A New Framework for Monetary Policy?" *The Journal of Economic Perspectives*, Vol. 11, No. 2, Spring 1997, pp. 97-116を参照.

新型コロナ不況においても連邦準備は再びゼロの下限に直面した．それで，連邦準備が４％といった，より高いインフレ目標を設定していたら，と論じる経済学者もいる．（フィッシャー効果で）ノーマルな利子率の水準も高くなって，景気後退で必要なときに連邦準備が利下げする余地が大きくなるというのである．現在の政策の擁護者は，２％目標へのコミットメントを人々に納得させた後で，４％目標へ変更すると，連邦準備への信認が大きく損なわれるだろうと，論じる．現在のところ，連邦準備には目標水準を高めるつもりがなさそうである．

ケース・スタディ 中央銀行の独立性

あなたが一国の憲法と諸法律を制定すると考えてみよう．はたして大統領に中央銀行の政策に介入する権限を与えるだろうか．それとも，政治的介入なしに，中央銀行が政策を決定できるようにするだろうか．つまり，金融政策がルールではなく裁量で運営されるものとした場合，その自由裁量を行うのは誰にすべきかということである．

この問題に対する回答は，国によってさまざまである．中央銀行が政府の一部でしかない国々もある．中央銀行がほとんど独立している国々もある．アメリカでは，連邦準備の理事職は14年の任期で大統領が任命し，大統領が自らの選任を後悔したとしても解任はできない．こうした構造を持った機関なので，連邦準備は連邦最高裁判所に匹敵する独立性を持っている．

多くの研究者が，制度設計が金融政策にどのような影響を及ぼすかを調べてきた．彼らは，さまざまな国の法律を調べて，中央銀行の独立性の指数を作成した．この指数は，中央銀行家の任期，中央銀行理事会における政府高官の役割，政府と中央銀行との間のコンタクトの頻度など多数の要因に基づいている．研究者たちは，中央銀行独立性指数とマクロ経済パフォーマンスとの相関を調べた．

そうした研究の成果はめざましいものである．独立性の高い中央銀行ほど，低くて安定的なインフレ率と強く結びついている．図5-3は，中央銀行の独立性と1955～1988年の間の平均インフレ率の散布図を描いたものである．ドイツやスイス，アメリカなどのように独立した中央銀行が存在し

図5-3 ● インフレと中央銀行の独立性

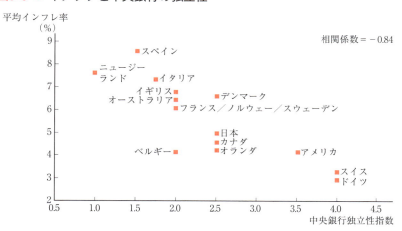

この散布図は，中央銀行の独立性に関する世界各国の経験を図示している．独立性の高い中央銀行ほど低いインフレ率を達成していることを，この証拠は示している．

(出所) Alberto Alesina and Lawrence H. Summers, "Central Bank Independence and Macroeconomic Performance: Some Comparative Evidence," *Journal of Money, Credit, and Banking*, Vol. 25, No. 2, May 1993, pp. 151-162のp. 155にあるFigure 1a. インフレ率は1955〜1988年の平均.

た国々は，平均インフレ率が低い傾向にあった．ニュージーランドやスペインのように中央銀行の独立性が低かった国々は，平均インフレ率が高い傾向にあった．

　研究者たちはまた，中央銀行の独立性と実体経済活動との間には相関がないことも見出した．中央銀行の独立性は，失業率の平均値や変動性，実質GDP成長率の平均値や変動性とは無関係であった．中央銀行の独立性は，各国にフリーランチ[7]を提供しているようにみえる．明瞭なコストを何も支払わずに，低インフレ率というメリットが得られるからである．こうした発見に基づいて，ニュージーランドなどの国々は，法律を改正して中央銀行により高い独立性を与えることになった．[8]

---

7) 訳者注：無料の昼飯．転じて，コストなしで何かよいことを享受できること．普通はありえない．

176 第2部 マクロ経済理論とマクロ経済政策のトピックス

5-3 結 論

　本章では，経済変動に対して政策は積極的と受動的のどちらであるべきか，また政策運営はルール方式と裁量方式のどちらであるべきかを検討してきた．これらの問題に関しては，それぞれのサイドを支持する多くの議論があるが，ただ1つ明らかなのは，マクロ経済政策に関する特定の主張を支持する証拠にシンプルで決定的なものはない，ということであろう．結局のところ，経済・政治両面の議論を自分なりに考量して，経済安定化に政府が果たすべき役割を判断するしかないのである．

要約

1　積極的経済政策の提唱者は，経済は頻繁なショックにさらされており，金融・財政政策によって対応しないと，生産や雇用に不必要な変動が発生すると考えている．彼らの多くは，経済政策は経済安定化に成功してきたと信じている．

2　受動的経済政策の提唱者は，金融・財政政策には長くて可変的なラグが伴うので，経済を安定化しようとする試みは，かえって不安定化をもたらしうると考えている．さらに彼らは，経済についての現在の知識は，成功する安定化政策を立案するには不完全すぎるし，不適切な政策がしばしば経済変動の原因となってきたと信じている．

3　裁量的政策運営の提唱者は，多様で予測不能な状況への対応において，裁量方式のほうが政策立案者に大きなフレキシビリティを与えると主張している．

---

8)　これらの発見に対するさらに完全な紹介および中央銀行の独立性に関する膨大な文献については，Alberto Alesina and Lawrence H. Summers, "Central Bank Independence and Macroeconomic Performance: Some Comparative Evidence," *Journal of Money, Credit, and Banking*, Vol. 25, No. 2, May 1993, pp. 151-162を参照．インフレーションと中央銀行の独立性の関係を問題にした研究としては，Marta Campillo and Jeffrey A. Miron, "Why Does Inflation Differ Across Countries?" in Christina D. Romer and David H. Romer, eds., *Reducing Inflation: Motivation and Strategy*, Chicago: University of Chicago Press, 1997, pp. 335-362を参照．

第5章 安定化政策に関する異なる考え方 177

4 政策ルールの提唱者は，政治的プロセスは信用できないと主張する．
彼らは，経済政策の決定において政治家は頻繁に失敗を犯すし，自分た
ちの政治的利益のために経済政策を利用することもあると信じている．
政策ルールの提唱者は，政策ルールへのコミットメントが時間非整合性
の解決に必要であるとも，主張している．

キーワード

内部ラグ　　外部ラグ　　自動安定化装置　　マクロ計量経済モデル
ルーカス批判　　政治的景気循環　　時間非整合性　　マネタリスト
インフレ・ターゲティング

確認問題

1 ＿＿＿ラグとは，ショックが経済に発生したときから政策がそれに反応
するまでの時間のことである．これは，＿＿＿政策の場合とくに長い．
a 内部，金融
b 内部，財政
c 外部，金融
d 外部，財政

2 ＿＿＿ラグとは，政策行動が実施されてから，それが経済に影響を及ぼ
すまでの時間のことである．これは，＿＿＿政策の場合とくに長い．
a 内部，金融
b 内部，財政
c 外部，金融
d 外部，財政

3 ルーカス批判によると，マクロ経済政策の評価の伝統的手法には，次
のことを考慮していないという欠点がある．
a 政策決定プロセスにつきもののラグ．
b 政策変更が，予想（期待）にどう影響するか．
c 政策立案者が，選挙にプラスになるように，いかに経済を操作しよ

うとするか.

   d　政策立案者が，時間非整合性に陥ってしまう誘惑.
4　裁量的政策の時間非整合性が発生するのは，政策立案者が，
   a　人々が予想に基づいて行動した後で，公表しておいた計画を破棄し
   ようとするから.
   b　自分たちの景気予想技量を，実際よりも上手だと信じているから.
   c　経済に発生するすべてのショックを十分に予想できないから.
   d　人々の予想（期待）形成が合理的ではなく，適応的であると考えて
   いるから.
5　1980年代以降，世界各国の中央銀行の多くが，政策の目標としてきた
   のは，
   a　名目 GDP
   b　実質 GDP
   c　マネーサプライ
   d　インフレ率
6　世界各国のデータによると，独立性がより高い中央銀行を擁する国々
   は，
   a　平均してインフレ率が低い.
   b　失業率の変動がより大きい.
   c　より高い貨幣発行収入を持っている.
   d　中央銀行家により高い給料を支払っている.

＞＞＞＞＞　復習問題　＜＜＜＜＜

1　内部ラグと外部ラグとはどのようなものか. 金融政策と財政政策では，
   どちらのほうが長い内部ラグを持つか. 外部ラグが長いのはどちらか.
   その理由も説明しなさい.
2　経済予測の正確さが増すと，政策立案者の経済安定化が容易になるの
   はなぜか. また，エコノミストが経済予測に用いる手法を 2 つ説明しな
   さい.
3　ルーカス批判について説明しなさい.

4 マクロ経済史をどう解釈するかによって，マクロ経済政策に対する意見が異なるのはなぜか．

5 経済政策の「時間非整合性」とは何を意味するか．政策立案者が自分の過去の公約を破棄したくなることがあるのはなぜか．その場合，政策ルールの利点は何か．

6 中央銀行が採用する可能性のある政策ルールを3つあげなさい．あなたはどれに賛成するだろうか．その理由も説明しなさい．

(((((応用問題)))))

1 失業とインフレーションの間のトレードオフが，次式のようなフィリップス曲線で決まっているとしよう．

$$u = u^n - \alpha(\pi - E\pi)$$

u は失業率，u^n は自然失業率，π はインフレ率，$E\pi$ は期待インフレ率である．次に，左翼政党政権はつねに貨幣成長率の高い政策をとり，右翼政党政権はつねに貨幣成長率の低い政策をとるものと仮定しよう．次のような設定の下では，インフレ率と失業率に関して，どのような「政治的景気循環」のパターンが予想されるだろうか．

a 4年ごとにコイントスの裏表でどちらの政党が政権を握るかが決まる場合（ヒント：選挙前における期待インフレ率はどうなるか）．

b 2大政党が交替で政権を握る場合．

c 上の問題に対するあなたの解答は，金融政策は中立的な中央銀行によって運営されるべきだという結論を，支持するものか．

2 家賃を制限する法律が市議会で決まる場合，既存の建物にのみ適用され，これから建設される建物には適用されないことが多い．家賃規制の提唱者は，こうした適用除外があれば，新築のインセンティブを阻害することはないと主張する．この主張を，時間非整合性問題を考慮しながら評価しなさい．

3 ある中央銀行がインフレ・ターゲティング政策を採用することを決定して，目標を5％にするか0％にするかを議論しているとしよう．経済が，次のフィリップス曲線によって，描写されるものとする．

180　第2部　マクロ経済理論とマクロ経済政策のトピックス

$$u = 5 - 0.5(\pi - E\pi)$$

u と π は，パーセントで測った失業率（％）とインフレ率（％）である．失業とインフレの社会的費用が，下記のような損失関数で表されるものとする．

$$L = u + 0.05\pi^2$$

中央銀行は，この損失を最小化したいものとしよう．

a　中央銀行が5％インフレ目標にコミットした場合，予想インフレ率はいくらになるか．
中央銀行がその政策を続けた場合，失業率はいくらになるか．インフレと失業による損失はどれだけになるか．

b　中央銀行が0％インフレ目標にコミットした場合，予想インフレ率はいくらになるか．中央銀行がその政策を続けた場合，失業率はいくらになるか．インフレと失業による損失はどれだけになるか．

c　上の問aと問bへの解答に基づいて，どちらのインフレ目標を推薦するか．説明しなさい．

d　中央銀行が0％インフレ目標を選択して，予想インフレ率もゼロであるとしよう．しかし，突然に，中央銀行が5％インフレをもたらして，人々を驚かせたとする．この予想されなかったインフレーションの期間に，失業率はいくらになるか．インフレと失業による損失はどれだけになるか．

e　問dへの解答は，どのような問題を示しているか．

4　政策決定の会合ごとに，連邦準備や日本銀行は，声明（記者発表と呼ばれることもある）を発表する．それらの中央銀行のウェブサイト（https://www.federalreserve.gov/monetarypolicy/fomccalendars.htm および https://www.boj.or.jp/mopo/index.htm）をみて，最新の記者発表を読みなさい．中央銀行はどのようなことを公表しているか．中央銀行は何をしているか．それはなぜか．中央銀行の最近の政策行動をどう評価するか．

第5章 安定化政策に関する異なる考え方　　181

補　論｜インフレーションと失業の間の　　　　　　トレードオフと時間非整合性

　この補論では，裁量よりもルールが望ましいという時間非整合性の主張を，より詳しく分析してみよう．微分も少し使うので，補論という扱いにする．[9]

　フィリップス曲線でインフレと失業との関係が説明できるものとしよう．u は失業率，u^n は自然失業率，π はインフレ率 $E\pi$ は期待インフレ率とする．失業率は次式で決定される．

$$u = u^n - \alpha(\pi - E\pi)$$

インフレ率が期待インフレ率を上回ると失業率は低く，インフレ率が期待インフレ率を下回ると失業率は高い．パラメーター α は，失業率が突然のインフレーションにどれだけ反応するかを決定する．

　中央銀行がインフレ率そのものを選択できると想定しよう．現実的には，中央銀行によるインフレ率のコントロールは，金融政策の諸手段を通じた不完全なものでしかない．しかし，中央銀行がインフレ率を完全にコントロールできると仮定することが，例示に役立つのである．

　中央銀行は，低い失業率と安定した低いインフレ率を好む．失業とインフレーションのコストが，次式で表されるとしよう．

$$L(u, \pi) = u + \gamma\pi^2$$

パラメーターの γ は，失業に比べてインフレーションをどれだけ中央銀行が嫌うかを示している．$L(u, \pi)$ は**損失関数**（loss function）と呼ばれる．中央銀行の目的は，この損失を最小化することである．

　経済のメカニズムと中央銀行の目的とを定式化したので，ルールによる場合と裁量による場合とでの金融政策を比較しよう．

　最初に，ルールの下での政策を検討しよう．ルールの下では，中央銀行は

---

9)　この補論の材料は，Finn E. Kydland and Edward C. Prescott, "Rules Rather than Discretion: The Inconsistency of Optimal Plans," *Journal of Political Economy*, Vol. 85, No. 3, June 1977, pp. 473-492; Robert J. Barro and David B. Gordon, "A Positive Theory of Monetary Policy in a Natural Rate Model," *Journal of Political Economy*, Vol. 91, No. 4, August 1983, pp. 589-610による．キッドランドとプレスコットは，この論文を含む研究業績によって2004年ノーベル経済学賞を受賞した．

182　第2部　マクロ経済理論とマクロ経済政策のトピックス

一定のインフレ率にコミットする．民間主体が中央銀行のこのルールへのコミットメントを理解している限り，期待インフレ率も中央銀行が実現をコミットしているインフレ率に一致するはずである．期待インフレ率が現実のインフレ率に等しくなる（$E\pi = \pi$）ので，失業率も自然率に等しくなる（$u = u^n$）．

　ここで最適なルールは何だろうか．どのようなインフレ率がルールで決められていても失業率は自然失業率水準になるので，インフレーションにメリットはまったくない．したがって，最適なルールは，中央銀行にゼロインフレを義務づけることになる．

　次に，裁量的な金融政策を検討しよう．裁量方式の下では，経済は次のように機能する．

1.　民間主体は期待インフレ率 $E\pi$ を形成する．
2.　中央銀行は現実のインフレ率 π を選択する．
3.　期待インフレ率と現実のインフレ率に基づいて，失業率が決まる．

この設定では，フィリップス曲線の課す制約の下で，中央銀行は損失 $L(u, \pi)$ を最小化する．インフレ率を決定するにあたって，中央銀行は期待インフレ率を既定のものとして扱う．

　裁量的政策の下でどのような結果が得られるかを見出すためには，中央銀行がどのような水準のインフレ率を選択するかを検討しなければならない．フィリップス曲線を中央銀行の損失関数に代入すると，次式を得る．

$$L(u, \pi) = u^n - \alpha(\pi - E\pi) + \gamma\pi^2$$

中央銀行の損失関数が，予想外のインフレーション（右辺第2項）にはマイナスに，現実のインフレーション（第3項）にはプラスに，依存していることに注意しよう．損失を最小にするインフレ率を発見するために，上式をインフレ率 π で微分すると，次式を得る．

$$dL/d\pi = -\alpha + 2\gamma\pi$$

この微係数がゼロのときに損失は最小となる．[10] π について解くと，次式が

―――――――――――――

10)　数学注：損失関数の2次の微係数 $d^2L/d\pi^2 = 2\gamma$ は正値をとるので，損失関数の（最大値でなく）最小値を解いていることになる．

得られる.

$$\pi = \alpha/(2\gamma)$$

人々の期待インフレ率がどの水準であっても，これが中央銀行の選択すべき最適インフレ率である．合理的な民間主体も中央銀行の目的とフィリップス曲線が課している制約を理解する．したがって，彼らも中央銀行がこの最適インフレ率を選択すると予想する．期待インフレ率は現実インフレ率に一致し $E\pi = \pi = \alpha/(2\gamma)$，失業率も自然失業率に等しくなる（$u = u^n$）．

それでは，最適な裁量の結果と最適なルールの結果とを比較してみよう．どちらの場合も，失業率は自然率水準にある．しかし，裁量方式はルール方式よりも高いインフレ率をもたらす．したがって，最適な裁量は最適なルールに劣ることとなる．裁量方式の中央銀行が損失 $L(u, \pi)$ を最小化するように努力しているにもかかわらず，この結果が得られるのである．

中央銀行がルールにコミットしたほうがよい結果が得られるということは，奇妙に思われるかもしれない．裁量方式の中央銀行は，なぜゼロインフレ・ルールにコミットしている中央銀行の真似をできないのだろうか．その答えは，合理的予想を形成する民間意思決定者と中央銀行がゲームをしている点に求められる．中央銀行がゼロインフレというルールにコミットしない限り，中央銀行は民間主体にゼロインフレを期待させることができないのである．

たとえば，中央銀行がゼロインフレ政策を採用すると，シンプルな発表だけしたとしよう．そうした公約は，それだけでは信認を得られない．民間主体がインフレ予想を形成した後に，その公約を破棄して失業を減らすというインセンティブを中央銀行が持つからである．すでにみたように，いったんインフレ予想が形成されてしまうと，$E\pi$ の水準に関係なく，中央銀行の最適な政策はインフレ率を $\pi = \alpha/(2\gamma)$ にすることになる．民間主体はこの公約破棄のインセンティブをわかっているので，最初から公約を信用しない．

金融政策に関するこの理論は，重要な含意を持っている．特定の状況の下では，裁量方式の中央銀行も，ゼロインフレ・ルール方式の中央銀行と同じ結果を達成できる．中央銀行が失業よりもはるかに強くインフレーションを嫌えば（γ が非常に大きければ），中央銀行にはインフレーションを起こすインセンティブがほとんどないので，裁量方式下のインフレ率もゼロに近づく．この発見は，中央銀行家の任命者に対して，ある種の指針を提供してい

る．ルールの代わりに，インフレーションを激しく嫌う個人を（中央銀行家に）任命すればよいのである．（ジミー・カーターやビル・クリントンのような）インフレーションよりも失業を重視するリベラルな政治家でさえ，（ポール・ボルカーやアラン・グリーンスパンのような）インフレーションを重視する保守的な中央銀行家を任命することがあるのは，おそらくこうした考えに基づいたものであろう．[11]

応用問題（追加）

1　1970年代のアメリカでは，インフレ率も自然失業率も上昇した．時間非整合性のモデルを用いて，この現象を検討してみよう．政策は裁量方式で運営されていると考えなさい．

　a　この補論で構築したモデルにおいて，自然失業率が上昇すると，インフレ率はどうなるか．

　b　モデルを少し変更して，中央銀行の損失関数がインフレーションだけでなく失業についても2次関数であると想定しよう．すなわち，次式のような形である．

$$L(u, \pi) = u^2 + \gamma \pi^2$$

　補論で展開した手順に従って，裁量方式の政策下におけるインフレ率について解きなさい．

　c　この損失関数の下で自然失業率が上昇すると，インフレ率はどうなるだろうか．

　d　1979年に，ジミー・カーター大統領は，ポール・ボルカーを連邦準備制度理事会の議長に任命した．ボルカーは，インフレーションを強く嫌っていた．このモデルを適用すると，インフレ率と失業率はどうなるはずだろうか．モデルの予想と現実とを比べなさい．

---

11)　この点は次の論文に基づく．Kenneth Rogoff, "The Optimal Degree of Commitment to an Intermediate Monetary Target," *The Quarterly Journal of Economics*, Vol. 100, No. 4, November 1985, pp. 1169-1189.

Chapter 6

第6章

政府負債と財政赤字

●

「若者たちに幸いあれ，彼らが国債を引き受けてくれるのだ.」

——ハーバート・フーヴァー（アメリカの第31代大統領）

「われわれはもう一歩進んで"Zillion"を実際の単位として考えるべきだと思う．"Gazillion"もそうだ．Zillionは1兆の1000万倍，GazillionはZillionの1兆倍だ．まさにいまがそのときだと思う.」

——ジョージ・カーリン（アメリカのコメディアン，批評家）

　政府支出が税収を上回ると財政赤字になり，赤字は民間部門あるいは外国政府からの借入で賄われる．過去の借金のうち，返済されていない累積額が政府負債である．

　アメリカの政府負債の適切な大きさについては，アメリカの歴史と同じぐらい古くから論争がある．アレクサンダー・ハミルトンは「国債は，過剰でさえなければ，国民に幸せをもたらすものである」と主張したが，他方でジェームズ・マディソンは「国債は国災である」と反駁した．アメリカ合衆国の首都の位置さえも，独立戦争時の州債を連邦政府が引き受ける協定の一部として決定された．実際，北部の諸州のほうが大きな負債を抱えていたので，首都は南に置かれたのである．

　本章では政府負債に関する論争のさまざまな側面を考察する．まず数値をみることから始めよう．6-1節では，アメリカの政府負債の大きさを，他国の政府負債やアメリカが過去に経験した負債と比較しながら検討する．また将来の行方についても簡単にみる．6-2節は，政府負債の測定がなぜみた目ほど単純ではないのかを考察する．

　次に，政府負債が経済にどのような影響を与えるかを考える．6-3節は，政府負債に関する伝統的な見解を述べる．この見解では，政府の借入は国民

貯蓄を減らし，資本蓄積にクラウディング・アウトを生じさせる．この見解はほとんどの経済学者が受け入れている考えであり，本書を通して，財政政策を論じるときには，暗黙にこの考え方を採用してきた．6-4節では，リカ・ー・ド・の・等・価・命・題・と呼ばれるもう1つの見解を紹介する．リカード派の見解によると，政府負債は国民貯蓄にも資本蓄積にも影響を与えない．後にみるように，政府負債に関する伝統的な見解とリカード派の論争は，政府の借入政策に消費者がどのように反応するかについての意見の不一致から生じている．

6-5節では，政府負債をめぐる別の側面を考える．まず政府はつねに財政を均衡させなければならないのかどうか，もしそうでないとすれば，どのようなとき財政赤字が望ましく，どのようなとき財政黒字が望ましいのかを議論する．また，政府負債が金融政策や政治的プロセス，さらに世界経済におけるその国の役割に及ぼす影響について考察する．

本章は政府負債や財政赤字を理解するための基礎を提供するが，話は次の章になるまで完結しない．そこでわれわれは，金融危機の原因を含め，金融制度をより広く検討する．これからみていくように，過剰な政府負債はこのような危機の中心になりうるのであり，このことは，2010年にいくつかのヨーロッパ諸国が痛切に学んだことである．

6-1 政府負債の規模

まず，政府負債を大局的にみることから始めよう．2019年にアメリカの連邦政府の負債残高は16兆8000億ドルであった．この数字をアメリカの人口3億2800万人で割ると，1人当たりの政府負債額は約5万1000ドルにのぼる．明らかに，この数字は無視しうるような大きさではない．5万1000ドルを軽視する人はほとんどいない．しかし，この負債を典型的な人が一生に稼ぎ出す約200万ドルと比べると，政府負債はときどきいわれるような破滅的なものとも思えない．

政府負債の大きさを判断する1つの方法は，それを他国の負債と比較してみることである．表6-1はいくつかの主要な国の政府負債をその国のGDP比率で表したものである．ここの数値は純負債であり，政府の金融負債から政府が保有する金融資産を差し引いたものである．表の上部には，ギリシャ

第6章 政府負債と財政赤字　　187

表6-1 ● 各国政府はどれくらい負債を抱えているか

(%)

国	負債-GDP 比率
ギリシャ	139.2
日本	125.2
イタリア	121.7
ポルトガル	100.3
アメリカ	84.5
ベルギー	83.9
イギリス	79.9
スペイン	78.3
フランス	77.5
オランダ	31.6
ドイツ	29.9
カナダ	23.0
オーストラリア	−11.5
スイス	−12.4

（注）　数字は2019年の純負債の対 GDP 比に基づいている.
（出所）　OECD Economic Outlook.

や日本，イタリア，ポルトガルといった年間 GDP を上回る負債を累積している重債務国がある．表の下部にはスイスとオーストラリアがある．マイナスの値は政府が負債を上回る金融資産を保有していることを示している．アメリカは全体のほぼ真ん中に位置している．世界の標準からみると，アメリカ政府はとくに放漫的でもなければ倹約的でもない.

　アメリカの歴史をみると，連邦政府の負債は大きく変化してきた．図6-1は1791年以降の連邦政府の負債残高を GDP 比率で示している．経済規模と比較した政府負債は1830年代のほぼゼロに近い状態から，最高で1946年の106％まで変化してきた.

　歴史的にみると，政府負債が増加する主要な原因は戦争だった．負債の対GDP 比は南北戦争，第1次世界大戦，第2次世界大戦のような大規模な軍事衝突の際に急激に上昇する．それから平時になるとゆっくりと低下する．多くの経済学者は，この歴史的なパターンが財政政策を管理する適切な方法だと考えている．本章後半で議論するように，戦争のための赤字財政は，税率を安定させ，税負担の一部を現在の世代から将来の世代に移すために最適であると思われる.

図6-1 ● 1791年以降の負債-GDP比率：アメリカ

民間保有のアメリカ連邦政府の負債残高は，アメリカ経済の規模に対して，戦時には急激に上昇する．政府が戦時支出を借入で賄うためである．負債残高はまた，大きな景気後退の際に上昇する．たとえば，1930年代の大恐慌や，2008～2009年の大不況のときなどである．負債-GDP比率は平時には通常，ゆっくりと低下する．

（出所）米国財務省，米国商務省，T. S. Berry, "Production and Population Since 1789," Bostwick Paper, No. 6, Richmond, 1988.

　政府負債増大の第2の主な原因は，1930年代の大恐慌や2008～2009年の大不況のような深刻な経済不況とその余波であった．これらの負債増加は，こうした期間の失業が高いため妥当であると考えられる．負債の増加を遅らせようとすれば，増税や政府支出の削減が必要になるが，いずれにしても総需要が落ち込み，失業をさらに増大させたであろう．

　他の政府負債の変化については，より議論を呼びそうである．1つの例は，ロナルド・レーガンが大統領だった1980年代の巨額の政府負債増大である．レーガンの擁護者は，彼が1981年から深刻な不況に直面したこと，そして冷戦に勝つことに専念して，軍事費の増額を余儀なくされたことを指摘する．彼の批判者たちは，レーガンの減税と軍事費増大の政策は将来世代に不当な負担を負わせたと主張する．政府負債の対GDP比は1980年の25％から1991年の44％へと上昇した．

　平和と繁栄の時期である1980年代後半の政府負債の上昇は多くの政策立案

図6-1 ● 1885年以降の負債-GDP比率：日本

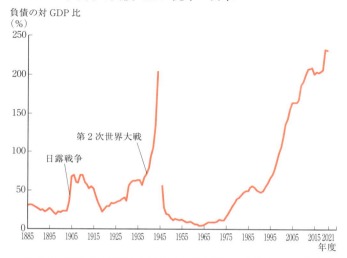

　日本でも戦時（日露戦争と第2次世界大戦）には負債-GDP比率が上昇している．第2次世界大戦後はハイパーインフレーションが発生したので，負債-GDP比率は急激に低下した．第1次オイルショック以降の不況対策による上昇と「バブル」期の低下，さらに1990年代からの長期停滞対策による上昇も顕著である．

（出所）　GDPについて，1885～1954年は大川一司ほか編『長期経済統計1 国民所得』，1955～2008年まで内閣府経済社会総合研究所「国民経済計算年報」，2009年以降は内閣府「国民経済計算」，政府負債については1885～1984年は日本統計協会『日本長期統計総覧』，1985～2008年まで財務省「国債統計年報」，2009年からは財務省HP「国債及び借入金並びに政府保証債務現在高」から採取（令和5年8月30日採取）．

者の関心を呼んだ．1990年にジョージ・H・W・ブッシュ（父）大統領は赤字削減のために増税を行った．一部の政治評論家によると，彼の「Read my lips：新しい税金は導入しない」という公約を破ったことで1992年の再選は失敗に終わった．1993年にビル・クリントン大統領が政権に就き，再び増税を実施した．これらの増税は，歳出抑制とIT（情報・技術）ブームによる急速な経済成長と相まって，財政赤字の縮小と最終的には財政の黒字化をもたらすことになった．政府負債は2001年には31％まで下落した．

　ジョージ・W・ブッシュ（子）大統領が2001年に政権に就いたとき，株式市場ではドットコム・ブームが逆転して，景気後退に向かっていた．景気後退は自動的に税収を減らし，財政赤字に追い込む．不況対策のための減税措

190 第2部 マクロ経済理論とマクロ経済政策のトピックス

置の成立や，9.11テロ事件以降，国土安全保障やアフガニスタン戦争とイラク戦争への支出増によって，財政赤字はさらに拡大した．2001年から2008年にかけて，政府負債はGDPの31％から39％に増大した．

　2009年，バラク・オバマ大統領がホワイトハウスに着任したとき，経済は大不況の真っ只中にあった．経済縮小に伴う税収減と総需要を下支えするための財政出動により，大幅な財政赤字が発生していた（第Ⅰ巻第9章で説明）．政府負債の対GDP比は，2016年には76％まで上昇した．

　2017年にドナルド・トランプ大統領が就任したとき，経済は大不況からほぼ回復し，負債残高の対GDP比は歴史的に高い水準で安定していた．彼が最初に行った主要な経済対策は，2018年から適用される法人所得を中心とした減税であった．この政策は，資本蓄積と経済成長を促進するというのが賛成派の意見，成長への効果は小さいが政府負債の過大な増加をもたらすというのが反対派の意見であった．

　そして，本書が出版される2020年，新型コロナウイルス感染症のパンデミックにより，大きな景気後退が起こった（第Ⅰ巻第8章で説明）．国民所得が減れば，税収も減る．危機による苦難を緩和するために，議会は2兆ドルの歳出法案（CARES法）を可決した．政府の財政赤字は急増した．2019年までの図6-1には示されていないが，負債残高の対GDP比は大幅に増加すると予想された．議会予算局（CBO）によると，2023年には政府負債がGDPの107％に達し，アメリカ史上最高水準になるという．

ケース・スタディ 財政政策の厄介な長期的展望

　財政赤字と政府負債は今後どうなるのか．経済学者が予想する次の数十年のアメリカの財政政策の経路には，厄介な未来図が描かれている．

　1つは人口統計上の理由である．医療技術の進歩によって平均寿命は延び，一方，避妊具の改善と社会規範の変化から，生まれる子どもの数が減ってきた．こうして，高齢者が人口全体のますます大きな割合を占めるようになっている．1950年当時，高齢者（65歳以上）は全人口の8％にすぎなかった．2020年には高齢者の割合は17％に上昇し，2050年には約22％になると予想されている．現在，連邦予算の3分の1以上が高齢者の年金（社会保障制度）と医療（メディケア）の提供にあてられている．これら

の制度を利用できる人が増えれば，政府の支出は自動的に増える．

　厄介な財政状況の第2の理由は医療費の上昇である．政府は高齢者にはメディケア，貧困者にはメディケイドで医療費を支給し，2010年に医療費負担適正化法（オバマケア）が可決されて以来，低所得者向けの民間医療保険にも補助金を出している．医療費が増えるにつれて，これらの制度に対する政府支出も同様に増えてくる．政策立案者は医療費の上昇を食い止めるために，訴訟負担の軽減，医療サービス提供者間での競争の促進，IT 利用の奨励，そして医師への支払い方法を変更することで，不必要な検査と治療を減らすなどさまざまな方策を提案してきた．しかし多くの医療経済学者はこれらの改革の効果は限定的だと考えている．医療費が上昇する大きな理由は，われわれの寿命を延ばし，改善するための，新しくて優れた，しかししばしば費用のかかる方法を提供する医療の進歩にあるからである．

　この人口の高齢化と医療費増大の組合せは政府予算に大きな影響を生じさせる．社会保険，メディケア，メディケイド，その他の医療プログラムに対する支出はすでに1950年の GDP 比率1％未満から2020年の10％にまで増大した．議会予算局は，何らかの変更がない限り，これらのプログラムに対する支出は2050年までに GDP の約16％にまで上昇すると推計している．

　アメリカがこれらの支出圧力にどう対応するかは未解決である．重要な問題は，必要な財政調整のどれだけを増税で賄い，どれだけを支出削減で賄うかということである．経済学者のなかには，これらの公約を実現するためには，GDP に占める税金の割合を過去の水準より大幅に引き上げる必要があると考えている．また他の経済学者は，このような高い税率は若い労働者に過大な負担になると考えている．彼らは，政策立案者がいま将来の高齢者に約束している支給を減額するとともに，高齢になるにつれ自分自身を養う役割をより多く担うようもっと奨励すべきだと主張している．また，退職年齢を引き上げ，個人貯蓄を増やすことで，退職金や医療費を自己負担できるようにすることを提唱する人もいる．

　この議論に決着をつけることは，これから先数十年の大きな政策課題である．巨額の増税も大幅な支出削減もいずれも政治的には不人気であり，

192 　第2部　マクロ経済理論とマクロ経済政策のトピックス

それがこの問題がこれまで十分に対処されてこなかった理由である．しかしその結果が巨額の財政赤字と政府負債の継続なのである．GDP比率で政府負債が上昇していくと，やがてサービスを提供し負債を償還する政府の能力と意思が問題となるときが来るだろう．

6-2 測 定 問 題

　政府の財政赤字とは政府の支出から収入を差し引いたものであり，政府活動を資金的に支えるために新たに発行しなければならない負債額である．この定義は簡単なように思えるが，赤字をどう測定すべきかという問題をめぐって，財政政策に関する論争がしばしば生じている．経済学者のなかには，従来から測定されている赤字は財政政策の状態を表す指標としてふさわしくないと考える人もいる．すなわち，現在測定されている財政赤字は財政政策が現在の経済に与えるインパクトについて，また将来世代の納税者に課す負担について，決して正確ではないというのである．本節では，財政赤字の通常の測定に関係する4つの問題を議論する．

問題（1）：インフレーション
　測定問題で最も異論のないのはインフレに関するものである．ほとんどの経済学者の意見は，政府負債は名目値ではなく，実質値で測定すべきだという点で一致している．測定される赤字は，政府の名目負債の変化ではなく，実質負債の変化でなければならない．
　しかし，測定される通常の財政赤字はインフレ修正が施されていない．これがもたらす誤差の大きさをみるために，次の例を考えよう．実質の政府負債は変化していないとしよう．すなわち，実質値では財政は均衡している．この場合，名目負債はインフレ率で上昇しているはずである．すなわち，

$$\Delta D / D = \pi$$

ここで π はインフレ率，D は政府負債のストック額である．これは，

$$\Delta D = \pi D$$

を意味する．政府は名目負債の変化 ΔD をみて，πD の財政赤字を公表するだろう．したがって，報告された財政赤字は πD だけ過大表示されていると

第6章　政府負債と財政赤字　　193

ほとんどの経済学者は考えている.

　同じ議論を別の形ですることもできる. 財政赤字は政府支出から政府収入を差し引いたものである. 支出の一部は政府負債に対する利払いである. 支出には負債への名目利払い iD ではなく, 実質利払い rD だけが含まれるべきである. 名目利子率 i と実質利子率 r の差はインフレ率 π なので, 財政赤字は πD だけ過大表示されている.

　このインフレ修正は, インフレ率が高いときに大きくなるので, 財政政策に対する人々の評価を変えてしまうこともよくある. たとえば, 1979年, 連邦政府は280億ドルの財政赤字を報告した. インフレ率は8.6%であり, その年の初めに民間によって保有された政府負債は4950億ドルだった. したがって, 負債は,

$$\pi D = 0.086 \times 4950億ドル$$
$$= 430億ドル$$

だけ過大表示であった. インフレ修正を施すと, 報告された280億ドルの財政赤字はなんと150億ドルの財政黒字（！）となる. いい換えると, 名目の財政赤字が増大しても, 実質の財政赤字は減少していたのである. 近年はインフレ率が低いので, この修正はあまり重要でなくなっている.

問題（2）：資本資産

　政府の財政赤字を正確に推計するには, 政府の負債だけでなく資産も考慮しなければならないと多くの経済学者は考えている. とくに, 総合的にみた政府負債の状況を測定するときには, 政府負債から政府資産を差し引かなければならない. したがって, 財政赤字は負債の変化から資産の変化を差し引いて測定すべきである.

　確かに, 個人や企業は資産と負債を対照させて扱う. ある個人が住宅を買うために借金をしても, それで赤字になったとはいわない. その場合, 負債の増大（債務証書）と資産の増大（住宅）が相殺されて, 純資産には変化がないと記録される. おそらく, 政府の資金繰りも同じように扱うべきだろう.

　資産と負債の両方を計上する予算手続きは, 資本の変化を考慮するため資本予算（capital budgeting）と呼ばれる. たとえば, 政府がオフィスビル1棟か, あるいは国有地を一部売却して, その収入を負債の削減にあてるとし

194 第2部 マクロ経済理論とマクロ経済政策のトピックス

よう．従来の予算手続きでは報告される赤字は減るだろう．だが資本予算では，売却による収入では負債は減少しない．負債の削減が資産の減少で相殺されているからである．同様に，資本予算では，資本財を購入するための政府借入は負債を増やさない．

資本予算の大きな難点は，政府支出のどれが資本支出であるかを決めにくいことである．たとえば，各州間をつなぐハイウェイ・システムは政府資産に計上すべきだろうか．もしそうであるならば，その価値はいくらだろうか．貯蔵核兵器はどうか．教育支出は人的資本に対する支出とみなされるべきだろうか．もし政府が資本予算を採用するならば，こうした難問に答えなければならない．

合理的に考える人のなかでも，連邦政府が資本予算を用いるべきかどうかについて意見が一致していない（多くの州政府はすでに採用している）．資本予算に反対する人々は，それは現行のシステムより原理的に優れていることは認めるが，運用には困難が大きすぎると主張する．支持する人たちは，資本予算の扱いが不完全であるとしても，まったく無視するよりましだと考えている．

問題（3）：計上されない債務

測定される財政赤字は，いくつかの重要な政府債務を除外しているので誤りだと主張する経済学者もいる．たとえば，公務員年金を考えよう．公務員は，現在政府に対して労働サービスを提供するが，支払いの一部は将来に繰り延べられている．要するに，この公務員は政府に貸付を行っているのである．彼らの将来の年金収入は，政府負債と同様の政府債務である．しかし，この債務は政府負債に含められていないし，この債務の累積額は財政赤字に入っていない．ある試算によると，この潜在的な債務は公表されている政府負債とほぼ同程度の大きさになるという．

同様に，社会保障制度を考えよう．いくつかの点で，この制度は年金プログラムと似ている．人々は若いときに所得の一部をこの制度に払い込み，年老いてからの給付を期待する．おそらく将来の累積社会保障給付額も，政府債務に含めるべきだろう．推計によると，政府の将来の社会保障負担（将来の社会保障税を差し引いたもの）は公式推計の政府負債の3倍以上の大きさ

になる.

　政府は社会保障給付額を決める法律を自ら変更できるので，社会保障負担は政府負債とは異なると主張する人がいるかもしれない．しかし，原則的にいえば，政府はどのような負債でもつねにそれを支払わないことを選択できるのであり，負債の支払いを引き受けるのは，ただそうしようと政府が決めたからにすぎない．政府負債の保有者に対する支払いの約束は，社会保障の将来の受給者に対する支払いの約束と基本的には変わらないのかもしれない.

　測定がとくに難しい政府債務に条件付債務がある．**条件付債務**（contingent liability）とは，特定の事態が発生した場合にのみ生じる負担である．たとえば，政府は学生ローンや低・中所得家計の住宅ローン，銀行や貯蓄貸付機関の預金など，多くの種類の民間信用を保証している．借りた人がローンをきちんと支払えば政府は何もしなくてよいが，もし借りた人が破産すると，政府が支払いを肩代わりする．政府はこの保証を行うにあたって，借り手の破産という条件付きで債務を負うのである．しかし，この条件付債務は財政赤字には反映されない．1つの理由はどれだけの金額がそれに対応するか明らかでないからである.

問題（4）：景気循環

　政府の財政赤字の変化の多くは，経済活動の変動に伴って自動的に生じる．たとえば，不況下で所得が減少すると，人々の支払う個人所得税も減少する．利潤も減るから，企業の支払う法人税も減少する．雇用が減り，給与税収入も減少する．社会保障や失業補償などの政府給付を受ける資格を持つ人が増え，政府支出は増大する．たとえ租税や支出に関する法律になにも変化がなくても，財政赤字は増大する.

　赤字のこのような自動的な変化は測定上の誤りではない．景気後退によって税収が減少し，政府支出が増えると，政府は実際に借入を増やすからである．しかし，このような変化は，赤字を用いて財政政策の変化を監視することをいっそう難しくする．財政赤字は政府が政策を変更したときだけでなく，経済状態が変わっても，増えたり減ったりするからである．目的によっては，どちらが起こったのかを知ることが望ましいこともある.

　この問題を解決するために，政府は景気調整財政赤字（cyclically ad-

196 第2部 マクロ経済理論とマクロ経済政策のトピックス

justed budget deficit, **完全雇用財政赤字**とも呼ばれる）を試算している．景気調整財政赤字は，経済が自然率で産出と雇用を行っていると仮定した場合に，政府支出と税収がどのようになるかという推定に基づいている．景気調整財政赤字は，景気循環の局面の影響を受けずに，財政政策の決定を反映するので，有用な指標である．

総　　　括

　これらの測定問題をどれほど重要と考えるかは，経済学者によって異なる．ある人々は，問題は非常に深刻で，測定される通常の財政赤字はほとんど役に立たないと考えている．しかし，たいていの経済学者は測定問題を真剣に受け止めてはいるが，やはり測定された赤字は財政政策の有用な指標だと考えている．

　教訓として明らかなことは，財政政策を十分に評価するためには，経済学者や政策立案者たちは測定された財政赤字の他にも多くのデータを観察する必要があるということである．そして，実際彼らはそのようにしている．毎年，行政管理予算局によって準備される予算書には，資本支出や信用保証計画のデータを含む，詳細な政府資金調達の情報が掲載されている．

　完全な経済統計などというのはどこにも存在しない．メディアに報道される数値をみるときはつねに，それが何を測定しているか，また何を除外しているかを知ることが大切である．このことは，とくに政府負債と財政赤字のデータについていえることである．

6-3 | 政府負債に関する伝統的見解

　あなたは議会予算局（CBO）に勤務するエコノミストだとしよう．上院の予算委員会委員長から次のような手紙を受け取ったとする．

　　親愛なる CBO エコノミストへ
　　議会は，いますべての租税を20％削減するという大統領の要請を検討していますが，わが委員会では貴殿の分析を求めたいと存じます．政府支出を削減できる望みはありません．したがって，減税は財政赤字の増大を意

味することになります．減税と財政赤字はわが国の経済および経済厚生の
状態にどのような影響を及ぼすでしょうか．

敬　具
予算委員会委員長

　上院議員に回答する前に，あなたはお気に入りの経済学の教科書――もち
ろん，本書のことだが――を開いて，モデルがどう予測するかを調べること
にする．

　この政策変更の長期的影響をみるために，第Ⅰ巻の第3章から第7章まで，
および第Ⅱ巻第1章から第3章までのモデルを検討しよう．第Ⅰ巻第3章の
モデルでは，減税は消費支出を刺激し，国民貯蓄を減少させる．貯蓄の減少
は利子率を引き上げ，投資のクラウディング・アウトを発生させる．第Ⅱ巻
第1章で導入されたソロー・モデルでは，投資の減少は，最終的に，定常状
態の資本ストックの減少と産出水準の低下をもたらす．第Ⅱ巻第3章でアメ
リカ経済は黄金律の定常状態（消費が最大になる定常状態）よりも少ない資
本しか保有していないと結論づけたので，定常状態の資本量の減少は，消費
の減少と経済厚生の悪化を意味する．

　次にこの政策変化の短期的影響を調べるために，第Ⅰ巻第9章と第10章の
IS-LM モデルに移る．このモデルによると，減税は消費支出の増加につな
がり，*IS* 曲線の拡張的なシフトをもたらす．金融政策に変更がなければ，
IS 曲線のシフトによって総需要曲線の拡張的なシフトが生じる．価格が硬
直的な短期では，総需要の増大は産出の増加と失業率の低下をもたらす．時
間が経って，諸価格が調整作用を果たし終えると，経済は自然産出量水準に
戻り，その結果，総需要の増大は物価水準の上昇で終わる．

　また，国際貿易がこの分析にどのように影響するかを知るために，第Ⅰ巻
第6章と第11章の開放経済モデルをみる．第6章のモデルによると，国民貯
蓄が減少すると投資は外国からの借入で賄われるようになり，貿易赤字の原
因になる．外国からの資本流入は，財政政策の変更がアメリカの資本蓄積に
与える影響を緩和するが，アメリカは諸外国に対してより多くの債務を負う
ようになる．財政政策の変更はまたドルの増価を引き起こし，外国財はアメ
リカ国内で割安になり，自国財は外国で割高になる．第Ⅰ巻第11章のマンデ

198　第2部　マクロ経済理論とマクロ経済政策のトピックス

コラム　　　　　　　　　　　　　　　　　　　　　Column

租税とインセンティブ

　本書をとおして租税制度は1つの変数 T に集約されている．われわれのモデルでは，政策変数は政府が選択する租税水準であり，政府がこの租税をどのように徴収するかという問題は無視してきた．しかし実際は，租税は一括税ではなく，何らかの経済活動に対して課税されている．アメリカ連邦政府は税収を個人所得税（2019年では税収の50％），給与税（36％），法人税（7％），そしてその他の税源（7％）として徴収してきた．

　財政学の講義では代替的な税の長所と短所の学習に多くの時間を割いている．このような講義で強調される教訓の1つは，租税がインセンティブに影響するということである．労働所得に課税すると，人々は一生懸命に働こうとする意欲を弱める．資本保有からの所得に課税すると，人々は資本を貯蓄し投資するインセンティブを減らす．その結果，租税が変更されると，インセンティブが変わり，それがマクロ経済に影響を及ぼしうる．もし税率を下げることが労働や投資の増大を促進するなら，財・サービスの総供給は増大する．

　サプライサイダーと呼ばれる経済学者は，この租税のインセンティブ効果が大きいと考えている．一部のサプライサイダーは，減税は自己金融的である，すなわち税率の引下げは大きな総供給の増大をもたらして，税率の低下にもかかわらず総税収は増大するとさえ示唆している．すべての経済学者は，租税がインセンティブに影響を与え，インセンティブがある程度は総供給に影響することには同意するが，インセンティブ効果はそれほど大きくはなく，一般に，減税が自己金融的になるほど大きくはないと考えている．[1]

ル＝フレミング・モデルによると，このドルの増価と純輸出の減少は，財政政策の変更が産出と雇用に与える短期の拡張効果を弱めることになる．

　以上のモデルを考慮して，あなたは次の回答をしたためる．

　　親愛なる上院議員殿
　　政府の借入金によって調達される減税は，経済に多くの影響を及ぼすと

---

1)　租税がインセンティブを通じて経済にどう影響するかをもっと学びたい人は，Harvey S. Rosen and Ted Gayer, *Public Finance*, 10th ed., New York: McGraw-Hill, 2014のような学部レベルの財政学のテキストから始めるのがよい．

思われます．減税の直接的な効果は，消費者の支出を刺激することです．消費者の支出増大は経済の短期と長期の両方に影響を及ぼします．

短期的には，消費者の支出増大は財・サービスの需要を高め，その結果，産出と雇用を増大させることになります．しかしながら，減少した貯蓄をめぐる投資家の競争によって，利子率もまた上昇するでしょう．利子率の上昇は投資を抑制し，外国からの資本流入を促進します．ドルは外国通貨に対して増価して，アメリカ企業の世界市場における競争力は弱くなることでしょう．

長期的には，減税の結果生じる国民貯蓄の減少は資本ストックの減少と対外負債の増大を意味します．その結果，わが国の産出量は少なくなり，その生産のより大きな割合が外国からの借入に依存して行われることになるでしょう．

減税が経済厚生に及ぼす全般的な影響の評価は困難です．現在の世代は消費と雇用の増大によって，たとえインフレ率が上昇するにしても，利益を得るかもしれません．しかしながら，現在の財政赤字の多くは将来世代が負担することになります．すなわち，将来世代は資本ストックが少なく，対外負債の多い国の国民として生まれてくるのです．

敬　具
CBO エコノミスト

上院議員はこれに次のように答える．

親愛なる CBO エコノミストへ

貴殿からの手紙に感謝します．よくわかりました．しかし，昨日，わが委員会は，異なる結論に到達した「リカード派」と称する経済学者から証言を聞きました．彼女は，減税はそれ自体としては，消費者の支出を刺激することはないと述べました．したがって，財政赤字は貴殿があげられた効果をまったく持たないと彼女は結論づけました．いったいどういうことなのでしょうか．

敬　具
予算委員会委員長

200　第2部　マクロ経済理論とマクロ経済政策のトピックス

それでは，次節を勉強して，リカードの等価命題をめぐる議論を説明しながら，上院議員に返事を書くことにしよう．

6-4 │ 政府負債に関するリカード派の見解

　政府負債に関する伝統的な考えでは，政府が減税をして財政赤字になると，消費者は税引後の所得増大に反応して支出を増やすと仮定している．しかし，リカードの等価命題（Ricardian equivalence）と呼ばれるもう1つの考えでは，この仮定は疑問だとする．リカード派の考えによると，消費者は先のことを考えて行動するので，今期の所得だけではなく将来の期待所得も考慮して消費を決定する．第8章でみるように，先見性のある消費者というのは現在の多くの消費者理論の中心的な考え方になっている．政府負債に関するリカード派の見解は，先見的な消費者の考えを財政政策の分析に応用したものである．

リカードの等価命題の基本論理

　上院予算委員会が考慮している減税に対し，先見的な消費者がどう反応するかを考えてみよう．この消費者は次のように考えるかもしれない．

　　「政府は政府支出の削減計画なしに減税しようとしている．この政策は，私の機会集合を変えるだろうか．この減税で，私はもっと豊かになるだろうか．消費を増やすべきだろうか．

　　多分違うだろう．政府は減税のつけを財政赤字にまわそうとしている．将来のある時点で，その負債と累積した利子を返済するために増税が必要になるだろう．したがって，この政策は，本当は，現在の減税が将来の増税と抱合せになっていることを意味している．減税はたんなる一時的な所得にすぎず，結局は将来取り返されるであろう．私の暮らしは少しもよくならない．だから，私は消費を増やさない．」

　先見的な消費者は，現在の政府借入を将来の増税と考える．政府借入で賄われる減税は税負担の軽減を意味するのではなく，たんなる租税の時間配分

の変更にすぎない．したがって，消費者が支出を増やすように促されることはない．

この議論は次のように考えることもできる．政府がある代表的な市民に1000ドルの減税をするために，その市民から1000ドルを借りるとしよう．この政策は，その市民に贈与として1000ドルの国債を与えることと同じである．その国債は，一方で「政府は，国債保有者のあなたに対し1000ドル＋利子を負債として負っている」ことを意味する．他方で，その国債は，「納税者としてのあなたは，政府に対し1000ドル＋利子を負債として負っている」ことも意味する．結局，政府からその代表的市民に与えられた国債は，その市民を富ませもしないし，貧しくもしない．国債の価値は将来の税負担の価値で相殺されるからである．

一般的な原理は，政府負債は将来の租税と同等であること，もし消費者が十分に将来を予見するのであれば，将来の租税は現在の租税と同等だということである．したがって，このような考え方は，19世紀の経済学者デビッド・リカードが最初に指摘した理論にちなんで，リカードの等価命題と呼ばれる．

リカードの等価命題が意味していることは，負債による減税は消費に影響を与えないということである．家計は，減税がもたらす将来の税負担の増大に備えるために，可処分所得の増加分を貯蓄にまわす．この民間貯蓄の増加分は公的貯蓄の減少を相殺し，民間貯蓄と公的貯蓄の和である国民貯蓄は一定のままである．したがって，減税は伝統的な分析が示すような効果をまったく持たないのである．

リカードの等価命題の論理は，必ずしも財政政策の変更が何ひとつ重要ではないと主張しているのではない．財政政策の変更は，もしそれが現在あるいは将来の政府支出に影響を与えるのであれば，消費者の支出に影響を与える．たとえば，政府が将来の政府支出を減らす目論見で，いま減税を行うとしよう．もし，消費者がこの減税は将来の増税を意味しないと考えれば，彼は豊かになったと感じて消費を増やす．しかし，消費を刺激するのは，減税ではなく，政府支出の削減である．すなわち，将来の政府支出の削減が公表されると，たとえ現在の租税に変化がなくても，現在の消費は増大するであろう．なぜなら，それは将来のある時点における減税を意味するからである．

202　第2部　マクロ経済理論とマクロ経済政策のトピックス

消費者と将来の租税

　リカード派の見解のエッセンスは，人々が消費額を決定する際に，政府負債がもたらす将来の租税を合理的に予見するという点にある．しかし，消費者はどの程度将来を予見するのだろうか．政府負債に関する伝統的な見解の支持者は，将来の租税はリカード派の見解が想定するほど大きな影響を消費に与えないと考えている．彼らの議論を少し紹介しよう．[2]

　近視眼性　財政政策に関するリカード派の支持者は，人々は所得のどれだけを消費し，どれだけを貯蓄するかを決める際に合理的であると仮定する．政府が現在の支出を賄うために借入を行うと，この借金の返済に将来必要になる租税を，合理的な消費者は前もって考慮する．したがって，人々が相当程度の知識と洞察力を有していることをリカード派の見解は想定している．

　1つの減税に関する伝統的な考え方は，人々は，政府の財政赤字の意味についておそらく十分には理解していないというものである．人々が貯蓄額を決めるとき，簡単ではあるが十分に合理的とはいえない目の子算によることがよくある．たとえば，ある人が将来の租税はいまと変わらないと仮定するとしよう．この人はいまの政府の政策が要求する将来の租税変化を無視する．借金によって減税が行われると，この人の生涯所得が，たとえ増えていなくても，増えたと思わせる．減税は消費を増加させ，国民貯蓄を減少させるのである．

　借入制約　政府負債に関するリカード派の見解では，消費者は消費を決めるのに現在の所得だけでなく，現在および将来の期待所得を含む生涯所得に依拠すると考える．リカード派の見解によれば，借金による減税は現在の所得を増やすけれども，生涯所得あるいは消費を変化させないと考える．一方，政府負債に関する伝統的な見解の支持者は，借入制約に直面する消費者には，生涯所得よりもいまの所得のほうが重要だと主張する．**借入制約**（borrow-

---

　2）　リカードの等価命題に関する論争のサーベイは，B. Douglas Bernheim, "Ricardian Equivalence: An Evaluation of Theory and Evidence," *NBER Macroeconomics Annual*, Vol. 2, 1987, pp. 263-304をみよ．また，*Journal of Economic Perspectives*, Vol. 3, No. 2, Spring 1989の財政赤字のシンポジウムも参照のこと．

ing constraint）とは，個人が銀行や他の金融機関から借りられる額に対する制限である．

　将来，より高い所得が見込めるため，現在の所得と財産が許す以上の消費をしたいと考える人がいるとする．そのためには，借金をするしかない．もし彼がいまの消費を賄うだけの資金を借りることができない，あるいは限られた金額しか借りることができなければ，生涯所得に関係なく，彼のいまの所得がいまの支出を決定する．この場合，借金による減税は，たとえ将来の所得が減ることになっても，いまの所得を増やし，したがって消費を増やすのである．要するに，政府がいま減税して将来増税することは，納税者に対する貸付なのである．借りたいと思いながらそれができない人にとって，減税はその人の機会を拡大することになり，消費を刺激する．

ケース・スタディ ジョージ・ブッシュ（父）の源泉課税の経験

　1992年の初めに，アメリカで延々と続く景気後退に対処するために，ジョージ・H・W・ブッシュ（父）大統領はこれまでにない政策を進めた．彼は，大統領命令を発して，労働者の給料から源泉徴収される所得税額を引き下げたのである．この命令は労働者が負担する税額を引き下げたのではなく，たんに支払いを先延ばししただけであった．労働者が1992年に受け取った手取り額の増加は，1993年4月の所得税納税時の税額の増加や還付金の減少で相殺されることになっていた．

　この政策からどのような効果を予測するだろうか．リカードの等価命題の論理によれば，消費者は自分の生涯所得が変わらないことに気づいて，やがてやってくる税負担の増大に備えて手取り所得の増加分を貯蓄するはずである．しかしブッシュは，この政策は「人々に，衣服や新車の購入，あるいは大学への支払いに使うことのできる貨幣」を提供するだろうと主張した．すなわち彼は，消費者が増加した所得を支出にまわし，それによって総需要を刺激し，経済が景気後退から回復する手助けになると考えた．ブッシュは消費者が近視眼的であるか，あるいは借入制約に縛られていると想定したと思われるのである．

　この政策の実際の効果を集計されたデータから判断するのは難しい．というのは，これ以外にもいろいろなことが同時に起こっていたからである．

しかし，この政策を発表して間もなく2人の経済学者が行った調査から若干の証拠になるものが得られる．その調査では，所得の増加分をどう使うつもりかを人々に尋ねている．回答者の57％はブッシュの大統領命令の効果を打ち消すように，貯蓄や借金の返済あるいは次年度の納税のために留保に向けたいと答えた．43％の人は所得の増加分を支出にまわすと答えた．したがって，この政策変更に対して，半分以上の人々はリカード派の理論が仮定するような行動を計画していた．それにもかかわらず，ブッシュは部分的には正しかったといえる．多くの人々は次年度の税額が増えることを知っていたにもかかわらず，所得の増加分を支出に回すことを計画していたからである．[3]

将来世代　近視眼性と借入制約以外にも，政府負債に関する伝統的な考え方を支持する第3の議論がある．それは，消費者が予見する将来の租税が彼ら自身ではなく，将来世代にふりかかると考えることである．たとえば，いま政府が減税を行って，その財政赤字を30年物の国債発行で賄い，30年後に償還のための増税を行うとしよう．この場合，政府負債は次世代の納税者（増税を被る）から現在世代の納税者（減税を受ける）への富の移転を意味している．この移転は現在世代の生涯資産を増やし，彼らの消費を増大させる．いい換えると，赤字による減税は将来世代を犠牲にして現在世代に消費機会を与えて，消費を刺激するのである．

　経済学者ロバート・バローは，この議論に対して，リカード派の見解を支持するうまい反論を提出した．将来の世代は現在の世代の子どもであり孫であるから，彼らを独立の経済主体とみなすことはできない．そうではなく，現在世代は将来世代に関心を持つという仮定が適切だとバローは主張したのである．この世代間の利他主義は，多くの人々が，遺産という形でしばしば子どもに贈り物を残すことによって立証されている．多くの人々は，子孫の消費機会を増やすために，生きている間は消費をできるだけ意識的に控えている．いい換えれば，遺産の存在は，多くの人々が子どもの負担の上に消費

3）　Matthew D. Shapiro and Joel Slemrod, "Consumer Response to the Timing of Income: Evidence from a Change in Tax Withholding," *The American Economic Review*, Vol. 85, No. 1, March 1995, pp. 274-283.

第6章　政府負債と財政赤字　　205

機会を増やすことに抵抗感があることを示唆している.

　バローの分析によると, 意思決定の単位として重要なのは, 有限の年数を生きる個人ではなく, 無限に存続する家族である. 個人は彼自身の所得に基づくのではなく, 彼の将来の家族構成員が得る所得に基づいて, どれだけ消費するかを決める. 赤字による減税は彼個人が生涯に受け取る所得を増やすかもしれないが, 彼の家族の所得総額を増やすわけではない. そのため, 彼は減税による所得の増分を消費せずに貯蓄して, 将来, 税を負担する子どもたちへの遺産として残すであろう.

　いまや, 政府負債についての論争は, 実は消費者行動についての論争であることがわかる. リカード派の見解では, 消費者は長期的な視野を持つと仮定している. バローによる家族の議論は, 消費者の時間的視野は, 政府と同じように事実上無限だということになる. しかし, 消費者が将来世代の税負担を前もって考慮に入れない可能性もある. 彼らは多分, 子どもたちは自分たちよりもはるかに裕福になると考えて, 子どもたちの負担によって自分の消費機会が増えることを歓迎する. 多くの人々が子どもたちに遺産をまったく, あるいはきわめて少額しか残さないという事実は, この仮説と符合している. こうした遺産ゼロの家族に対しては, 赤字による減税は世代間に富を再分配することによって消費を変更する.[4]

選　　　択

　政府負債に関する伝統的な見解とリカード派の見解を考察したので, あなたは次の2つの問題を考えなければならない.

　第1に, あなたはどちらの見解に同意するだろうか. もし, 政府が財政赤字によっていま減税をして, 将来増税をすれば, この政策は経済にどのような影響を与えるだろうか. 伝統的な見解が主張するように, 消費を刺激するだろうか. それとも, 消費者は生涯所得が不変だということを理解して, 民間貯蓄を増やすことで財政赤字を相殺するだろうか.

　第2に, あなたがその見解を支持する理由は何だろうか. もし政府負債に

---

[4]　Robert J. Barro, "Are Government Bonds Net Wealth?" *Journal of Political Economy*, Vol. 82, No. 6, 1974, pp. 1095-1117.

206 第2部 マクロ経済理論とマクロ経済政策のトピックス

コラム　　　　　　　　　　　　　　　　　　　　　　　　　　**Column**

リカードの等価命題とリカード

　デビッド・リカードは裕福な株式仲買人であり，また歴史上最も偉大な経済学者の1人である．彼の最も重要な貢献は1817年の『経済学及び課税の原理』であるが，そこで彼は比較優位の理論を展開し，経済学者はいまでもそれを国際貿易の利益を説明するのに使っている．リカードはまたイギリス議会の議員でもあり，議会では自分の理論を用いて，穀物の国際取引を制限する穀物法に反対した．

　リカードは政府が支出を賄う代替的な方法に関心を持っていた．1820年の"Essay on the Funding System"という論文で，彼は2000万ポンドの費用がかかる戦争の例をあげている．利子率が5％であれば，この支出は2000万ポンドの1回限りの課税か100万ポンドの永久税，あるいは45年間の120万ポンドの課税で賄うことができると指摘した．彼は次のように書いている．

　　「経済の観点からは，次のいずれの方法も実質的な違いはない．つまり1回限りの2000万ポンドの支払い，永久に続く年100万ポンドの支払い，あるいは45年間の120万ポンドの支払いは正確に同じ価値を持つ．」[5]

リカードはこの問題が世代間のつながりに関わることに気づいていた．

　　「2万ポンドやその他の金額を持つ人に，年50ポンドの永続的な支払いと1000ポンドの1回限りの支払いが同じ負担だということを納得させるのは難しいであろう．彼は年50ポンドを支払うのは彼の子孫で，自分ではないことにうすうす気づいているかもしれない．しかし，もし彼が財産を息子に残すとして，それに永久税が課せられるのであれば，息子に税付きで2万ポンドを残すのと税なしで1万9000ポンド残すのとは，どう違うというのだろうか．」

　リカード自身は政府収入のこれらの代替的な方法が同等であると考えていたが，他の人々も同じように考えるとは思っていなかった．

5）　訳者注：正確には「45年間の112万5235ポンドの支払い」が正しい．

第 6 章 政府負債と財政赤字 **207**

> 「税金を払う人々は，……それに見合った私的な管理をしていない．われ
> われは戦争の負担をその時点で徴収される税額の大きさだけから感じるので
> あり，この税がどれだけの期間継続するかなどと考えたりはしないのであ
> る．」

このようにリカードは，将来の税負担を前もって充分に考慮するほど人々は
合理的だとも将来予見的だとも考えていなかった．
政策立案者としては，リカードは政府負債を深刻に受けとめていた．イギリ
ス議会でリカードは次のように言明している．

> 「わが国は世界で最も幸福な国になり，その繁栄の進展は想像を絶するも
> のになるであろう．ただし，国債と穀物法という 2 つの大悪魔を退治すれば
> の話であるが．」

リカードが現在自分の名前を冠されている理論を否定していたというのは，
経済思想史上の最大の皮肉の 1 つである．

関する伝統的な見解に同意するのであれば，その理由は何か．いまの政府借
入の増大が明日の増税を意味することを消費者が理解していないからだろう
か．それとも，借入制約に直面していることによって，あるいは税金負担が
増える将来世代との経済的な結びつきを感じないために，消費者が将来の課
税を無視するからだろうか．あなたがもしリカード派の見解を支持するなら，
その理由はいまの政府借入が彼らや彼らの子孫に対する将来の課税であると
消費者が予見すると考えるからだろうか．消費者は将来の租税負担を賄うた
めに追加所得を貯蓄にまわすと確信するからだろうか．
政府負債に関するこの 2 つの見解に決着をつけるために，役に立つ証拠は
ないのだろうか．巨額の財政赤字に関する歴史上のエピソードを経済学者が
調べてみると，証拠はそれほど確定的ではない．
たとえば，1980 年代の経験を考えてみよう．1981 年のレーガン減税に起因
する巨額の財政赤字は，政府負債に関する 2 つの見解を検証する生きた実験
材料を提供している．一見すると，このケースは伝統的な見解を支持してい
るように思える．巨額の財政赤字が，少ない国民貯蓄，高い実質利子率，巨

額の経常赤字を伴って生じたからである．政府負債に関する伝統的な見解の支持者は，この経験は彼らの見解を裏づけるものだとしばしば主張している．

しかし，政府負債に関するリカード派の見解を支持する人々は，この出来事に別の解釈を与える．1980年代の貯蓄が少ないのは，おそらく，将来の成長を人々が楽観的に考えていたからで，この見解は株式市場が好況であったことにも表れている．あるいは，貯蓄が少ないのは，減税が結局は増税ではなく，レーガンが約束したように，政府支出の削減に結びつくと人々が予想したからかもしれない．どちらの解釈も排除することは難しいので，政府負債に関する2つの見方はいまも両方が生き残っているのである．

6-5 政府負債の他の側面

政府負債に関する政策的な議論は他にもさまざまな論点をはらんでいる．これまでは政府負債の伝統的な見解とリカード派の見解をみてきた．伝統的な見解では，政府の財政赤字は短期的には総需要を拡大し，生産を刺激するが，長期的には資本のクラウディング・アウトを発生させて，成長を抑制する．リカード派の見解では，消費者は財政赤字が税負担のたんなる先送りにすぎないことを知っているので，このような効果を持たない．これら2つの理論を念頭に，次に政府負債のいくつか他の側面を考えることにする．

均衡財政か最適な財政政策か

アメリカ合衆国では多くの州が州法で州政府に均衡財政を求めている．政治論争で絶えず繰り返される議論は，アメリカ憲法は連邦政府にも同じように均衡財政を要請すべきかどうかである．経済学者のほとんどは，政府に厳格な均衡財政を求めるルールに対しては反対である．最適な財政政策がときには財政赤字を，ときには財政黒字をもたらす理由には次の3つがある．

安定化 財政赤字や財政黒字は経済の安定化に役立つ．経済が不況に突入すると，税収が自動的に減り，移転支出が自動的に増大する．これらの自動的な反応は経済の安定化に役立つが，それは財政赤字をもたらす．厳格な均衡財政ルールでは不況期に増税や支出の削減を求めることになるが，これら

は総需要を押し下げ，景気後退を深化させることになる．つまり，均衡財政は課税や移転支出のシステムが持つ自動安定化の役割を無効にするのである．

租税の平準化　財政の赤字や黒字は租税制度に起因するインセンティブのゆがみを減らすために用いることができる．すでに述べたように，高い税率は経済活動を抑制することで社会にコストを課すものである．たとえば，労働所得に対する課税は人々が働くインセンティブを弱める．このインセンティブの低下は高い税率ではかなり大きくなるので，租税を数年間は高くして，また数年間は低くするという政策よりも，税率を安定的に保つ政策のほうが租税の社会的コストを少なくできる．経済学者たちはこの政策を租税の平準化（tax smoothing）と呼んでいる．税率を平準化するためには，所得が通常よりも低い時期（不況）や，支出が通常より大きい時期（戦争期）には，赤字が必要になる．

世代間の再分配　財政赤字は税負担を現在世代から将来世代にシフトするのに用いることができる．たとえば，経済学者のなかには，現在世代が自由を守るために戦争を行うならば，それは将来世代にも利益になるので，彼らもその負担のいくらかを担うべきだと主張する．現在の世代は戦争コストのいくらかを財政赤字で賄って次世代にまわすことができる．政府は次の世代に課税することで負債を償還する．

これらのことを考慮して，経済学者たちは厳格な均衡財政のルールを否定する．少なくとも財政政策のルールは，不況や戦争など，政府が財政赤字を出すのが妥当な時期に繰り返し起こるエピソードを考慮すべきである．

金融政策に対する財政の効果

1985年，連邦準備制度理事会のポール・ボルカーは議会で次のように述べた．「財政赤字の現状および今後予想される大きさは……マネーサプライをコントロールして，インフレーションを抑制するわれわれの能力に対する疑念を高めている．」10年後，彼の後継者であるアラン・グリーンスパンは「アメリカ合衆国で長期的に予想される赤字を大幅に減らすことは，長期的

なインフレ期待を著しく引き下げるであろう」と言明した．連邦準備制度理事会のこの2人の議長は明らかに財政政策と金融政策の結びつきを認識している．

われわれは第Ⅰ巻第5章でこのような可能性を議論した．そこでみたように，政府が財政赤字を賄う1つの方法は，たんに紙幣を印刷することであるが，それはインフレ率の上昇をもたらす．実際，ハイパーインフレーションを経験した国々をみると，その典型的な理由は政策立案者が支出の一部をインフレ税に依存したことである．ハイパーインフレーションの終息は，ほとんどつねに財政再建と同時であり，財政支出の大幅な削減，貨幣発行による収入の必要性の低下と合致している．

この財政赤字とインフレーションの結びつきに加えて，一部の経済学者は，高水準の負債が存在すると政府はインフレーションを起こす誘惑にかられる可能性があると主張してきた．というのは，ほとんどの政府負債は名目値なので，物価水準が上昇すると負債の実質価値が下落するからである．これは予想外のインフレーションによる通常の貸し手と借り手の間の再分配であり，この場合，借り手は政府で貸し手は民間部門である．しかもこの借り手は他の場合と違って，紙幣の印刷機を自由に使うことができる．巨額の負債は紙幣を増刷して，物価水準を上昇させて，負債の実質価値を低下させようという気持ちを政府に起こさせるかもしれない．

政府負債と金融政策の間のこのような結びつきが懸念されるにもかかわらず，ほとんどの先進諸国でこれが重要であるという証拠はあまり観察されていない．たとえばアメリカでは，1970年代の負債-GDP比率は低かったが，インフレ率は高かった．金融政策の立案者は1980年代初頭にインフレーションを抑え込んだが，それはちょうど財政政策の立案者が巨額の財政赤字を出して政府負債を増やし始めた時期であった．2019年には負債-GDP比率は歴史的基準からみて高かったが，インフレーションは連邦準備銀行が予告した2%の目標を少し下回った．このように，古典的なハイパーインフレーションのときのように，金融政策が財政政策に引っ張られることが場合によってあるかもしれないが，いくつかの理由から，今日ではほとんどの国でこのようなことは一般的ではない．第1は，たいていの政府は国債の発行で赤字を賄うことができるので，貨幣発行に頼る必要がない．第2に，中央銀行は政

治的圧力に抵抗できる十分な独立性を持っていることが多い．第3に，ほとんどの政策立案者が，インフレーションは財政問題の解決策として望ましくないことを認識しているからである．[6)]

負債と政治的プロセス

　財政政策は，慈悲深い全知全能の天使によってではなく，不完全な政治的プロセスに携わる政府職員によって実施されている．一部の経済学者は，借金で政府支出を調達できることが，政治的プロセスをさらに悪化させると心配している．

　この考えの歴史は古い．19世紀のスウェーデンの経済学者クヌート・ウィクセルは，もしある政府支出の便益がコストを上回るなら，当然，有権者の一致した支持を得てその支出が可能になると主張している．ウィクセルは，政府支出はそれが事実上満場一致に近い支持を得たときにのみ実施されるべきだと結論した．しかし，借金による資金調達の場合には，「増税を決める議会に，（将来の税負担者の）利害がまったく示されないか，不十分にしか示されない」と心配した．

　もっと最近では，多くの経済学者が繰り返しこの問題を取り上げている．1977年の『赤字財政の政治経済学』という本で，ジェームズ・ブキャナンとリチャード・ワグナーは，「均衡財政には政策立案者に公共支出の実質コストを意識せざるをえなくさせる効果がある．つまり財政選択の『無から有を生ずる』という幻想を払拭することになる」という理由から，財政政策における均衡財政ルールを支持すると述べた．同様に，マーティン・フェルドシュタイン（ロナルド・レーガン大統領の経済問題のアドバイザーで，財政赤字の古くからの批判者）は「財政をバランスさせなければならないという『厳しい財政制約』のみが」，政治家に政府支出の「便益が真にコストに見合うものか」の判断を強制できると述べた．

　こうした議論を経て，一部の経済学者は議会に均衡予算の可決を求める憲法改正を支持することになった．多くの場合，これらの提案には，戦争や不

---

6)　物価水準についての財政理論の最近の研究は金融政策と財政政策のつながりを再び強調している．たとえば，Christopher A. Sims, "Paper Money," *The American Economic Review*, Vol. 103, No. 2, April 2013, pp. 563-584をみよ．

況のように，財政赤字が合理的な政策対応になる国家的緊急事態の際の回避条項が含まれている．この提案を批判する人は，たとえ回避条項があるとしても，このような憲法改正は政策立案者の手を厳しく縛りすぎると批判する．また経済学者のなかには，議会は会計上のトリックによって均衡予算の制約を簡単にすり抜けることができると主張する人もいる．これらの議論から明らかなように，均衡予算条項が望ましいかどうかの論争は，経済問題であると同時に，政治問題でもある．

国 際 的 側 面

　政府の負債は世界経済におけるその国の役割にも影響する．最初に第Ⅰ巻第6章でみたように，政府の財政赤字が国民貯蓄を減らす場合，貿易赤字が生じて，次にそれは海外からの借入で賄われる．たとえば，多くの人は最近のアメリカが世界経済の主要な貸し手から主要な借り手に転換したことをアメリカの財政政策のせいだと非難している．この財政赤字と貿易赤字の結びつきは，さらに次の政府負債に起因する2つの影響をもたらす．

　第1に，高水準の政府負債はその国からの資本逃避のリスク，すなわち国際金融市場でその国の資産に対する需要が突然減少するリスクを高めることになる．グローバルに活動する投資家は，政府はいつでもデフォルト（債務不履行）によって借金を処理することが可能なことを知っている．この方法ははるか昔，1335年にイギリス王エドワード3世がイタリアの銀行家への負債をデフォルトしたときまで遡る．もっと最近では，1998年にロシアは負債のデフォルトを行い，2001年にはアルゼンチンが同じことを行った．政府負債の規模が大きくなればなるほど，デフォルトへの誘惑が大きくなる．したがってグローバルに活動する投資家は，政府負債が大きくなるにつれて，デフォルトを恐れて貸付を減らすようになる．この信頼の喪失が突然生じると，その結果は，通貨価値の崩壊と利子率の上昇という典型的な資本逃避の症状となるだろう．第Ⅰ巻第11章で論じたように，これはデフォルトが起こりそうに思えた1990年代初期にメキシコが陥った状況である．

　第2に，巨額の政府負債が外国からの借入で賄われていると，国際問題に関するその国の政治的影響力を弱めるかもしれない．経済学者ベンジャミン・フリードマンは1988年に書いた『アメリカ最後の選択』でこの懸念を強

調した．彼は，「世界に対する支配力と影響力は歴史的に債権国に帰属してきた．アメリカが，債務国から……世界の諸外国に投資資金を供給する債権国に転換したことと時期を同じくして，世界の大国として登場したことは偶然の一致ではない」と書いた．フリードマンも，もしアメリカがこのまま巨額の貿易赤字を出し続ければ，最終的には国際的影響力の相当部分を失うことになると示唆している．ここ数十年は，この仮説を支持するような事実はない．アメリカは現在，世界の金融市場で大きな債務者となっているが，それにもかかわらず世界の指導的なスーパーパワーであり続けている．しかし多分それはソ連の崩壊のような他の出来事が，アメリカの債務増大で生じた政治的威信の低下を相殺したからであろう．

6-6 結論

　財政政策と政府負債は世界規模で政治経済を議論する場合の中心問題である．本章では政治的な意思決定の背後にある問題のいくつかを議論してきた．これまでみてきたように，経済学者は政府負債がもたらす影響や，どのような財政政策が最善であるかについて，つねに意見が一致しているわけではない．そして，もちろん，経済学者は財政政策の立案や施行を担当するわけでもない．この役割は選挙で選ばれたわれわれのリーダーが担うのであり，指導者がつねに経済学者の助言に従うとは限らない．

要約

1　アメリカ連邦政府の2019年の負債残高は，他の国と比較すると桁外れに悪くはないが，アメリカ自身の過去の歴史と比較して高かった．負債-GDP比率は2008～2009年までの大不況期に急激に増大したが，それは自動安定化策と裁量的な財政施策が政府の財政赤字を増大させたからである．2020年の新型コロナ不況を受けてさらに上昇すると予測された．

2　財政赤字の標準的な測定は財政政策の完全な測定になっていない．それは，インフレーションの影響を修正していない，政府負債の変化を政府資産の変化と相殺していない，いくつかの政府負債を省略している，

214 第2部 マクロ経済理論とマクロ経済政策のトピックス

また景気循環の影響を修正していないからである.

3 　政府負債に関する伝統的な見解によると，財政赤字による減税は消費者の支出を刺激し，国民貯蓄を減らす．この消費者支出の増大は総需要と所得を短期的に増大させるが，長期的には資本ストックと所得を減少させる.

4 　政府負債に関するリカード派の見解によると，財政赤字による減税は消費者の生涯所得を増やさないので，消費支出を刺激することはない．それはたんに現在から将来へ租税を転嫁したにすぎない．政府負債の伝統的な見解とリカード派の見解の論争は，結局は消費者がどのように振るまうのかに関する論争である．消費者は合理的に将来を予測するのか，それとも近視眼的か，彼らは借入制約に直面しているのか，彼らは将来世代と利他的な遺産相続を通じて経済的に結びついているのか．政府負債に対する経済学者の見解は，これらの質問にどう答えるかにかかっている.

5 　ほとんどの経済学者は厳格な均衡財政ルールには反対である．財政赤字はときどきは，短期の経済安定化や租税の平準化，あるいは租税負担の世代間移転といった根拠から正当化されうる.

6 　政府負債は他にもさまざまな副次的な影響を持ちうる．巨額の政府負債や財政赤字は金融拡張を過度に刺激し，その結果，高いインフレーションをもたらすかもしれない．財政赤字が可能だということは，政治家が政府支出や租税を決めるときに将来世代に不当に負担を負わせる誘因になるかもしれない．政府負債が高水準になると，資本逃避のリスクを生み，世界におけるその国の影響力を弱めるかもしれない．これらの影響のうち，どれを最も重要だと考えるかは経済学者によって異なる.

))))) キーワード (((((

資本予算　　景気調整財政赤字　　リカードの等価命題　　租税の平準化

第6章 政府負債と財政赤字　215

＜　＜　＜　＜　＜　確認問題　＞　＞　＞　＞　＞

1　アメリカの歴史において，政府負債が大幅に増加する最も一般的な原因は，

a　不況による税収の減少であった.

b　減税で成長を促進するサプライサイドの政策であった.

c　政府支出の大幅な増大をもたらす戦争であった.

d　高齢者に所得と医療を提供する資格を与えるプログラムであった.

2　インフレ時には，政府支出に国債の＿＿利払いが含まれるため，政府の財政赤字が＿＿計上される.

a　名目，過大に

b　実質，過大に

c　名目，過少に

d　実質，過少に

3　政府負債の伝統的な見解では，借金による減税は，

a　短期的にも長期的にも産出を増大させる.

b　短期的にも長期的にも産出を減少させる.

c　短期的には産出を増大させるが，長期的には減少させる.

d　短期的には産出を減少させるが，長期的には増大させる.

4　政府負債のリカード派の見解では，借金による減税は，

a　民間貯蓄を増大させるが，国民貯蓄を減少させる.

b　民間貯蓄を増大させるが，国民貯蓄に影響はない.

c　民間貯蓄に影響はないが，国民貯蓄を減少させる.

d　民間貯蓄にも国民貯蓄にも影響はない.

5　リカードの等価命題は次の場合は成り立たない.

a　政府が資本予算を採用する.

b　人々が近視眼的ではなく将来予見的である.

c　親が子どもたちに遺産を残したいと思う.

d　消費者が借入制約に直面している.

6　財政政策立案者が税を平滑化しようとしているならば，所得が通常よりも＿＿とき，あるいは政府支出が通常よりも＿＿ときは財政黒字が適

216 第2部 マクロ経済理論とマクロ経済政策のトピックス

切である.

a 高い, 高い
b 高い, 低い
c 低い, 高い
d 低い, 低い

＞＞＞＞＞ 復習問題 ＜＜＜＜＜

1 1980年から1995年のアメリカの財政政策で異常なことは何か.

2 なぜ多くの経済学者は財政赤字と政府負債が今後数十年間に増大すると考えているのだろうか.

3 政府の財政赤字の測定に影響を及ぼす4つの問題点を述べなさい.

4 政府負債に関する伝統的な見解によると, 財政赤字による減税は公的貯蓄, 民間貯蓄, 国民貯蓄にどのような影響を与えるだろうか.

5 政府負債に関するリカード派の見解によると, 財政赤字による減税は公的貯蓄, 民間貯蓄, 国民貯蓄にどのような影響を与えるだろうか.

6 あなたは, 政府負債に関する伝統的な見解とリカード派の見解のどちらがより信頼できると考えるか. その理由は何か.

7 財政赤字がよい政策選択となるかもしれない3つの理由をあげなさい.

8 政府負債の水準は, なぜ貨幣創造に関する政府のインセンティブに影響を与えるのだろうか.

＜＜＜＜＜ 応用問題 ＞＞＞＞＞

1 1996年4月1日, ファストフードのチェーン店タコ・ベルが『ニューヨーク・タイムズ』に次のような一面広告を載せた.「国家の負債を救う努力の一環として, タコ・ベルはわが国の最も歴史的な遺産の1つである自由の鐘の購入に合意したことを, ここに喜んでお知らせする. この鐘はこれから『タコ・自由の鐘』と呼ばれるが, 一般の人々が見学に訪れるのはこれまで同様可能である. これには賛否両論あるかと思うが, われわれはこの行動が, 他の企業が同じような行動をとり, 国の負債を

減らすためにそれぞれの役割を果たす一契機になることを望んでいる.」アメリカ企業のこのような行動は,現在測定されている国の負債を実際に減らすことになるのだろうか.その答えは,もしアメリカ政府が資本予算を採用すると,変わるだろうか.あなたは,このような行動が政府の負債状態を本当に減らすことになると考えるか.タコ・ベルのこの計画は本気だろうか(ヒント:日付に注意).あなたの答えに説明を加えなさい.

2 政府負債に関するリカード派の論理を説明して,その現実的重要性を評価したうえで,6-3節の上院議員に対する回答の手紙を書きなさい.

3 社会保障制度は労働者に課税をして高齢者に給付する.議会が課税と給付をともに引き上げるとしよう.また簡単化のため,議会はこの引上げは1年間限定だと公表するとしよう.

  a この変化は経済にどのような影響を与えるだろうか(ヒント:若者と高齢者の限界消費性向を考えなさい).

  b あなたの答えは各世代が利他主義的に結びついているかどうかに依存するだろうか.説明しなさい.

4 何人かの経済学者が,景気調整予算はつねに均衡されるべきだというルールを提案した.この提案を厳格な均衡予算と比較しなさい.どちらが望ましいだろうか.景気循環をとおして均衡するような調整を求める予算ルールにはどのような問題点があるだろうか.

5 図書館やインターネットを使って,最近のアメリカの負債-GDP比率の将来推計を調べなさい.政府支出,租税,そして経済成長についてどのような仮定が置かれているだろうか.この仮定は合理的なものだろうか.アメリカがもし生産性の低下を経験すれば,現実はこの予測からどのように乖離するだろうか(ヒント:https://www.cbo.gov. を参照するとよい).

Chapter 7

第 **7** 章

金融システム：
好機と危機

●

「CRISIS という言葉は，漢字では 2 文字で表される． 1 つは危険を意味し，もう 1 つは好機を意味する．」

――ジョン・F・ケネディ

　2008～2009年に，アメリカ経済は歴史的な危機を経験した．これまでの諸章で論じてきたように，住宅価格の低下が多くの金融機関に困難をもたらすこととなり，当時としては1930年代の大恐慌以後で最悪の景気後退につながったのである．この出来事は，金融システムと経済全体との間に存在する複雑な関係の，明確な証拠である．ウォール街がくしゃみをすると，経済は風邪をひいてしまうのである．

　本章では，経済と金融システムとの間の関係を，より深く吟味する．金融システムとは何なのか，それがどのように機能するかを論じる．短期的な経済安定性と長期的な経済成長とに責任を持つ政策立案者たちに対して金融システムが提示する課題についても，検討しよう．

　金融システムは，本書を通じて開発してきたマクロ経済理論の随所に存在していた．第Ⅰ巻第3章では，貸付資金の供給（一国の貯蓄から生まれた）と貸付資金の需要（投資目的）とを論じた．第Ⅱ巻第1章と第2章では，ソロー・モデルを用いて，長期的な経済成長の源泉を調べた．そのモデルにおいても，金融システムはバックグラウンドに存在して，経済の貯蓄が投資と資本蓄積にあてられるのを保証していた．

　金融システムは，われわれの短期分析にも存在していた．第Ⅰ巻第9章と第10章の *IS-LM* モデルでは，財市場と貨幣市場の間を利子率がつないでいた．あのモデルでは，利子率によって，貨幣所有のコストと投資支出を賄う

220　第2部　マクロ経済理論とマクロ経済政策のトピックス

資金借入のコストの双方が規定されていた．したがって，利子率こそが，財・サービスへの総需要に金融政策が影響する経路の中核変数であったのである．

　金融システムをより詳しく学ぶことで，経済の成長や変動に関する分析をより豊かなものにすることができる．金融システムは貸付資金に関わる単一の市場だけではないうえに，単一の利子率だけではない諸価格が存在している．金融システムの複雑さは相当なものなので，経済学の一分野として金融論ができているほどである．本章は，金融論のうち，マクロ経済学の理解に必要な2つのトピックスに焦点を絞る．最初に，経済における金融システムの役割を吟味しよう．その後，金融危機の原因とそれへの政策対応について，検討しよう．

7 - 1 ｜ 金融システムは何をしているのか

　サムは，将来計画を立てる消費者である．彼は，立派に年収20万ドルを稼いでいるが，その全額を今年使おうとは計画していない．彼は，所得の一部を，引退生活や将来の休暇や子どもの学費や将来の不確実性への準備などのために残しておきたい．彼の所得のうち使わない部分は，一国の貯蓄に加わることとなる．

　アイビーは，ビジネスを始めようとしている起業家である．彼女は人形に関するアイディアを持っていて，世界中の子どもを魅了するだろうから，とても儲かるだろうと考えている．彼女のアイディアを現実のものとするためには，彼女はある程度の諸資源（プラスチック，金型，布，ミシンや製造作業を行うための建物）を必要としている．アイビーがそうした資本財を購入することは，一国の投資に加わることになる．

　まとめると，サムは貯蓄しようと思う所得がいくらかあって，アイビーは投資向けのアイディアを持っているが，それを賄う資金が十分でないかもしれない．問題の解決策は明白である．サムがアイビーの起業を賄えばよい．金融システム（financial system）とは，経済のなかにおける貯蓄者と投資者の間の資金融通を助ける機関の名称である．つまり，金融システムは，サムのような人々とアイビーのような人々とをつなぎ合わせるのである．

投資資金の調達

本書のほとんどにおいて，金融システムは，貸付資金に関する単一市場であるかのように扱われてきた．サムのようにいますぐの消費に使わない所得を持っている人々は，自分たちの貯蓄を貸付資金市場に持ち込んで，その資金を他の人々に貸し付けようとする．アイビーのように実行したい投資計画を持っている人々は，その市場で借り入れることで自分の投資を賄おうとする．このシンプルなモデルでは，単一の利子率が調節されて，投資と貯蓄とを均衡させていた．

現実の金融市場は，かなり複雑である．シンプルなモデルと同様に，そのシステムの中心機能は，貯蓄をさまざまな形態の投資へとつなぐことである．しかし，そのシステムには，資源の移転を容易にするような多様なメカニズムが含まれている．

金融システムの一部分は，一群の金融市場（financial markets）から構成されており，それらの市場を通じて，家計は投資向けの資金を直接的に提供することができる．2つの重要な金融市場がある．1つは債券（bond）の市場であり，もう1つは株式（stock）の市場である．債券は，債券保有者から企業向けの貸付を体現している．株式は，株式保有者の企業に対する所有権を表している．つまり，アップルの発行した債券を購入した人は同社に対する債権者となり，アップルの新規発行株式を購入した人は同社の部分的な所有者となる（なお，株式市場における株式の売買は，部分的な所有権の販売者から購入者への移転を意味しているが，新たな投資プロジェクトへの新規資金を提供してはいない）．債券発行による資金調達はデット（負債）・ファイナンス（debt finance），（新規）株式発行による資金調達はエクイティ（株式）・ファイナンス（equity finance）と，呼ばれている．負債と株式とは，自分の資金が誰の投資を賄うかを貯蓄者が知っているので，直接金融の形態である．

金融システムのもう1つの部分は，一群の金融仲介機関（financial inter-mediaries）から構成されており，それらを通じて間接的に，家計が諸投資に資源を提供することができるようになっている．用語から想像されるように，金融仲介機関は資金市場の両サイドの中間に位置して，金融資源を最良の使途に振り向けることを助ける．商業銀行が最もよく知られた金融仲介機

関である.[1] 貯蓄者から預金を受け取って，資金調達すべき投資プロジェクトを有している人々に貸し付けている．他のタイプの金融仲介機関としては，投資信託，年金基金，保険会社などがある．こうした仲介機関が関与する場合，そうした資金調達は間接金融の形態であるとみなされる．自分の資金が誰の投資プロジェクトを賄っているのかを，貯蓄者が知らないからである．

　前の例に戻ると，サムとアイビーは，こうした機会のどれでも利用することができる．彼らが互いに知り合いであれば，アイビーはサムから直接に資金を借りて，彼にローンの利子を支払うことができる．この場合，彼女は彼に債券を販売したのと同じである．あるいは，サムの資金と引換えに，アイビーは彼に自分の新規ビジネスの部分的な所有権を渡すこともできる．そうすれば，彼は将来の利潤の一部を受け取ることができる．この場合，彼女は彼に株式を販売しているのと同じである．また，サムは自分の貯蓄を地元の銀行に預金することもできる．そうすれば，その銀行が資金をアイビーに貸すことになるだろう．この最後の場合，彼は彼女の新規ビジネスを間接的に賄っていることになる．彼と彼女とは直接に会ったことがないかもしれないし，お互いの存在すら知らないかもしれない．これら3つのどの場合も，サムとアイビーは，相互にプラスとなる取引に関与している．サムは自分の貯蓄への収益を得る方法をみつけており，アイビーは自分の投資プロジェクトを賄う方法をみつけているのである．

リスク・シェアリング

　投資は，本質的にリスクを伴うものである．アイビーの新しい人形は，玩具の世界における次の大ヒットになるかもしれないが，まったく受けないかもしれない．他のどの企業とも同じように，アイビーは自分の新規ビジネスが儲かると予想して起業するわけだが，彼女もその結果に対して確信を持っているわけではない．

---

1)　本章を通して銀行とは商業銀行を指す．最もなじみの深いタイプの銀行である．対照的に，投資銀行とは企業や政府による有価証券の新規発行を助ける金融機関である．他にも企業買収（M&A）のコンサルティングなどの業務も手がける．投資銀行は商業銀行とは異なる事業を営むが，被保険預金を扱わないことから規制監督も商業銀行と比べると厳しくない．

金融システムの機能の1つに，リスクの分配がある．アイビーがサムに株式を販売すると，彼女は自分のビジネスのリスクを彼と共有することになる．彼女の人形ビジネスが儲かれば，彼も利潤の一部を受け取ることになる．そのビジネスが損失を出せば，彼もともに損失に直面することになる．アイビーは危険回避的（risk averse）だろうから，すべてのリスクを自分で抱え込むよりも，リスクを共有することに積極的だろう．いい換えると，自分の将来の経済的パフォーマンスの不確実性を，彼女は好まないことになる．サムも，自分の貯蓄をより安全な資産に運用した場合の収益よりも，この新規ビジネスに投資した場合の収益のほうが高いと予想すれば，一定のリスクを引き受けようとするだろう．このようにして，エクイティ（株式）・ファイナンスによって，起業家と貯蓄者とは，起業家の投資プランに伴うリスクと収益とを共有することができるのである．

さらに，貯蓄者の富を多様なビジネスに分散させることによって，彼らのリスクを減少させることを，金融システムは可能にする．サムはアイビーの人形ビジネスにリスクが伴うことを知っているから，彼が賢ければ，彼の貯蓄の一部しか彼女のビジネスの株式購入にあてないであろう．彼は，アイスクリーム店を開こうとしている友達，エステバンからも株式を購入することができる．エクソンモービル，アップルやメタといった大会社の株式を買うこともできる．アイビーの人形ビジネスの成功は，エステバンのアイスクリーム店の成功や，エクソンモービル，アップルやメタからの収益と不完全にしか相関しないだろうから，サムは自分の富を散らすことでリスクを低下させることができる．不完全にしか相関していない資産を保有することでリスクを低下させることを，分散投資（diversification）と呼んでいる．

多様な金融機関が分散投資を助けている．最も重要なものが投資信託である．投資信託（mutual fund）は，貯蓄者に株式を販売して得た資金を用いて，一群の多様な資産を購入する．少額貯蓄者であっても，たとえば1000ドルを投資信託に投資すれば，数千もの企業の部分的所有者となることができる．そうした多数の企業のパフォーマンスは相互に不完全にしか相関していないから，1000ドルを投資信託に投資することは，同じおカネで単一の企業の株式を購入するよりも安全なのである．

しかし，分散投資のリスク軽減には限界がある．経済現象のなかには，多

くのビジネスに同時に影響するようなものもある．そうしたリスクは**システマティック・リスク**（systematic risk）と呼ばれている．たとえば景気後退はほとんどの製品への需要を低下させてしまうので，多くの企業の収益を低下させてしまう．分散投資でもこうしたタイプのリスクは軽減できない．それでも，分散投資は個々のビジネス固有のリスク，アイビーの人形やエステバンのアイスクリーム店が受けるかどうかといった**個別リスク**（idiosyncratic risk）のほとんどを除去することができる．こうした理由から，サムのような貯蓄者にとっては，どの単一の企業の株式に対しても配分する金額を制限しておくことが，賢い選択なのである．

非対称情報への対処

　サムがアイビーのベンチャー・ビジネスへの資金提供を検討するにあたって，1つの大きな疑問があった．彼女の会社は成功するだろうか，という疑問である．サムが彼女にエクイティ（株式）・ファイナンスを提供すれば，彼は将来の利潤の一部を獲得することになるので，彼女のビジネスの将来が決定的に重要である．デット（負債）・ファイナンスをすると，サムは少し安全になる．債券保有者は，株式保有者よりも先に，優先して支払いを受けることができるからである．それでも，アイビーのビジネスの成否は重要である．人形ビジネスが失敗に終われば，アイビーはローンの返済もできないかもしれない．つまり，彼女は破産してしまうかもしれない．そうなればサムは，約束された利子を受け取ることができないだけでなく，貸し付けた元本そのものも失ってしまうかもしれない．

　さらに都合が悪いことには，アイビーのほうがサムよりも，自分自身や自分のビジネスについてよく知っている．取引の一方がもう一方に比べて取引に関する多くの情報を持っている状況に対して，経済学者は非対称情報（asymmetric information）という用語を用いている．非対称情報には，2つのタイプがある．サムがアイビーのベンチャーへの資金提供を考慮するにあたって，どちらも影響しうるものである．

　第1のタイプの非対称情報は，特徴についての隠された知識に関わっている．アイビーの人形のデザインは，広くアピールできるようなものだろうか，あるいはニッチな製品になりそうだろうか．人形の市場は，新製品を歓迎す

第7章　金融システム：好機と危機　　225

る状態にあるのだろうか，あるいは，既存品でいっぱいだろうか．アイビーは，起業家としての才能がある女性だろうか．こうした質問に対して，アイビーのほうがサムと比べると，より確かな回答を持っているだろう．資金提供者に比べて，自分の投資プランがよいものかどうかについて，起業家のほうがより多くの情報を持っていることが通例なのである．

　この状況では，サムは，逆選択（adverse selection）問題を心配しなければならない．第Ⅰ巻第7章の異なる文脈でみたように，逆選択とは，より情報の多い人々（ここでは起業家）が，より情報の少ない人々（ここでは資金提供者）を不利にしてしまうような選別を，自分たちで行うことである．この例においては，あまりうまくいきそうにないベンチャー・ビジネスばかりに資金提供する機会を与えられるのではないかと，サムは懸念することになるだろう．アイビーが自分のアイディアにもっと自信を持っているなら，自分の貯蓄をもっと多く使ってでも，自分で資金を賄おうと頑張るだろう．サムに資金提供とリスクの一部共有を依頼していることそのものが，彼の知らない何か拙いことを彼女が知っていることを示唆しているのではないだろうか．結果として，サムは心配するべき理由を持つことになる．

　第2のタイプの情報非対称性は，行動に関する隠された情報に関わっている．サムから資金を調達した後に，アイビーはさまざまな意思決定をしなければならない．彼女は，そのビジネスのために長時間働くか，あるいは早めに切り上げて友人とテニスをするだろうか．調達した資金を最も収益性の高い使途に用いるだろうか，あるいは，自分用の贅沢なオフィスと高級な社用車のために使うだろうか．アイビーは，自分のビジネスに最もプラスになるように行動すると約束することができるが，彼女がそうしているかを確認することは，サムには難しい．毎日，彼女の人形会社に滞在して，彼女のすべての行動を観察するわけではないからだ．

　こうした場合に生じる問題は，モラルハザード（moral hazard）と呼ばれている．完全にはモニター（監視）されていない代理人が，不正直だったり不適切だったりする行動をとることをいう．とくに，他人の資金を投資に用いている起業家は，自己資金を用いている起業家と比べると，投資プロジェクトへの注力が劣るようになるかもしれない．いったんサムの資金を入手してしまうと，アイビーはより楽な生活を選択してしまうかもしれない．モラ

ルハザードに屈してしまうと，会社の収益性を低下させてしまい，負債に対して返済不能となるリスクを高めることになる．

　金融システムには，逆選択やモラルハザードの影響を軽減するような，さまざまな制度や機関が存在している．銀行は，そのなかで最も重要なものである．銀行ローンを申し込もうとすれば，申請書を書くことになる．申請書では，ビジネス計画，職歴，過去の貸借，犯罪歴や，他の金融的・個人的な特徴に関する，数多くの質問に答えさせられる．ビジネス評価の訓練を受けたローン担当者によって申請書は審査されるので，銀行は隠された特徴をかなり明らかにすることができることとなり，逆選択問題のかなりを回避できるだろう．さらに，モラルハザード問題を軽減するために，銀行ローンには貸し付けられた資金の使途に関する制限を設けたり，貸付後にもローン担当者がビジネスを監視したりしている．そうした結果として，サムとアイビーが互いに知人であっても，アイビーに直接的に貸し付けるよりも，サムは銀行に預金して，その銀行がアイビーのようなさまざまな起業家に貸し付けるほうが，合理的なのである．銀行は仲介機関としての機能に対して手数料を課しており，それは銀行が受け取るローン金利と銀行が支払う預金金利との間のスプレッドに表れている．銀行は，情報の非対称性に基づく問題を軽減することで，手数料を得ているのである．

経済成長の促進

　第Ⅱ巻第1章と第2章においてソロー・モデルを用いて，長期的な経済成長を規定する諸要因を吟味した．ソロー・モデルにおいては，一国の貯蓄が長期均衡の資本ストックの水準と1人当たり所得の長期均衡水準を決定していた．一国がより多く貯蓄するほど，その労働が使用することのできる資本ストックは増大し，生産量も増大して，国民が享受する所得も増大したのである．

　ソロー・モデルでは単一の資本財しか存在しないという単純化の仮定を置いていたが，現実の世界においては，多様な投資プロジェクトを抱えた数千もの企業が，経済の有限の資源を使おうと競っている．サムの貯蓄はアイビーの人形ビジネスを賄うこともできるが，代わりに，エステバンのアイスクリーム店や，ボーイングの飛行機製造工場やウォルマートの小売店舗に資金

提供することもできる．金融システムは，経済の希少な貯蓄を，多くの潜在的な投資プロジェクトに配分する役割を担っている．

貯蓄の投資プロジェクトへの配分に必要なものが，市場の機能とアダム・スミスの見えざる手だけでよければ，理想的であろう．生産性や収益性が抜群に高い投資機会を持っている企業のほうが，より望ましくない投資機会しか持たない企業と比べて，ローンに対してより高い利子を喜んで払うだろう．したがって，貸付資金の需要と供給とを利子率が均衡させることができるなら，経済の貯蓄は潜在的な数多くの投資プロジェクトのうちの最良のものに配分されるだろう．

しかし，われわれがみてきたように，金融システムには非対称情報という障害があるので，そうした単純な理想論からはかけ離れている．銀行は逆選択とモラルハザードの問題を軽減はするものの，除去するわけではない．その結果として，起業家が投資プロジェクトを賄う資金を調達できずに，有益なプロジェクトが実施されないかもしれない．金融システムが経済の貯蓄を最良の使途に配分できないのであれば，経済の生産性も潜在的に可能な水準よりも低くなってしまうだろう．

政策を用いて，金融システムがうまく機能するように，助けることはできる．第1に，詐欺などの不正行為を罰することで，モラルハザードの問題を軽減することができる．アイビーがサムの資金を最良の使途に用いることを法律では保証できないにしても，会社の資金を彼女の生活費に用いたりすれば監獄送りにできるだろう．第2に，逆選択の問題も，何らかの情報公開を義務付けることで，緩和することができる．アイビーの人形ビジネスが十分に大きく成長すれば，証券取引所で株式発行をすることが可能となり，政府の監視機関（アメリカでは SEC，日本では証券取引等監視委員会）が，彼女の会社の収入と資産に関する定期的な報告書を発行することと，その報告内容が正式な会計士によって確認されることを要求するだろう．

司法機関の質が世界各国で異なっていることもあって，一部の国々は他の国々よりも優れた金融システムを保有している．その相違が，生活水準の相違の一因ともなっている．貧しい国々に比べて，豊かな国々は（経済規模に比しても）より大規模な株式市場や銀行システムを保有していることが多い．各国を比較する場合，因果関係を判別することは難しい．しかし，貧しい

228 第2部 マクロ経済理論とマクロ経済政策のトピックス

コラム Column

効率市場仮説かケインズの美人コンテストか

　企業が株式を発行した後，その株式は証券取引所で売買されて，需給に応じた価格がつくことになる．株価の変動が合理的であるか否かについては，いまも，経済学者の間で議論が続いている．

　経済学者のなかには，効率市場仮説（efficient markets hypothesis）に賛同する人たちがいる．それによると，企業の業績見通しについての現在の情報を所与とすると，企業の株式の市場価格は企業の価値の合理的な評価である．この仮説は次の2つの根拠に依拠している．

1. 主要な証券取引所に上場している企業は，多くの専門家のポートフォリオ・マネージャーによって厳密に注視されている．こうしたマネージャーたちは毎日，企業の価値を決めようとして新しい話題を監視している．彼らの仕事は株価が企業価値を下回ったときに株式を買い，株価が企業価値を上回ったときに売ることであるからである．
2. 株価は需要と供給の均衡によって付けられる．市場価格で販売に供される株数は人々が買いたいと思う株数に等しい．すなわち，市場価格においては，株式が過大評価されていると考えている人々の数と過小評価されていると考えている人々の数は等しいのである．

この理論によると，株式市場は情報効率的である．すなわち，資産の価値についての利用可能な情報をすべて反映している．情報が変化するときに株価は変化する．企業の見通しについてよいニュースが公開されるとその株価が上昇する．企業の見通しが悪化すると株価は下落する．しかし，いかなる時点でも，市場価格は企業価値の最善の推測となっている．

　効率市場仮説の1つの含意は，株価が**ランダムウォーク**（random walk）に従うはずであるということである．これは，株価の変化を予測することが不可能であることを意味する．もしある人が，公開された利用可能な情報を用いて株価が明日10%上昇するだろうと予測できるならば，株式市場は今日その情報を取り込み損ねているに違いない．株価を動かしうる唯一のものは，企業価値に対する市場の認識を変化させるニュースしかない．しかしそのようなニュー

スは予測不能であるに違いないし，そうでなければ，それは本当のニュースではないだろう．したがって，株価の変化もまた予測不能であるはずである．

では，効率市場仮説を裏づける証拠にはどんなものがあるだろうか．支持者たちが指摘するのは，市場に勝つことは難しいということである．統計的な検証では，株価はランダムウォークに従うか，少なくとも近似的に従うことがわかっている．さらに，（株式市場の指数に入るすべての企業の株式を買う）インデックス・ファンドの成果は，専門家の金融マネージャー（真の価値より低く売られている株を買おうとしている人）によって運用されるアクティブに管理される投資信託のほとんどのものよりも優れているという事実がある．

かなり多数の経済学者は株式市場はそれほど合理的ではないと考えている．こうした批判派は，株価の変動の多くはニュースに起因するとは考えにくいことを指摘する．売買に際して株式投資家は企業のファンダメンタルな価値にあまり注目せず，むしろ他の投資家たちが今後買いそうなものに注目するというのである．

ジョン・メイナード・ケインズはこうした投機を説明するために，有名な比喩を用いた．彼の時代に，いくつかの新聞は「美人コンテスト」を催した．そこでは，新聞に100人の女性の写真が掲載され，読者は最も美しい5人のリストを投票するように促された．賞品は他の参加者の総意に最もよく一致した投票をした読者に与えられた．単純な参加者は最も美しいと考える女性を選んだだろう．しかし，それより少し洗練された戦略は，他の人々が最も美しいと考える5人の女性を推測することになる．しかしながら，他の人々も同じ線に沿って考えているかもしれない．そこで，よりいっそう洗練された戦略は，他の人々は誰を最も美しいと考えていると思うか，と他の人々が思っている人を推測することである．そしてそれが繰り返し続く．最後には，コンテストで賞品を得るためには，真の美を判断することは，他の人々の意見についての他の人々の意見を推測することほど重要なことではなくなっているだろう．

同様に，株式投資家たちは最終的に株式を他の人たちに売るのであるから，企業の真の価値よりも他の人々による企業の評価のほうに関心がある，とケインズは推論した．彼の見解によると，最良の投資家は，大衆の心理の先を読み取るのに長けた人である．彼は，株価の変動はしばしば楽観と悲観の非合理的な波――これを投資家の**アニマル・スピリッツ**（animal spirits）と呼んだ――を映すと信じた．

> 株式市場に関する２つの見方は今日になってもそのまま続いている．経済学者のなかには，効率市場仮説の視点から株式市場をみる人たちがいる．他の経済学者たちは，非合理的な投機が常態であると信じている．彼らの見方では，株式市場はしばしば十分な理由なく変動する．そして，株式市場は財・サービスの総需要に影響するので，この株式市場の変動が短期の経済変動の源となっているのである．[2]

国々が貧しいままである一因は，それらの金融システムが貯蓄を潜在的に最良な投資に振り向けられていないことにあると，多くの経済学者は信じている．そうした国々は，金融システムの改善を目指して司法制度改革を行うことで，経済成長を促進できるだろう．それに成功すれば，よいアイディアを持った起業家がビジネスを立ち上げることがより容易になるだろう．

7-2 金融危機

本章ではここまで，金融システムがどのように機能するかを論じてきた．これからは，金融システムの機能が停止しかねない理由とそうした混乱のマクロ経済的波及効果について，論じていこう．

第Ⅰ巻の第８章と第12章において景気循環の理論を検討したときに，さまざまな種類のショックが短期的な変動を引き起こしうることを学んだ．消費者や企業の将来期待がシフトしたり，世界中の原油価格が上下動したり，金融・財政政策が突然変更されたりすることなどが，総需要か総供給（あるいはその両方）を変えてしまうのである．そうしたことが生じると，生産や雇用はそれぞれの自然率水準から乖離することとなり，インフレ率も上がったり下がったりする．

本節では，単一の種類のショックに焦点を当てる．**金融危機**（financial

---

[2]　効率市場仮説についての古典的な参考文献は以下である．Eugene F. Fama, "Efficient Capital Markets: A Review of Theory and Empirical Work," *The Journal of Finance*, Vol. 25, No. 2, 1970, pp. 383-417. これとは代替的な見解については以下を参照されたい．Robert J. Shiller, "From Efficient Markets Theory to Behavioral Finance," *Journal of Economic Perspectives*, Vol. 17, No. 1, Winter 2003, pp. 83-104.

crisis）は，金融システムにおける大きな混乱であり，経済における貯蓄主体と借入・投資主体との間を仲介する能力を低下させてしまう．金融システムの果たしている中枢的な役割からみると驚くには当たらないが，金融危機は広くマクロ経済に影響を及ぼす．歴史的にみても，深刻な景気後退の多くは，金融システムの問題の後に発生してきた．それらのなかには，1930年代の大恐慌と2008〜2009年の大不況も含まれている．

金融危機の分析

金融危機がみな似ているわけではないが，いくつかの共通点がある．肝要なことだけに絞ると，ほとんどの金融危機の中核には6つの要素が共通していた．2008〜2009年の金融危機が，それぞれの好例を提供してくれる．

1. **資産価格高騰（ブーム）と暴落（バスト）**　金融危機の前には，資産価格の高騰につながる楽観の期間があることが多い．しばしば，人々は資産価格をそのファンダメンタル価値（当該資産が生み出すであろうキャッシュフローの客観的な分析に基づく真の価値）以上にまで引き上げてしまう．そうした場合，その市場は投機的バブル（speculative bubble）状態にあるという．後に，そうした人々の期待が変化して楽観が悲観に取って代わられると，バブルははじけてしまい，資産価格は低下し始める．資産価格の低下は金融危機の触媒となる．

   　2008〜2009年の危機において，中心的な資産は居住用不動産であった．アメリカの平均住宅価格は2000年代前半に高騰していた．このブームの部分的な原因は，緩い貸出審査基準であった．多くの**サブプライムローンの借り手**（subprime borrower），とくに危険な信用履歴を持つ人々がローンを借りて，わずかの頭金支払いで住宅を購入していた．つまり，金融システムは非対称情報に対処することに失敗して，後に返済が難しくなる多数の借り手に対して住宅ローンを組ませたのである．住宅ブームの促進要因としては，住宅保有者を増やそうという政策もあり，また住宅価格は上がり続けるという住宅購入者の極端な楽観もあった．しかし，住宅ブームは持続不能であった．ときの経過とともに，住宅ローンの返済が遅れる住宅保有者が増えていき，住宅購入者の期待も変化して

しまった．住宅価格は2006〜2009年で30％低下した．アメリカにおいて，住宅価格のそれほどの大幅な低下は1930年代以来のことであった．

2. **金融機関の破綻**　資産価格の暴落は，銀行などの金融機関に困難をもたらしうる．借り手の返済を確実なものにするために，銀行はしばしば担保の提供を要求する．つまり，借り手が返済できない場合に銀行が獲得できるように，資産の提供を約束させるのである．しかし，諸資産の価格が低下してしまうと担保の価値も低下しがちであり，ローン金額以下になってしまうかもしれない．その場合，借り手が破産しても，銀行は資金を完全には回収できないことになる．

　第Ⅰ巻第4章で論じたように，銀行はレバレッジ（leverage）を多用している．借り入れた資金を投資に用いているのである．レバレッジは，銀行の財務状態に対する資産収益のプラス・マイナス効果を増幅してしまう．重要な数字はレバレッジ・レシオ，銀行資産の銀行資本に対する比率である．たとえばレバレッジ・レシオが20であれば，銀行の株主によって提供された資本1ドルごとに，銀行は（預金その他の形で）19ドルを借り入れており，20ドル分の資産を保有できていることになる．この場合，債務不履行によって銀行資産が2％低下したとすると，銀行資本の40％低下に相当することになる．銀行資産の価値が5％以上低下すると，（訳者注：銀行資本はすべて失われて）銀行の資産総額は債務総額を下回ることになる．そうすると，預金者などの債権者に対する返済に足る資金を，銀行は持っていないことになる．そうした銀行は債務超過に陥ったといわれる．金融システム内で破綻が広がることが，金融危機の第2の要素なのである．

　2008〜2009年に，多くの銀行や金融機関は不動産を担保とした住宅ローンを保有することで，不動産価格に関する賭けを背負い込んでいた．彼らは，住宅価格が上昇し続けるか，少なくとも低下しないと想定していた．そうであれば，彼らのローンの担保は資金回収に十分だからである．しかし，住宅価格が低下すると，多数の住宅保有者が担保不足状態になった．彼らの住宅ローン額が住宅価格を上回ってしまったのである．多数の住宅保有者がローンの返済を停止した．貸し手は彼らの住宅を差

し押さえすることができたが，貸した資金の一部しか回収できなかった．債務不履行が，一部の金融機関を破綻させた．そうしたなかには，ベアー・スターンズやリーマン・ブラザーズのような大手投資銀行，住宅金融市場関連の政府系金融機関（ファニーメイやフレディマック）や，AIGのような大手保険会社も含まれていた．

3. **信認の低下**　金融危機の第3要素は，金融機関に対する信認の低下である．銀行預金の一部は政府の施策によって保証されているが，すべてではない．銀行破綻が増えてくると，どの金融機関も次の破綻候補となってしまう．そうした銀行に無保険預金を保有している人々は，彼らの資金を引き出すだろう．預金引出しの大波に直面すると，銀行は貸出を縮小したり，資産を売却したりして，現金準備を増やそうとする．

　諸銀行が資産を売却するようになると，そうした資産の価格をさらに低下させることとなる．金融危機の最中には，リスク資産の買い手がごく少数になるので，資産価格が大きく低下することも起こる．そうした現象は，ファイヤセール（投げ売り）（fire sale）と呼ばれている．火災にあった商店が，商品を早急に売り払おうと値下げすることにちなんだ呼称である．しかし，そうしたファイヤセールは，他の銀行にとっての問題となる．会計士と銀行規制・監督官は，そうした銀行に，バランスシート上の諸資産を市場価格で評価することを求めるだろう．銀行は他の銀行のファイヤセールによって価格が暴落した保有資産の評価損を計上しなければならず，それが銀行の支払い能力を減らすことになる．そうして，1つの銀行に生じた困難が，他の銀行にも波及していく．

　2008〜2009年にも，破綻がどこまで波及して止まるかについての重要な不確実性に直面して，金融システムは機能停止した．ベアー・スターンズとリーマン・ブラザーズという大手金融機関の破綻をみて，人々は，モルガン・スタンレーやゴールドマン・サックスおよびシティグループのような，他の大手金融機関も同様に破綻するのではないかと懸念した．問題は，諸機関間の相互依存関係によって悪化した．諸金融機関はお互いに多くの取引を行っていたので，そうした機関の1つの破綻が他の機関の財務状態を悪化させることとなったのである．さらに，取引内容が

複雑だったので，預金者にはそうした金融機関がどれほど危ないのかを評価することができなかった．透明性の欠如が信認の危機を増幅したのである．

4. **信用収縮**　金融危機の第4要素は，信用収縮である．多くの金融機関が困難に直面すると，借入希望者が儲けを見込めるプロジェクトを持っていても，ローンの獲得が難しくなる．つまり，金融システムは，貯蓄主体の資源を望ましい投資機会を持っている投資主体へ移転させるという，ノーマルな機能を発揮しにくくなるのである．

　信用の収縮は，2008～2009年の金融危機においても明瞭であった．住宅価格が低下していることと，従前の貸出審査基準が緩すぎたことを認識するにつれて，当然のことながら，銀行は住宅ローンの申込者に対する審査基準を厳しくした．頭金の額を引き上げて，借り手の信用情報をより厳密に検討するようになったのである．しかし，貸出減少の影響は，住宅の買い手のみにとどまらなかった．小規模企業は，設備投資や仕入れに向けた資金調達が難しくなった．消費者向けでも，クレジットカードや自動車ローンの審査が厳しくなった．つまり，銀行は自分たちの直面する金融問題への対応として，あらゆる種類の貸出においてより慎重になったのである．

5. **景気後退**　金融危機の第5要素は，景気後退である．人々が消費者ローンを借りられなくなり，企業が新規投資プロジェクトの資金調達をできなくなると，財・サービス向けの需要は低下する．*IS-LM* モデルの枠組みでは，この状況は消費関数と投資関数の収縮シフトとして捉えられて，*IS* 曲線と総需要曲線も同じように縮小方向にシフトしてしまう．その結果，国民所得が低下し，失業が増大する．

　そうした効果は，2008～2009年の景気後退期に強く実感された．失業率は2007年の4.5%から2009年後半には10%へと上昇した．さらに悪いことに，失業率は高水準に長くとどまった．公式には2009年6月に景気回復が開始したことになっているが，GDP の成長は非常に低率で，失業率の低下もわずかであった．失業率は2012年後半まで8%を超えてい

コラム　　　　　　　　　　　　　　　　　　　　　　　　　　Column

TEDスプレッド

信用リスク評価でよく使われる指標は，相応の満期の2つの利子率の格差である．たとえば，「財務脆弱社」が1年満期のローンに7％の金利を支払わなければならないのに，「安全堅実社」は3％しか求められないとしよう．4％のスプレッドが発生しているのは，貸し手が「財務脆弱社」が倒産するのではないかと心配しているからである．その結果として，そうしたリスクを負う見返りを要求することになる．「財務脆弱社」に関して財務状況が悪化したというニュースが流れたら，金利スプレッドは5～6％以上に上昇するかもしれない．信用リスクの評価をモニターする手段の1つが，金利スプレッドを見守ることなのである．

とくに重要な金利スプレッドが，TEDスプレッドと呼ばれるものである．TEDスプレッドは，3カ月物の銀行間貸借金利と3カ月物財務省証券（米国債）金利との差である．TEDのTは財務省証券（Treasury Bill）の頭文字で，EDはユーロダラー（Euro Dollar）の頭文字である（規制が緩いので，銀行間

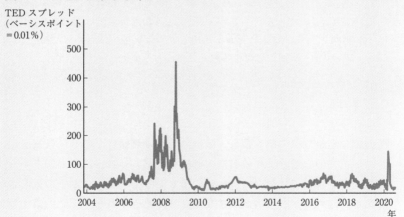

図7-1 ● TEDスプレッド

TEDスプレッドは，3カ月物の銀行間貸借金利と3カ月物財務省証券（米国債）金利との格差である．銀行へ貸すことがとくに危険であると考えられるようなとき，TEDスプレッドは上昇する．
（出所）　セントルイス連邦準備銀行．

貸借の多くはロンドン市場で実行されているから，ユーロダラーと呼ばれている）．TEDスプレッドは，ベーシスポイント単位で表示されている（1％ポイントの100分の1（0.01％）が1ベーシスポイント）．通常，TEDスプレッドは，20〜40ベーシスポイント（0.2〜0.4％）ぐらいである．スプレッドが小さいのは，商業銀行が政府ほどではないとしても，とても安全であるからである．銀行の負債を引き受けるにあたって，政府の負債を引き受けるときと比べて，貸し手は追加の見返りをわずかしか要求しないのである．

しかし，金融危機のときには，銀行システムへの信認が低下する．結果として，銀行は相互に貸すことにも躊躇するようになり，TEDスプレッドは大きく上昇する．図7-1には，2008〜2009年の金融危機の前後におけるTEDスプレッドが描かれている．危機が深化するにつれて，TEDスプレッドは顕著に上昇して，大手投資銀行のリーマン・ブラザーズが破綻を発表した後，2008年10月には458ベーシスポイントにまで到達した．高水準のTEDスプレッドは，人々が銀行システムの健全性についてどれだけ危惧していたかの指標の1つである．

この図によるとTEDスプレッドは，2020年3月末にも142ベーシスポイントにまで跳ね上がった．新型コロナ不況の始まった頃である．投資家たちは，深刻な景気後退が銀行の健全性を脅かすかもしれないと，明らかに懸念したのである．しかし，この上方ジャンプは一時的なものであった．2020年6月になると，TEDスプレッドは正常な水準に戻った．景気後退が終わったわけではなかったが，銀行システムに対する懸念は鎮まったのである．

たのである．

6. **悪循環**　金融危機の第6番目，最後の要素は悪循環である．景気後退は，多くの企業の収益や多くの資産の価格を低下させる．株価も低下する．倒産企業も現れて，銀行ローンの返済も滞ってしまう．多くの労働者が失業し，諸ローンの返済ができなくなる．そうすると，上記の第1要素（資産価格下落）と第2要素（金融機関破綻）に戻ることになる．金融システムの困難と景気後退とは，相互に強化し合ってしまうのである．図7-2がこのプロセスを図示している．

2008〜2009年の金融危機は，大規模な悪循環であった．弱体化した金

図7-2 ● 金融危機の分析

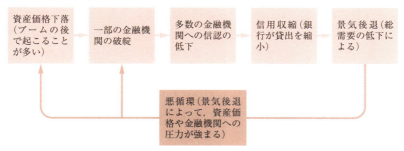

この図は，金融危機の6要素の図解である．

融システムと景気悪化とが，アメリカ経済を調整不能な下方スパイラルに陥れることになって，大不況の再現をもたらすのではないかとも懸念された．幸いにも，そうした事態とはならなかった．そうならないように意図した政策も効果的であったと考えられる．

以上の分析は，次の質問につながる．金融危機に直面すると，政策立案者はどのように行動すべきだろうか．

ケース・スタディ　2008〜2009年の金融危機に関して，誰に責任があるのか

「勝利には数多くの父がいるが，敗北は孤児である．」ジョン・F・ケネディのこの有名な言葉は，不変の真実を伝えている．成功に対してはみなが貢献したといいたがるが，失敗の責任を受け入れたがる人はいない．2008〜2009年の金融危機の後，世間は非難すべき相手を探した．誰も責任をとろうとはしなかった．

しかし，観察者たちは，責任者の候補を幾人もあげている．非難されているのは，次のような人々である．

- **連邦準備**　アメリカの中央銀行は，2001年の景気後退の後，金利を低水準に維持した．この政策は，景気回復にプラスであったが，家計が借金をして住宅を購入することも促進した．一部のエコノミストは，金利を低すぎる水準に長く維持しすぎたことで，後の金融危機へとつ

ながる住宅バブル生成に寄与した，と考えている．

- **住宅の買い手**　多くの人が，返済することのできないほどの向こうみずな借入を行った．住宅価格が高率で上昇し続けることを期待して，賭けのつもりで住宅を購入した人々もいた．住宅価格が下落すると，そうした住宅購入者の多くが返済不能に陥ったのである．

- **住宅ローン会社**　住宅ローンを提供した会社の多くが，借り手に過剰な借入を推奨していた．借入当初は返済が少額だが後に急増するような，複雑な住宅ローン契約を売り込んでいたケースもある．住宅ローンの借入に適格でないような，所得も仕事も資産もない人々向けにNINJA（no income, no job or assets の略）ローンを提供した会社すらあった．住宅ローン会社は，そうした危険な住宅ローンを保有せずに，ローン発行後に手数料をとって売却していたのである．

- **投資銀行**　多くの投資銀行が，危険な住宅ローンの束を加工して，住宅ローン証券を組成し，売りさばいていた．年金基金のような買い手は，自らが負おうとしているリスクを十分には理解していなかった．

- **格付会社**　負債性の金融商品の危険度を評価していた格付会社は，後に大変危険であると判明したさまざまな住宅ローン証券に，高い格付けを与えていた．結果的にみれば，格付会社がリスクを評価するために用いていたモデルが，疑わしい諸仮定に基づいていたことは明瞭である．

- **規制機関**　銀行や他の金融機関の規制機関は，そうした金融機関が過度のリスクを負わないようにしてきたはずであった．しかし，住宅価格が大きく下落しうることと，そうなると金融システム全体に影響を及ぼしうることを，規制機関は正しく認識できなかったのである．

- **政策立案者**　長年にわたって，政治家たちは住宅保有を促進する政策を求めてきた．住宅ローン金利の税控除，ファニーメイやフレディマックといった政府系住宅金融機関の設立，および（低所得家計への住宅ローンを促進する）コミュニティ再投資法，などである．しかし，返済能力の弱い家計には，借家のほうがよかったかもしれない．

- **再び，連邦準備**　一国の中央銀行の任務の1つに最後の貸し手機能があり，金融機関が流動性を入手できないときに流動性を供給すること

になっている．経済学者のローレンス・ボールは著書『FEDとリーマン・ブラザーズ』のなかで，連邦準備は2008年9月にこの任務を果たさなかったと論じた．巨大金融機関であるリーマン・ブラザーズが流動性危機に直面したとき，連邦準備は貸出をせずに，同社を破綻させてしまった．ボールは，連邦準備が必要とした流動性を提供していたら，リーマン・ブラザーズの金融危機は回避できた可能性があり，少なくとも軽減できただろうと主張している．

　つまり，上掲のグループのそれぞれが（おそらく他にもいるだろうが），責任の一端を負っているということになる．『エコノミスト』誌の言葉を借りると，問題は「重層的な無責任」体制にあった．

　最後に，この金融危機は史上最初のものではないことに，留意すべきだろう．こうしたイベントは，幸運にも希なものでしかないが，ときどき発生してきた．今回のイベントの責任者を探すよりも，われわれは，投機的な行き過ぎとその結果とを，市場経済体制につきものの特性とみなすべきかもしれない．政策立案者は金融危機が発生するに応じて対応策を講じることができるうえに，そうした危機の発生頻度を減らし深刻さを軽減するような手段も採用することができる．ただし，金融危機の発生を完全に防止することは，われわれの知識段階では，おそらく難しいだろう．[3]

危機への政策対応

　金融危機は，深刻であると同時に多面的でもあるので，経済政策立案者はダメージをコントロールするためにさまざまな政策手段を，しばしば同時に用いることになる．ここでは，政策対応を3種類に大別して説明しよう．

　伝統的な金融・財政政策　ここまでみてきたように，金融危機は，財・サービスへの総需要を縮小させるので，失業を増大させて所得を低下させる．

---

3) 金融危機の歴史についてさらに詳しく読みたい場合は，以下を参照．Charles P. Kindleberger and Robert Z. Aliber, *Manias, Panics, and Crashes: A History of Financial Crises*, 6th ed., New York: Palgrave Macmillan, 2011; Carmen M. Reinhart and Kenneth S. Rogoff, *This Time Is Different: Eight Centuries of Financial Folly*, Princeton, NJ: Princeton University Press, 2009.

政策立案者は，金融・財政政策手段を用いて総需要を拡大させることで，そうした影響を軽減することができる．中央銀行は，貨幣供給を増やし，利子率を下げることができる．政府は，財政支出を増やしたり，減税したりできる．

　2008～2009年にも，政策立案者は正しくそのように対応した．総需要を拡大させるために，連邦準備はフェデラル・ファンド・レートの目標を，2007年9月の5.25％から2008年12月にはほぼゼロにまで低下させた．フェデラル・ファンド・レートはその後6年間にわたり，その水準にとどまった．2008年2月にブッシュ大統領は，1680億ドルの景気刺激策に署名した．それで全納税者に，1人当たり300ドルから1200ドルの還付を行うことになった．2009年2月になると，オバマ大統領が7870億ドルの景気刺激策に署名した．こちらは減税だけでなく政府支出増を含むものであった．こうした政策対応は，どれも総需要を増やそうとするものであった．

　しかし，伝統的金融・財政政策の効果には限界がある．中央銀行は，その政策金利の目標をあまり大幅にゼロ以下にすることはできない（第Ⅰ巻第10章における流動性の罠の議論を参照のこと）．財政政策にも制約がある．景気刺激パッケージは財政赤字を増大させてしまう．刺激策がなくても，景気後退に応じて，自動的に失業保険支払いは増えて税収も減少するので，財政赤字は増大している．政府公債の増大は，将来世代の納税者への負担となるうえに，政府自身の債務返済能力への懸念も高めてしまう．2008～2009年の金融危機の後に，連邦政府の財政赤字は，当時としては，第2次世界大戦以来経験されなかった水準にまで上昇した．2011年8月に，スタンダード＆プアーズは，アメリカ国債の格付けを史上初めて最上のAAA水準から引き下げた．この決定は，さらなる財政刺激策の実施を一部の政策立案者にためらわせた．

　金融危機における金融・財政政策の限界は，政策立案者を代替策の検討に向かわせうる．そうしたタイプの政策は，異なる性質を持っている．金融危機のもたらす症状（総需要の減少）に対応するのではなく，金融システムそのものを修復しようとするのである．金融仲介の正常なプロセスが回復されれば，消費者も企業もまた借入をすることができるようになり，経済の総需要も回復するであろう．経済は完全雇用と所得上昇という状態に戻ることが

できるだろう．次の2種類の政策が，金融システムを修復しようとする主要な政策である．

最後の貸し手　銀行への信認を失ったとき，公衆は預金を引き出す．部分準備銀行制度の下では，突然の大規模な引出しは，問題となりうる．当該銀行が債務超過でない（その資産価額がその負債総額を上回っている）財務状態にあっても，すべての預金者の請求に応えることは難しいだろう．多くの銀行資産は非流動的なので，売却して現金化することが難しい．たとえば，地元のレストランへのビジネス・ローン，地元の家族への自動車ローンや，あなたのルームメイトへの学生ローンなどは，銀行にとって価値のある資産であろうが，自分のおカネをすぐに返してほしいという預金者の請求を満たすのに用いるのは難しい．健全な銀行が預金者の引出し要求を満たすだけの資金を持っていない状態を，流動性危機（liquidity crisis）と呼んでいる．

中央銀行は，当該銀行へ直接的に資金を貸すことで，この問題を解決することができる．第Ⅰ巻第4章で論じたように，中央銀行は魔法のように貨幣を生み出すことができる．実際，印刷すればいいのである（われわれの生きている電子時代においては，それらの貨幣単位に対応する会計項目への追加的記入を生み出すというほうが，より現実的だろう）．中央銀行は，新たに生み出された貨幣を，通常よりも大きな預金引出しに直面している銀行に貸して，その銀行の非流動的資産を担保として受け入れることができる．流動性危機の最中にある銀行に対して中央銀行が貸出を行うことを，最後の貸し手（lender of last resort）機能を果たしているという．

こうした政策の目標は，多額の預金引出しに直面している銀行に，信認低下の嵐を乗り切らせることである．このような貸出がなければ，銀行は非流動的な資産をファイヤセール価格で売却せざるをえないかもしれない．そうしたファイヤセールが発生すると，銀行の資産価額が低下してしまい，流動性危機から債務超過へとつながるかもしれない．最後の貸し手機能を果たすことで，中央銀行はそうした債務超過問題を予防し，銀行システムへの公衆の信認回復を助けるのである．

2008～2009年にも，連邦準備は，きわめて活発に最後の貸し手機能を発揮した．第Ⅰ巻第4章で論じたように，そうした活動は伝統的には，中央銀行

が公定歩合で銀行向け貸出を行う，中央銀行貸出の窓口で実施される．しかし，今回の危機においては，金融機関向けに貸出を行うために，連邦準備はさまざまな新しい手法を創設した．対象となった金融機関には，伝統的な商業銀行だけではなく，シャドーバンク（shadow banks）という金融機関も含まれた．シャドーバンクとは多様な金融機関の総称で，銀行の諸機能に近い機能を果たすのだが，伝統的な銀行に適用される諸規制の枠外で営業している．シャドーバンクが商業銀行と類似した困難に直面していたので，連邦準備はそれらへも注意を払っていた．

たとえば，2008年10月から2009年10月に，連邦準備は短期金融市場投資信託（MMMF）にも貸出をした．MMMFは銀行ではないうえに，預金保険制度に参加していない．しかし，MMMFは銀行の機能に似た機能を果たしている．「預金」を受け入れて，企業の発行する短期社債（コマーシャルペーパー，CP）に投資することで「短期貸付」を行い，預金者に対してもいつでも（利子を生み）預金を引き出すことができると約束していた．金融危機下，預金者たちはMMMFの購入した資産の価額に懸念を持つようになり，大規模な預金引出しを実行した．MMMFの預金縮小は，CPの買い手減少を意味し，事業のための資金借入が必要な企業が困難に直面することとなった．MMMFに貸出を実行することで，連邦準備はこうした形の金融仲介経路を助けたのである．

今回の危機の期間に連邦準備が創設した諸貸出制度について，その詳細を学ぶことは不要である．そうした諸制度の多くは，経済が回復するにつれて不要になって停止された．理解しておくべき重要なポイントは，そうした制度は新しいものも古いものも，金融機関の流動性を確保するという，単一の目的のために作られたという点である．前述したように，2008年9月のリーマン・ブラザーズ破綻時，連邦準備は消極的でありすぎたと批判する人もいる．しかし，その後，金融危機の規模が明らかになるにつれて，最後の貸し手という役割を連邦準備はきっちりと果たした．金融機関が信頼にたる担保として充当できる資産を持っている限り，連邦準備は資金を貸し出す用意ができており，預金者は自分の預金を引き出すことができたのである．

公的資金の注入　金融危機への政策対応の最後のカテゴリーは，金融シス

テムを救済するために公的資金を政府が用いることである.

この種の政策行動で最も直接的なものは,損失を被った主体に公的資金を渡すことである.預金保険が好例である.連邦預金保険公社(FDIC)を通じて,銀行が破綻したときに預金者が被った損失を補填することを,連邦政府は公約している.2008年に,FDICは,保護する預金の上限額を10万ドルから25万ドルへと引き上げて,預金が安全だと預金者に安心させた.

公的資金の譲渡は,より裁量的な方法でも実施されうる.たとえば,1984年にコンチネンタル・イリノイという大手銀行が破綻に瀕していた.コンチネンタル・イリノイは多数の銀行と取引関係にあったので,同行を破綻させることが金融システム全体を危うくするのではないかと,規制監督者たちは懸念した.その結果,FDICは,保険上限額以下の預金者のみでなく,同行の全預金者を保護すると発表した.最終的に,FDICはコンチネンタル・イリノイを株主から買い取り,資本を注入してバンクオブアメリカに売却した.この政策行動は,納税者にとって10億ドルの負担となった.この出来事のなかで,ステュワート・マッキニー下院議員が「大きすぎて潰せない(too big to fail)」という表現を編み出した.経済にとって中核的な銀行は,政策立案者たちが破綻させないという意味である.

公的資金注入の別の手段は,危険な貸付を行うことである.普通,連邦準備が最後の貸し手機能を発揮するときには,良質な担保を差し出せる金融機関に対して貸すのである.しかし,返済されないかもしれない貸付を行うとき,政府は公的資金をリスクにさらすことになる.借り手が返済不能となると,納税者が損失を負担することになる.

2008〜2009年の金融危機においても,連邦政府はさまざまな危険な貸付を行った.2008年3月には,JPモルガン・チェースに290億ドルを貸し付けて,破綻しかけていたベアー・スターンズの買収を支援した.連邦準備が受け取れた唯一の担保は,ベアー・スターンズが保有していた住宅ローン担保証券のみであり,その価値はとても怪しいものであった.2008年9月には,連邦政府は大手保険グループAIGを救済するために850億ドルを貸し付けた.AIGは,住宅ローン担保証券の価値を(クレジット・デフォルト・スワップという契約を通して)保証したことによる大規模損失に直面していたのである.連邦準備がこれらの政策行動をとったことで,ベアー・スターンズも

AIG も長引きがちな破産プロセスを免れることができた．さもなければ，金融システムをさらに危うくしかねなかったのである．

金融危機対策として政府が公的資金を用いる最後の手段は，金融機関向けに政府が資本を注入することである．その場合，たんに債権者となるにとどまらず，政府は当該企業の部分的な所有者となるのである．2008年の AIG 向け貸付において，これは重要な要素であった．貸付契約の一部として，政府はワラント（株式を購入する権利）を獲得し，最終的に同社のほとんどを所有する形になった（数年後に株式は売却されて，政府に収益をもたらした）．もう１つの例は，連邦財務省によって2008〜2009年に実施された組織的な公的資金注入であった．TARP（不良資産救済プログラム）政策の一環として政府は数千億ドルもの資金をさまざまな銀行に注入して，それらの銀行の株式を獲得した．このプログラムの目標は，銀行を債務超過にならないようにして，金融仲介プロセスを守ることであった（このときも，株式は後日に売却されて，収益をもたらした）．

驚くべきことではないが，金融システムを救済するための公的資金の使用は，譲渡・危険な貸付・資本注入のどの形態であっても，論争を巻き起こした．批判者たちは次のように主張した．金融市場の参加者が自分で犯したミスから救うために，納税者の資金を用いるのはフェアでない．さらに，救済の見込みはモラルハザードを促進しかねない．政府が自分たちの損失をカバーしてくれると信じると，人々はより極端なリスクをとりやすくなる．金融リスクテイクは，「うまくいけば自分の儲け，だめなら納税者の損失」になってしまう，と．救済策の支持者たちは，そうした問題点を認識しつつも，危険な貸付や資本注入は，経済が回復すると，納税者にとって収益をもたらしうると指摘した．2008〜2009年の金融危機後に，そうなったようにである．より重要な点として，こうした政策のコストよりも，より深刻な危機や景気後退を回避するというメリットのほうが大きいと，彼らは信じている．

危機の予防策

金融危機に直面した際にどう対応するかという問題に加えて，もう１つの重要な政策課題がある．将来の危機をどのようにして予防するか，である．残念ながら，簡単な答えは存在していない．本節では，政策立案者が代替策

を検討している5つの分野をみていこう．いくつかの分野では，従来の政策が変更されつつある．

　シャドーバンクに注目　伝統的な商業銀行は厳しく規制されてきた．その根拠の1つは，連邦預金保険公社（FDIC）が銀行預金に保険を提供していることである．政策立案者は，預金保険がモラルハザード問題を引き起こすことを，以前から認識してきた．預金保険があると，自分が預金を預けている銀行の健全性を監視するインセンティブが，預金者には小さくなってしまう．その結果，銀行家には過度のリスクをとるインセンティブが生じる．儲けは自分のものにできる一方で，損失は預金保険がカバーしてくれるからである．このモラルハザード問題への対策として，政府は銀行がとるリスクを制限してきた．

　しかし，2008〜2009年危機の相当部分は，伝統的銀行ではなくシャドーバンク関係で生じた．（銀行と同じように）金融仲介の中核に位置するが，FDICの保険がカバーする預金を受け入れない金融機関群である．たとえば，ベアー・スターンズやリーマン・ブラザーズは投資銀行であり，緩い規制の対象でしかなかった．同様に，ヘッジファンドや保険会社およびプライベートエクイティファンドなども，シャドーバンクの一員であった．そうした金融機関は預金保険から生じる伝統的な問題とは無関係であったが，それらが破綻するとマクロ経済への波及効果が生じるので，シャドーバンクの抱えているリスクは公的政策の関心事となった．

　多くの政策立案者が，そうしたシャドーバンクがとるリスク量を制限するべきだと主張してきた．1つの手法は，そうした機関により多くの資本を保有させることである．そうすると，レバレッジを利用する能力を制限するとともに，資産に関して経験しうる損失に対してより大きなクッションを備えることになる．提唱者たちは，この手法が金融面の安定性を高めると論じた．反対者たちは，資本強化策がシャドーバンクの金融仲介能力を減じてしまうと論じた．

　他にも，シャドーバンクが困難に陥って破綻しかけたときに，どうなるかという問題がある．2010年に立法化されたドッド＝フランク法は，FDICにシャドーバンクの秩序だった破綻処理を行う権限を与えた．以前から伝統的な商業銀行に対して持っていたのと同様な権限である．つまり，非銀行の金

246 第2部　マクロ経済理論とマクロ経済政策のトピックス

融機関が困難に直面しており，経済全体に対してシステムリスクをもたらす可能性があると FDIC が判断した場合には，当該金融機関の経営に介入して閉鎖することが，いまやできるのである．この法律の提唱者たちは，シャドーバンクの破綻処理がより秩序だったプロセスとなるようにして，金融システムに対する信認が広く失われるのを予防できると考えている．反対者たちは，シャドーバンク救済への税金使用件数を増やし，モラルハザード問題を悪化させるのではないかと懸念している．

　規模の制限　2008〜2009年の金融危機では，数行の大規模金融機関が焦点となった．金融システムの集中度が低ければ，問題は回避できたか，少なくとも軽減されたであろうと論じる経済学者もいる．小規模機関が破綻しても，破産法で処理することができて，さまざまな関係者の請求を調整し，経済全体への問題は発生させないであろう．大きすぎて破綻させられない金融機関というものは，大規模すぎるのだと彼らは主張する．

　金融機関の規模制限に向けて，多様な手段が提案されてきた．その1つは，銀行間の合併を制限するものである（この50年間，金融産業の集中度が大きく高まったのは，銀行間の合併によってであった）．別の提案は，大規模機関にはより高い資本比率規制を課そうというものである．そうした政策の提唱者は，小規模機関によって構成される金融システムのほうが安定的であると主張している．批判者たちは，そうした政策は銀行が規模の経済性を利用することを阻むことになり，高まったコストは銀行の顧客の負担になるだろうと論じている．

　過度なリスクテイクの軽減　2008〜2009年の金融危機で破綻した金融機関は，大損失につながったリスクをとったことで破綻したのである．将来の危機のリスクを低減するには，過剰なリスクテイクを制限することが役立つと考える経済学者もいる．しかし，リスクテイクは金融機関のビジネスの中核に位置しており，適切なリスクと過剰なリスクとの境界線を引くことは容易ではない．

　ドッド＝フランク法にはリスクテイクを制限する条項が盛り込まれた．最も知られているのは，ボルカー・ルールであろう．元連邦準備制度理事会議

長で，その規制を提案したポール・ボルカーにちなんだ呼称である．ボルカー・ルールの下では，商業銀行は特定の投機的な投資を制限されている．提唱者たちは，このルールが銀行を守ることになると主張している．批判者たちは，銀行の自己運用業務を制限することで，そうした投機的金融商品の市場の流動性を低下させてしまうと論じている．

さらに，連邦準備の規制監督官たちは，大銀行に定期的なス̇ト̇レ̇ス̇・テ̇ス̇ト̇を課している．テストの実施に当たって，規制監督官たちは，経済困難の仮想的シナリオを設定する．失業率の10％への上昇，住宅価格の20％下落，株価の40％下落といったものである．各銀行は，そうしたシナリオ下で，自行の資産額がどうなるかを推測させられる．当該銀行が嵐を乗り切るのに十分な資本を持っていると確認することが，目的である．乗り切れない場合，当該銀行は資本を増強するか，資産のリスクレベルを低めなければならない．そうしたストレス・テストは銀行が過剰なリスクを負っているかどうかの尺度の１つであるが，仮想的なシナリオに基づいているため，起こりうる困難な状況を想像する規制監督官の能力しだいという限界がある．

規制の機能改善　金融機関は多様で，それぞれの機能を果たしており，歴史上の異なる時期に発展してきた．その結果として，それらの金融機関の規制監督機関もバラバラになっている．連邦準備制度，通貨監督官事務所，および連邦預金保険公社（FDIC）が，どれも商業銀行を規制している．証券取引委員会（SEC）は，投資銀行と投資信託を規制している．各州の当局が保険会社を規制している．

2008～2009年の金融危機の後，政策立案者は規制監督システムを改善しようとした．ドッド＝フランク法は，金融安定監督委員会を新設した．財務長官を委員長として，諸規制当局の協調を図っている．多くの住宅抵当証券がもたらすリスクを予見できなかったとして批判されている，民間の信用格付機関を監督するために，信用格付事務所も新設された．消費者金融保護局も新設されて，金融機関が金融商品を消費者に販売する際の公平性と透明性を確保しようとしている．金融危機は頻発する事件ではなく，しばしば数十年の間隔が空くので，新しい規制監督構造が古いものよりもうまく機能するかどうかをみるには長い時間が必要であろう．[4]

マクロ的見地からの規制　政策立案者たちは，金融機関規制にはマクロ経済的見方が必要であると，ますます考えるようになってきた．伝統的な金融規制は，ミクロ・プルーデンス規制（microprudential regulation）であった．個々の金融機関の経営困難リスクを軽減することが目的であり，そうすることで当該機関の預金者その他の関係者を保護しようとしてきたのである．今日の金融規制は，マクロ・プルーデンス規制（macroprudential regulation）の側面も持っている．金融システム全体が困難になるリスクを減らそうとしており，そうすることで経済全体で生産や雇用が減少してしまうことを回避しようとしている．ミクロ・プルーデンス規制はボトムアップのアプローチをとっており，個々の金融機関に注目してそれらの直面するリスクを測定している．対照的に，マクロ・プルーデンス規制はトップダウンのアプローチをとっていて，全体像に注目して，一度に金融機関全体へ影響するリスクを測定している．

たとえば，マクロ・プルーデンス規制なら，2008〜2009年の金融危機を生み出した住宅市場ブームと崩壊に対処することができたかもしれない．そうした規制の提唱者たちは，住宅価格上昇に応じて，政策立案者は住宅ローンを借りて住宅を購入するときの頭金を増やすべきだったと，主張している．そうした政策は，住宅価格の投機的バブル化を減速させて，住宅価格下落時の住宅ローン破産を減らすことができたかもしれない．住宅ローン破産が少なければ，住宅ローン関連証券に投資していた多くの金融機関を守ることもできたかもしれない．そうした政策の批判者は，政府の規制当局者に経済全体のリスクを認識して対処するだけの能力があるのかを疑問視している．また，たとえば頭金引上げが貧しい世帯の住宅購入をより難しくしてしまうように，リスクに対応しようとする試みが規制の重荷を増やしてしまうことも懸念されている．

2008〜2009年の金融危機の最中や直後の経験に基づいて，金融規制当局がマクロ経済の安定性を政策目標として注意を払おうとしている点には疑いがない．しかし，政策立案者がどれだけ積極的に政策手段を活用すべきかにつ

---

4)　副次的帰結：金融規制が成功するほど人々は規制のことを認識しなくなるので，金融規制は報われない仕事である．危機が発生すると，人々は規制サイドを非難する．危機が起きないときに，規制サイドに対して危機を防いだ功績を認める人はいない．

いては，未だ論争が続いている.[5]

ケース・スタディ ヨーロッパのソブリン危機

アメリカが2008～2009年の金融危機から回復しつつあるときに，共通通貨ユーロを使っているユーロ圏で別の危機が勃発した．危機は，政府が発行している債券，ソブリン債に関連するものであった．長年にわたって，銀行と銀行監督当局はそうした債券にはリスクがない（リスクフリー）ものとして扱ってきた．ヨーロッパの各国政府はつねに返済を履行する，と想定していたのである．そうした信認があったため，より高い信用リスクがあるとみなされた場合に比べて，ソブリン債は低金利・高価格で販売されてきた.

しかし，2010年になると，ヨーロッパ諸政府に対する楽観論が正しいのかが疑われ始めた．同年のギリシャ政府負債（金融純債務）はGDPの116%に達し，ヨーロッパ諸国の平均の2倍であった．ギリシャ政府が長年にわたって財務状態を誤魔化してきたことも，膨張する借金を抑制するプランもないことも明らかとなった．2010年4月には，スタンダード＆プアーズがギリシャ国債の格付けを，信用リスクが相当に高いことを示すジャンク債水準に引き下げた．破綻間近という懸念が高まったので，ギリシャ国債の価格は低下し，新規発行時の利子率は顕著に高騰した．2011年夏にはギリシャ国債の金利は26%になっており，同年11月には100%を超えるまで上昇した.

ヨーロッパ諸国の政策立案者たちは，ギリシャの問題がヨーロッパ全体に波及するのではないかと懸念した．ヨーロッパ諸国の多くの銀行が，ギリシャ国債を資産として保有していた．ギリシャ国債の価格が低下するにつれて，そうした銀行も債務超過に近づいた．ギリシャが破産すると多くの銀行が破綻しかねず，より広い信認低下につながりかねない．そのため，ドイツやフランスのように健全なヨーロッパ諸国の政策立案者は，差し迫った破産を避けるために，ギリシャへのつなぎ融資をアレンジした．そう

---

5) マクロ・プルーデンス政策についてより詳しく知るには，以下を参照のこと．
Samuel G. Hanson, Anil K. Kashyap, and Jeremy C. Stein, "A Macroprudential Approach to Financial Regulation," *Journal of Economic Perspectives*, Vol. 25, No. 1, Winter 2011, pp. 3-28.

したローンの一部は，ユーロ圏の金融政策を担当する，ヨーロッパ中央銀行（ECB）からのものであった．

　こうした政策は，不人気なものであった．ドイツやフランスの有権者たちは，自分たちの税金がギリシャの放漫救済に使われることに納得しなかった．他方で，ギリシャの有権者たちも怒っていた．つなぎ融資は，ギリシャ政府の政府支出の大幅削減と増税とを条件としていたからである．そうした財政緊縮策は，ギリシャ国民の街頭暴動を引き起こした．

　問題を悪化させたのは，類似の問題を抱えていたのがギリシャだけではなかったことであった．周辺のより豊かな国々による救済がなく，ギリシャの破産が生じてしまうと，ポルトガル，アイルランド，スペイン，イタリアも後に続くのではないかと懸念されたのである．そうした国々の国債価格が広範に下落すれば，ヨーロッパの銀行システムにとって厳しい試練となったであろう．世界の銀行システムも相互関連し合っているので，世界にとっても試練となっただろう．

　この危機への対応策は，ある意味で成功した．ギリシャなど問題諸国が共通通貨ユーロの使用を停止するのではないかという予想に反して，通貨同盟は維持された．しかし，危機から生じた損失は相当なものであり，持続的でもあった．2013年には失業率はギリシャで27%，スペインで26%，ポルトガルで16%であった（ユーロ圏で人口が最大のドイツの失業率は5%でしかなかった）．標準的なフィリップス曲線から予見されるように，経済的遊休資源の存在は，ヨーロッパのインフレ率を2%目標に比して大きく下振れさせた．2014〜2016年のユーロ圏のインフレ率は0%をわずかに上回るだけであった．総需要を拡大して経済を刺激するために，ECBは，危機の進展に応じて利子率をほぼ0%にまで切り下げた．さらに，2015年以降，ECBは量的緩和策を発動し大量の国債を購入して，長期利子率を低下させて総需要をさらに拡大しようとした．

　2019年後半になると，ヨーロッパはソブリン危機からほぼ回復した．ユーロ圏の失業率は約7%と，近年における最低水準になった．インフレ率は目標水準には達していないが，2%にかなり近づいた．実質GDPも史上最高水準に届きつつあった．しかし，2020年になると，まったく異なるタイプの危機が到来した．世界的な新型コロナウイルス感染症のパンデミ

ックである（第Ⅰ巻第8章で論じた）.[6]

7-3 結 論

歴史を通じて，金融危機は経済変動の主要な源であるとともに，経済政策を進化させてきた．1873年にウォルター・バジョットは，Bank of Englandが金融危機にどう対応すべきかについて，『ロンバード街』という名著を出版した．中央銀行が最後の貸し手という役割を果たすべきであるという彼の提言は，しだいに標準的叡智となった．1907年の銀行危機の後，アメリカ連邦議会は1913年に連邦準備制度を設立する法律を制定した．議会は新しい中央銀行に対して，銀行を監督することを通じて金融とマクロ経済の安定性を高めることを期待したのである．

連邦準備制度は，この政策目標をつねに実現してきたわけではない．1930年代の大恐慌があれほど深刻なものとなったのは，連邦準備制度がバジョットの提言に従わなかったからだと，多くの経済学者が考えている．連邦準備制度がもっと積極的な最後の貸し手であれば，銀行に対する信認危機が貨幣供給と総需要を激減させることは，回避できたかもしれない．この歴史的経験を活かして，2008〜2009年の金融危機と2020年の新型コロナ不況の衝撃を軽減するために，連邦準備ははるかに積極的な役割を果たした．

危機の後には，金融システムが引き起こした諸問題に対して反省しがちだが，金融システムがもたらすメリットを無視してはいけない．金融システムは，貯蓄者が最小のリスクで最大の収益を得ることを可能にしている．起業家たちが，新規ビジネスを実現させるための資金調達も可能にしている．貯蓄者と投資者とをマッチさせることで，金融システムは経済成長と全般的な繁栄とを促進しているのである．

---

6) このトピックについてより深く学ぶには，次を参照のこと．Philip R. Lane, "The European Sovereign Debt Crisis," *Journal of Economic Perspectives*, 26, Summer 2012, pp. 49-68.

要約

1. 金融システムの主要機能は，貯蓄主体の資源を，資金調達を伴う投資プロジェクトを持っている借り手に手渡すことである．それは，株式市場や債券市場を通じて直接的に実現されることもあれば，銀行のような金融機関を通じて間接的に実現されることもある．

2. 金融システムのもう1つの機能は，市場参加者の間でリスクを配分することである．金融システムは，個々人が直面しているリスクを，分散投資を通じて軽減することを可能にする．

3. 金融上の契約には非対称情報がつきものである．起業家は自分たちのベンチャーの性質について資金提供者よりもよくわかっているので，逆選択問題が関わってくる．また，起業家は自分たちが行う決定や行動についてもよくわかっているので，モラルハザード問題も関わってくる．銀行のような金融機関は，非対称情報から生じてくる諸問題を完璧に解決はしないが軽減するのである．

4. 資本の蓄積と配分とが経済成長の源泉であるから，うまく機能する金融システムは経済の長期的な繁栄にとって肝要である．

5. 金融システムの危機は，（投機的なバブルの後であることが多いが）資産価格下落が高レバレッジの金融機関の破綻を引き起こすときに発生する．そうした破綻は，システム全体への信認の低下につながって，預金の引出しと銀行貸出の縮小を引き起こす．その結果である信用収縮が，総需要を低下させて景気後退をもたらす．こうして悪循環が始まって破綻を増加させ，信認を低下させていくのである．

6. 政策立案者にとって，金融危機への対応は3通りある．第1に，通常の金融・財政政策を用いて，総需要を拡大させることである．第2に，中央銀行は，最後の貸し手として流動性を供給することができる．第3に，政策立案者は公的資金を投入して，金融システムを下支えすることもできる．

7. 金融危機を予防することは容易ではないが，政策立案者は次のような諸策を実施することで，将来の危機の発生確率を低下させようと努めている．シャドーバンク部門の規制の強化，金融機関の企業規模の制限，

第 7 章　金融システム：好機と危機　　253

過剰なリスクテイクの制限，金融機関の監督機関の改革，金融機関規制におけるマクロ経済的見地の導入などである．

キーワード

金融システム　　金融市場　　債券　　株式
デット（負債）・ファイナンス　　エクイティ（株式）・ファイナンス
金融仲介機関　　危険回避的　　分散投資　　投資信託
非対称情報　　逆選択　　モラルハザード　　効率市場仮説　　金融危機
投機的バブル　　レバレッジ　　ファイヤセール（投げ売り）
流動性危機　　最後の貸し手　　シャドーバンク
ミクロ・プルーデンス規制　　マクロ・プルーデンス規制

確認問題

1　フォレストは，芝生を手入れするビジネスを始めるにあたって，芝刈り機を買う必要がある．ジェニーからは 6 ％の利子率で資金を借りた．ダンからは，ビジネスの利潤の10％を支払う約束で資金を提供された．この場合，_____は株主で，_____は債券保有者にあたる．

a　ジェニー，フォレスト

b　ジェニー，ダン

c　ダン，フォレスト

d　ダン，ジェニー

2　あなたの老後に向けた貯蓄を投資信託に投資することは，そのすべてをネットフリックス株に投資するよりも賢明である．そうすることで，_____を取り除くことができるからである．

a　逆選択

b　モラルハザード

c　システム・リスク

d　個別リスク

3　新たな芝居興行の株式を投資家に販売した後，芝居の成功を確かにす

るために努力する代わりに，マックス・ビアリストックはバカンスに出かけた．これは，以下のどれにあたる行動か．

a 逆選択

b モラルハザード

c 分散投資

d レバレッジ

4 効率市場仮説によると，次のどれが正しいか．

a アクティブに運用される投資信託は，インデックス投資の投資信託よりも，高い収益を提供できる．

b 過剰な分散投資は，ポートフォリオの収益を低下させリスクを高めかねない．

c 株価の変化は，公開された情報を用いて予測することができない．

d 株価は，投資家の非合理的な心理によって影響される．

5 銀行はレバレッジに依拠しているので，銀行資産の価値の変化は，より大きな比率の銀行＿＿＿の変化をもたらす．

a 資本

b 預金

c 負債

d 準備

6 中央銀行が最後の貸し手となるのは，銀行が次の状態になったときである．

a 資本がゼロ以下に低下したと報告したとき．

b 預金引出しに見合う流動性を保有していないとき．

c 環境のリスクが高すぎるので，貸出を停止したとき．

d より多くの超過準備を保有すると決定したとき．

＞＞＞＞＞ 復習問題 ＜＜＜＜＜

1 デット（負債）・ファイナンスとエクイティ（株式）・ファイナンスとの違いを説明しなさい．

2 個別の株式を保有することに比べて，投資信託を保有することの主な

利点は何だろうか.

3 逆選択とモラルハザードとは何か.銀行はどのようにしてそれらを軽減しているか.

4 レバレッジ・レシオは,悪い経済ニュースに対する金融機関の安定性にどのように影響するだろうか.

5 金融危機は,どのようにして財・サービスへの総需要を低下させるのだろうか.説明しなさい.

6 中央銀行が最後の貸し手として行動するとは,どうすることか.

7 危機下の金融機関を下支えするために公的資金を用いることのメリットとデメリットを述べなさい.

応用問題

1 下のそれぞれのケースについて,問題が逆選択なのかモラルハザードなのかを判別して,その根拠を説明しなさい.またそれはどのように対処できるだろうか.

a フレデリカは,教科書を書くということで,多額の契約金を受け取った.おカネを受け取ると,彼女はオフィスに座って教科書を書くよりも,彼女の新しいボートでセーリングすることを好むようになった.

b ジャスティンは,教科書を書く契約金を受け取ろうとしている.自分が大学の論理的ライティングで不可になりそうだったことを,彼自身は知っているが,出版社は知らない.

c マイは生命保険に入ろうとしている.彼女は,自分の家族に短命の傾向があることを知っている.

d レジナルドは巨額の生命保険に加入しているのだが,休暇には好きな趣味(スカイダイビング,バンジージャンプ,闘牛)に夢中である.

2 A国はよく発達した金融システムを持っており,限界生産力が最も高い投資プロジェクトに資源が配分されている.B国は,金融システムの発展が遅れており,潜在的な投資家たちの一部が排除されている.

a どちらの国の全要素生産性が高いだろうか.説明しなさい(ヒント:第Ⅱ巻第3章で全要素生産性の定義を参照のこと).

256 第2部 マクロ経済理論とマクロ経済政策のトピックス

b 両国の貯蓄率，資本減耗率，技術進歩率が等しいものとしよう．ソロー・モデルに基づいて，両国の労働者1人当たり生産，労働者1人当たり資本，資本-生産比率を比較しなさい．

c 生産関数がコブ゠ダグラス関数であると想定しよう．両国の実質賃金率と資本の実質レンタル料を比較しなさい．

d より発達した金融システムがあることで，得をするのは誰だろうか．

3 金融危機の最中に金融機関を政府が救済する場合，株主はすべてを失うべきだが債権者は保護されるべきだと，論じる評論家がいた．そうすることで，モラルハザード問題を解決できるだろうか．根拠も説明しなさい．

4 本章で説明してきたように，近年，アメリカとギリシャはともに国債の増大と深刻な景気後退を経験した．どのような点で，両国の状況は似ているだろうか．相違点はどのような点だろうか．両国が異なる政策オプションを利用できるのはなぜだろうか．

Chapter 8

第 **8** 章

消費と投資の
ミクロ的基礎

●

「すべての生産活動の唯一の存在理由と目的は消費である.」

——アダム・スミス

「上手な投資の社会的目的は，私たちの将来をわかりにくくする，歳月と無知という暗闇の力に打ち勝つことであるはずだ.」

——ジョン・メイナード・ケインズ

　家計は，所得のうちどれだけを今日消費し，どれだけを将来のために貯蓄するかをどのように決めるのだろうか．企業は資本ストックを増やすためにどれだけ投資するかをどのように決めるのだろうか．これらの問題は個々の意思決定者の行動に焦点を当てるので，ミクロ経済学的問題である．しかし，その答えはマクロ経済学にとっても重要な結果を及ぼす．これまでの章でもみてきたように，家計の消費の決定と企業の投資の決定は経済全体に影響を与える．

　これまでの章では，消費と投資を説明するのに，単純な関数 $C=C(Y-T)$ と $I=I(r)$ を用いた．これらの関数は，消費が可処分所得によって決まり，投資が実質利子率によって決まることを示し，これによって，長期分析と短期分析の簡単なモデルを展開することができた．しかし，それらの関数はあまりにも単純であり，消費者と企業の行動を完全には説明できない．本章では，消費と投資の関数を詳細に検討し，家計と企業の支出を決定するものは何かについて，より徹底した説明を展開する．

　第Ⅰ巻第1章で議論したように，経済学分野はミクロ経済学とマクロ経済学の2つの小分野に大まかに分けられる．しかし，これらの小分野を分ける壁を壊すのが最適となるときもある．本章では消費と投資の決定のミクロ経済学的基礎を勉強することが，マクロ経済学の出来事と政策の理解をどのよ

258　第2部　マクロ経済理論とマクロ経済政策のトピックス

うに深めるかをみていこう.

8-1 消費支出を決めるのは何か

　マクロ経済学が1つの研究分野となって以降, 多くの経済学者が消費者行動を説明する方法を提案してきた. ここでは, 5人の著名な経済学者の見解を紹介しよう.

ジョン・メイナード・ケインズと消費関数

　まず, 1936年に出版されたジョン・メイナード・ケインズの『一般理論』から始めよう. ケインズは消費関数を経済変動理論の中心に置き, それ以降, 消費関数はマクロ経済分析において重要な役割を果たすようになった. ケインズが消費関数について何を考えたのかを検討し, 彼の考え方をデータに当てはめるとどのような謎が生じたのかをみよう.

　ケインズの推論　今日, 消費を研究する経済学者は, 洗練されたデータ分析手法に頼っている. コンピューターの助けを借りて, 経済全体の動きについては集計された国民所得勘定のデータを分析し, 各家計の行動については詳細な調査データを分析する. しかし, ケインズの執筆時期は1930年代であったため, そのようなデータもなければ, 大きなデータ・セットを分析するのに必要なコンピューターもなかった. 統計的分析に依拠する代わりに, ケインズは沈思黙考と日常の観察に基づいて消費関数について推論を行った.

　第1に, 最も重要なことは, ケインズが限界消費性向（*MPC*, marginal propensity to consume）が0と1の間にあると推論した点である. 限界消費性向とは, 追加された1単位の所得のうち, どれだけが消費されるかを表すものである. ケインズは次のように記している.「強い確信を持って信頼できる基本的な心理法則によると……人々は概して, また平均的に, 所得が増えるにつれて消費を増やす傾向にあるが, それは所得の増加の範囲内である.」すなわち, 人々が余分に1ドル稼ぐと, 一般的にはその一部を支出し, 一部を貯蓄するというのである. 第I巻第9章でケインジアンの交差図を展開したときにみたように, 広範な失業を減らすためのケインズによる助言に

とって，限界消費性向は決定的に重要であった．財政政策が経済に与える影響力は，財政政策乗数として表され，所得と消費の間の相互依存関係から生じる．

第2に，ケインズは，平均消費性向（APC, average propensity to consume）が所得の増加につれて低下すると仮定した．平均消費性向とは，消費の所得に対する割合である．ケインズは貯蓄が贅沢品だと信じていたので，高所得者は低所得者よりも所得に対する貯蓄の割合が高いと予想した．ケインズの分析にとって決定的に重要であったわけではないが，平均消費性向が所得の増加につれて低下するという仮定は，初期のケインズ経済学における中心部分となった．

第3に，ケインズは，消費の主要な決定要因は所得であり，利子率は重要な役割を持たないと考えた．この推論は，彼に先立つ古典派経済学者の信念とはきわめて対照的である．古典派経済学者は，利子率が上昇すると貯蓄が促進されて消費に水を差すと考えた．ケインズは，理論的には利子率が消費に影響を与えうることを認めた．しかし彼は，「経験から示唆される主要な結論として，私の考えでは所与の所得において利子率が個人消費に与える短期的な影響は，2次的でありそれほど重要なものではない」と述べている．

これらの考えを数学的に表現して，ケインズの消費関数は，

$$C = \overline{C} + cY \qquad \overline{C} > 0, \qquad 0 < c < 1$$

と書かれる．ここで，C は消費，Y は可処分所得，$\overline{C}$ は定数，c は限界消費性向である．この消費関数は，図8-1に直線で描かれている．$\overline{C}$ は縦軸の切片であり，c は傾きである．

この消費関数はケインズが推論した3つの性質を示している．この関数は限界消費性向 c が0と1の間にあると仮定することで所得が増加すると消費と貯蓄がともに増えるというケインズの最初の性質を満たしている．また平均消費性向 APC は，

$$APC = \frac{C}{Y} = \frac{\overline{C}}{Y} + c$$

であるため，ケインズの第2の性質を満たしている．Y が増加するにつれて，$\overline{C}/Y$ は低下するので，平均消費性向は低下するからである．最後に，利子率を消費の決定要因に含めていないので，この消費関数はケインズが推

図8-1 ● ケインズの消費関数

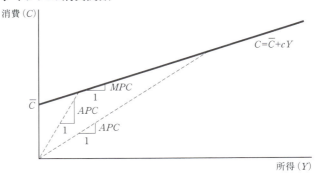

この図は，ケインズが推論した3つの性質を持つ消費関数を図示したものである．第1に，限界消費性向 c は 0 と 1 の間にある．第2に，平均消費性向は所得の増加とともに低下する．第3に，消費は現在所得によって決まる．

(注) 限界消費性向 MPC は消費関数の傾きである．平均消費性向 $APC=C/Y$ は，原点と消費関数上の点を結ぶ線の傾きに等しい．

論した第3の性質を満たしている．

初期の実証の成功　ケインズが消費関数を提案してから間もなく，経済学者たちはケインズの推論を検証するためにデータを集めて検討を始めた．最も初期の研究では，ケインズの消費関数は消費者行動をよく記述していると指摘された．

こうした研究のなかには，研究者たちが家計を調査し，消費と所得のデータを集めたものもあった．彼らは，所得の高い家計ほど消費が多いことを見出し，限界消費性向がゼロよりも大きいことを裏づけた．彼らはまた，所得の高い家計ほどより多く貯蓄することを見出し，限界消費性向が1よりも小さいことを裏づけた．さらに，高所得家計ほど所得のうち貯蓄する割合が高いことを見出し，平均消費性向が所得の上昇につれて低下するというケインズの推論を裏づけた．したがって，これらのデータは，限界消費性向と平均消費性向に関するケインズの推論を実証した．

他の研究において，研究者たちは両大戦間期における消費と所得の集計されたデータを検討した．これらのデータもケインズの消費関数を支持した．

1932年と1933年の大恐慌の最も厳しかった時期のように，所得が異常に低いときには消費も貯蓄も低く，限界消費性向が0と1の間であることを示していた．さらに，こうした低所得の年には，所得に対する消費の比率が高く，ケインズの2番目の推論を裏づけた．最後に，所得と消費の間の相関は非常に強く，消費を説明するうえで他の変数は重要にはみえなかった．したがって，このデータは，人々がどれだけ消費するかを選ぶうえでの主要な決定要因は所得であり，利子率は小さな役割しか果たさないという，ケインズの3番目の推論も裏づけた．

消費の謎　ケインズの消費関数は初期には成功をみたが，すぐに2つの例外が発見された．どちらも，所得の上昇に伴って平均消費性向が低下するというケインズの推論についてであった．

第1の例外は，一部の経済学者が第2次世界大戦中に恐ろしい予測——それは誤っていることがわかったが——をしたことで明らかになった．この経済学者たちは，ケインズの消費関数に基づいて，時間の経過とともに所得が伸びていくにつれて，家計の所得に占める消費の割合は小さくなり，貯蓄の割合は大きくなるだろうと推論した．彼らはこの貯蓄を吸収できるだけの十分な収益性のある投資が足りなくなるのではないかと心配した．もしその心配が事実となれば，消費が少なく財・サービスの需要が不十分となり，政府の戦時需要が途絶えると不況になってしまう．いい換えると，こうした経済学者たちは，ケインズの消費関数を用いて，総需要を拡張するために政府が財政政策を用いない限り経済はいわゆる**長期停滞**（secular stagnation），すなわち無期限に続く長い不況を経験するであろうと予言した．

経済にとっては幸運であり，ケインズの消費関数にとっては不運であったが，第2次世界大戦が終了しても新たな不況には突入しなかった．戦後は戦前よりも所得がかなり高くなったが，この所得の増加は貯蓄率の大幅な上昇にはつながらなかった．所得の増加につれて平均消費性向が低下するというケインズの推論は当てはまらないようにみえた．

第2の例外は，1940年代に経済学者サイモン・クズネッツが，1869年まで遡って消費と所得についての新しい集計データを作成したときに生じた．クズネッツは後にこの業績によりノーベル経済学賞を受賞することになった．

クズネッツの調査した期間には大幅な所得増加があったにもかかわらず，所得に対する消費の比率は10年間単位でみるときわめて安定していた．ここでも，所得の増加につれて平均消費性向が低下するというケインズの推論は当てはまらないようにみえた．

長期停滞の仮説の失敗とクズネッツの発見は，どちらも平均消費性向が長期間にわたってほぼ一定であるということを示唆した．この事実は謎を呼び，その後，消費に関する多くの研究がその謎を解くように動機づけられた．経済学者たちはケインズの推論を確証する研究がある一方で，反証する研究が存在するのはなぜか――すなわち，ケインズの推論が家計データの研究や短期の時系列の研究ではよく当てはまるが，長期の時系列について調べるとうまくいかないのはなぜなのか――ということを知りたがった．

図8-2は，この謎を示したものである．実証結果によると，2つの消費関数が示唆された．家計データや短期の時系列では，ケインズの消費関数がよく当てはまるようである．しかし，長期の時系列の消費関数では，平均消費性向は一定のようである．図8-2では，消費と所得の間のこの2つの関係は，

図8-2 ● 消費の謎

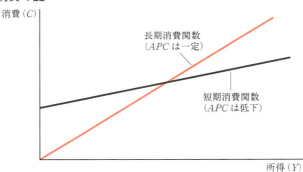

家計データの研究と短期の時系列の研究からは，ケインズが推論したような消費と所得の関係が見出された．図では，この関係は短期消費関数と呼ばれている．しかし，長期の時系列の研究からは，平均消費性向が所得に応じて規則正しく変化するようなことは見出されなかった．この関係は長期消費関数と呼ばれている．短期消費関数では平均消費性向が低下していくが，長期消費関数では平均消費性向が一定であることに注意しよう．

短期消費関数と長期消費関数と呼ばれている．経済学者は，どうすればこの２つの消費関数がお互いに矛盾しないのかを説明する必要に迫られた．

1950年代に，フランコ・モジリアーニとミルトン・フリードマンがそれぞれこの矛盾したようにみえる事実の説明方法を提案した．どちらの経済学者も消費に関する研究が理由の一部となって，後にノーベル経済学賞を受賞した．モジリアーニとフリードマンは同じ洞察から始めた．すなわち，もし人々が年々の消費は大きく変動するよりも安定するほうがいいと考えるなら将来を見据えるべきである．消費は現在の所得だけでなく，将来受け取ると予想する所得にも依拠するべきである．しかし２人の経済学者はこの洞察を異なる方向に向けた．

フランコ・モジリアーニとライフサイクル仮説

1950年代に書かれた一連の論文のなかで，フランコ・モジリアーニと彼の共同研究者たちは，消費の謎を解くこと，すなわち，ケインズの消費関数をデータに当てはめたときに明るみに出た，矛盾するようにみえる実証結果を説明することに努めた．もし消費者が将来を見据えるならば，消費はその人の生涯所得に依存するはずである．しかし，所得は人々の生涯の間で規則的に変化する．消費者は高所得の時期から低所得の時期に，貯蓄によって所得を移すことができる．消費者行動のこのような解釈は，モジリアーニのライフサイクル仮説（life-cycle hypothesis）の基礎となった．[1]

仮説　一生涯の間に所得が変動する１つの重要な理由は，退職である．ほとんどの人は65歳ぐらいで働くのをやめることを計画し，退職すると所得が大きく減ることを予想する．しかし，彼らは消費で測った生活水準が大きく下がることを望まない．退職後も消費を維持するには，働いている間に貯蓄をしなければならない．この貯蓄への動機が消費関数に何をもたらすかをみ

---

1)　ライフサイクル仮説を扱った研究を参照するにあたっては，モジリアーニのノーベル賞受賞記念講演から始められたい．Franco Modigliani, "Life Cycle, Individual Thrift, and the Wealth of Nations," *The American Economic Review*, Vol. 76, No. 3, June 1986, pp. 297-313. この伝統にのっとった最近の研究の例としては，以下を参照．Pierre-Olivier Gourinchas and Jonathan A. Parker, "Consumption Over the Life Cycle," *Econometrica*, Vol. 70, Issue 1, January 2002, pp. 47-89.

264　第2部　マクロ経済理論とマクロ経済政策のトピックス

ることにしよう.

　ある消費者が, これから T 年生きると予想し, W の富を持ち, R 年後に退職するまで所得 Y を毎年得ると予想するとしよう. 生涯にわたって消費を安定的にしたい場合, 消費者はどのような消費水準を選ぶだろうか.

　この消費者の生涯の原資は, 当初の富 W と, 生涯の所得 $R \times Y$ である (単純化のために, 利子率はゼロと仮定する. もし, 利子率が正ならば, 貯蓄から得られる利子も考慮しなければならないだろう). 消費者は, 生涯の原資を残りの人生である T 年に配分することができる. この消費者は生涯を通じてできる限り均等な消費に達するために, $W+RY$ の全体を T 年で均等に分割し, 各年に消費するのは,

$$C = \frac{W+RY}{T}$$

となる. この人の消費関数は,

$$C = \frac{1}{T}W + \frac{R}{T}Y$$

と書くことができる. たとえば, この消費者がこれから50年生き, 30年間働くと予想しているとしよう. すると, $T=50$, $R=30$ で, 消費関数は,

$$C = 0.02W + 0.6Y$$

となる. この式は, 消費が所得と富の両方に依存していることを述べている. 所得が各年に1ドルずつ増えれば, 0.6ドルの消費増加が毎年起こり, 1ドルの富の増加によって消費は各年に0.02ドルずつ増える.

　もしすべての人がこのように消費を計画するならば, 集計された消費関数は個人のものとほとんど同じ形になる. 集計された消費は, 富と所得の両方に依存する. すなわち, 経済全体の消費関数は,

$$C = \alpha W + \beta Y$$

となる. ここで, パラメーター α は富の限界消費性向であり, パラメーター β は所得の限界消費性向である.

　含意　図8-3は, ライフサイクル仮説から予測される消費と所得の関係を図示したものである. いかなる所与の富 W に対しても, このモデルは図8-1に示されるような通常の消費関数で表せる. しかし, もし所得がなくな

図8-3 ● ライフサイクル型消費関数

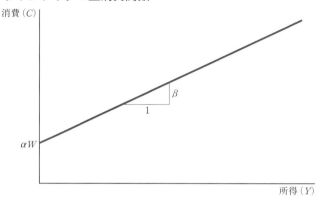

ライフサイクル仮説によれば，消費は所得だけではなく富にも依存する．その結果，消費関数の切片 αW は富に依存する．

ってしまったときに消費に何が起こるかを示す消費関数の切片は，図8-1のように定数ではないことに注意しよう．ここでは，消費関数の切片 (αW) は富に依存する．

この消費者行動のライフサイクル仮説は，消費の謎を解き明かしてくれる．ライフサイクル型消費関数では，平均消費性向は，

$$\frac{C}{Y} = \alpha \frac{W}{Y} + \beta$$

である．富は個人ごとの所得や年々の所得の変動に比例して変化するものではないので，個人別のデータや短期間のデータをみると，所得が高いほど平均消費性向は低くなることがわかるだろう．しかし，長期間を通じてみれば富と所得はどちらも増加するため，W/Y は一定，したがって平均消費性向も一定となる．

同じことをいくらか異なる表現でいうために，消費関数が時間とともにどのように変化するかを考えてみよう．図8-3が示すように，いかなる所与の富に対しても，ライフサイクル型消費関数はケインズが示唆したものと同じようにみえる．しかし，この関数は富が一定である短期についてのみ当てはまる．長期には富も増加するため，消費関数は図8-4のように上方にシフト

図8-4 ● 富の変化は消費関数にどのような影響を与えるか

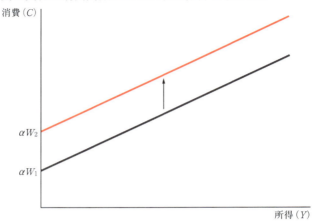

消費が富に依存するならば，富の増加は消費関数を上方にシフトさせる．したがって，（富を一定とした）短期の消費関数は，（富が時間の経過とともに増加するため）長期的に当てはまり続けるわけではない．

図8-5 ● ライフサイクルにおける消費，所得，富

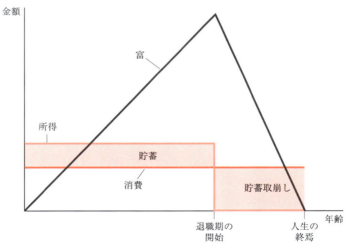

（水平な消費の線で示されるように）もし消費者が生涯を通じて消費を平準化するとすれば，働いている時代に貯蓄をして富を蓄積し，退職後に貯蓄を取り崩して富を減らす．

する．この消費関数の上方シフトがあるために，平均消費性向は所得が増加しても低下しない．このように，モジリアーニはサイモン・クズネッツのデータが提示した消費の謎を解決したのである．

ライフサイクル仮説からは他の多くの予測もできる．最も重要なのは，人の一生における貯蓄の変化を予測できることである．もしある人が大人になったときに富を持っていなければ，働きながら富をためて退職後にそれを使い果たすようにするだろう．図8-5は，その消費者が大人になってからの所得と消費と富を示したものである．ライフサイクル仮説によると，人々は消費を生涯にわたって平準化したいため，働いている若い人たちは貯蓄をし，退職した年配の人は貯蓄を取り崩すのである．

このモデルに刺激され，多くの経済学者が高齢者の消費と貯蓄を研究してきた．彼らは，高齢者がモデルの予測ほどには貯蓄を取り崩さないことを発見することが多かった．いい換えると，高齢者が富を減らす速さは，退職後の消費を平準化するときに減らすと考えられる水準より遅いのである．1つの理由は寿命と将来の医療費に関する不確実性だろう．もう1つの理由は子どもたちに遺産を残したいということだろう．退職後に備えるのは貯蓄の1つの動機であるが，他の動機も同様に重要であると思われる．[2]

ミルトン・フリードマンと恒常所得仮説

1957年に出版された本のなかで，ミルトン・フリードマンは消費者行動を説明するために恒常所得仮説（permanent-income hypothesis）を提示した．フリードマンの恒常所得仮説は，モジリアーニのライフサイクル仮説を補完したものである．どちらも，消費が現在所得にのみ依存するのではないと論じている．しかし，ライフサイクル仮説は所得が人の一生涯で規則的なパターンに従う点を強調したものであるのに対して，恒常所得仮説は，人々が

---

2) 高齢者の消費と貯蓄についてさらに読むならば以下を参照されたい．Albert Ando and Arthur Kennickell, "How Much（or Little）Life Cycle Is There in Micro Data?" in Rudiger Dornbusch, Stanley Fischer, and John Bossons, eds., *Macroeconomics and Finance: Essays in Honor of Franco Modigliani*, Cambridge, MA: MIT Press, 1986, pp.159-223; Michael D. Hurd, "Research on the Elderly: Economic Status, Retirement, and Consumption and Saving," *Journal of Economic Literature*, Vol. 28, No. 2, June 1990, pp. 565-637.

268　第2部　マクロ経済理論とマクロ経済政策のトピックス

年々，所得の不規則的な変化を経験する点を強調したものである．[3]

　仮説　フリードマンは，現在所得 Y が恒常所得（permanent income）Y^P と変動所得（transitory income）Y^T という2つの構成要素の合計であると示唆した．すなわち，

$$Y = Y^P + Y^T$$

である．恒常所得とは，所得のうち，将来にわたって持続すると予想される部分である．変動所得とは，所得のうち，永続的ではないと予想される部分である．いい換えると，恒常所得は平均所得であり，変動所得は平均所得からの不規則的な乖離である．

　所得がこの2つの部分にどのように分けられるかをみるために，次の例を考えてみよう．

- 法学の学位を持つニアは，高校を中退したイーサンよりも今年多くの収入を得た．ニアの所得が高いのは恒常所得が高いためである．なぜならば，彼女は高学歴のために高収入を享受し続けるだろうからである．
- フロリダのオレンジ栽培農家のリリーは，厳寒のために作物に被害を受けたので，今年は平年よりも収入が少なかった．カリフォルニアのオレンジ栽培農家のジュリオは，フロリダの厳寒によってオレンジの値段がつり上がったため，平年よりも収入が多かった．ジュリオの所得が増えたのは変動所得が増えたためである．来年もリリーよりも天候に恵まれるとは限らないからである．

こうした例は，所得の形が異なると，その永続性も異なることを示している．高学歴が恒常的に高所得をもたらすのに対し，よい天候は一時的にしか高所得をもたらさない．中間の場合も考えられるが，恒常所得と変動所得という2種類の所得だけがあると仮定して物事を単純化することは有益であろう．

　消費者は所得の一時的な変化に対して消費を平準化するために貯蓄や借入

---

3)　Milton Friedman, *A Theory of the Consumption Function*, Princeton, NJ: Princeton University Press, 1957.

をするから，消費は主として恒常所得に依存するとフリードマンは推論した．たとえば，もしある人が恒常的に1万ドル多く受け取るようになれば，その人の消費はおおよそその額だけ増えるであろう．しかし，ある人が宝くじで1万ドルを得たならば，1年で全部使いきることはせず，その後の生涯にわたって消費が増えるように振り分けるであろう．利子率をゼロ，残りの寿命を50年とすれば，1万ドルの賞金があれば消費を毎年200ドルずつ増やすことになる．このように，消費者は恒常所得を消費するが，変動所得のほとんどを貯蓄するのである．

フリードマンは，消費関数をおおよそ，

$$C = \alpha Y^P$$

とみるべきであると結論づけた．ただし α は恒常所得のうち消費される割合を測る定数である．恒常所得仮説は，この式に表されるように，消費は恒常所得に比例すると述べている．

含意　恒常所得仮説は，標準的なケインジアンの消費関数が誤った変数を用いていると問題提起することで，消費の謎を解明している．多くの消費関数の研究は消費を現在所得 Y に関係づけようとするが，恒常所得仮説は消費が恒常所得 Y^P に依存すると主張する．フリードマンは，この説明変数の誤りの問題が，矛盾してみえるような結果を説明すると述べている．

フリードマンの仮説が平均消費性向にとって何を意味するかをみてみよう．消費関数の両辺を Y で割ると，

$$APC = \frac{C}{Y} = \alpha \frac{Y^P}{Y}$$

を得る．恒常所得仮説によると，平均消費性向は，現在所得に対する恒常所得の比率に依存する．現在所得が一時的に恒常所得を上回ると，平均消費性向は一時的に低下する．また，現在所得が一時的に恒常所得を下回ると，平均消費性向は一時的に上昇する．

ここで，家計データの研究について考察してみよう．このデータは恒常所得と変動所得が組み合わさったものである，とフリードマンは推論した．恒常所得が高い家計は，それに比例して消費も多いだろう．もし家計所得の違いのすべてが恒常所得の違いによるものならば，すべての家計の平均消費性

270 第2部 マクロ経済理論とマクロ経済政策のトピックス

向は同じになるだろう．しかし，所得の違いの一部は変動所得によるもので
あり，そして，変動所得の比率の高い家計はそれほど多く消費しない．それ
ゆえ，高所得の家計を平均的にみると，低い平均消費性向を有するという結
果になるのである．

　同様に，時系列データの研究についても考察してみよう．年々の所得の変
化は変動所得によって受ける影響が大きい，とフリードマンは推論した．し
たがって，高所得の年は平均消費性向が低い年でもあるだろう．しかし，長
期間，たとえば10年単位でみれば，所得の変化は恒常所得によって生じるで
あろうから，クズネッツが発見したように，長期の時系列では平均消費性向
が一定であることが観察されるのである．

ケース・スタディ　1964年の減税と1968年の増税

　恒常所得仮説は，財政政策の変更に対して経済がどのように反応するか
を理解するのに役立つ．第Ⅰ巻第9章と第10章で説明した *IS-LM* モデル
によると，減税は消費を刺激して総需要を増やすのに対し，増税は消費を
減退させて総需要を減らす．しかしながら，恒常所得仮説からは，消費は
恒常所得の変化に対してのみ反応することが予想される．したがって，租
税の一時的な変化は，消費と総需要に対して無視できる程度の影響しか与
えないはずである．

　それは理論から導き出される予測である．しかし，この予測はデータに
よって裏づけられているのだろうか．

　経済学者のなかには，この予測はデータで裏づけられていると考える人
たちがいる．彼らは財政政策の2つの歴史的な変化，すなわち1964年の減
税と1968年の増税を指摘して，その原理を例示している．1964年の減税は
評判がよかった．それは，大きくかつ永続的な税率の引下げと発表されて
いた．第Ⅰ巻第9章で議論したように，この政策変更は経済を刺激すると
いう意図したとおりの効果をみせた．

　1968年の増税は非常に異なった政治的環境のなかで行われた．リンド
ン・ジョンソン大統領の経済諮問委員たちが，ベトナム戦争のための政府
支出増加が総需要を刺激しすぎたことを心配したために，増税が法制化さ
れたのである．彼らは，政府支出の影響を相殺するために増税を勧告した．

第8章　消費と投資のミクロ的基礎　　271

しかし，ジョンソンはこの戦争自体がすでに不評であることを承知していたため，増税による政治的反作用を恐れた．そのため，ジョンソンが同意したのは一時的な増税，つまり1年限りの増税であり，総需要を抑制するという望まれた効果をもたらさなかった．失業は減り続け，インフレ率は上昇し続けた．この結果は恒常所得仮説と整合的である．増税は変動所得にしか影響を与えず，消費行動と総需要は大きな影響を受けなかったのである．

　これらの2つの歴史的な事例は恒常所得仮説と整合的であるが，それらから確固とした推論を導くことはできない．どの時点においても，見通しに対する消費者の全般的な信頼感など，消費者の支出に対する多くの影響がある．増税や減税の影響をその他の同時に起こっている出来事の影響と切り分けるのは難しい．幸いなことに，最近の研究ではより信頼できる結論に至ることができた．それを次にみることにしよう．

ケース・スタディ　2008年の税金還付

　医学の研究者が新しい治療法の有効性について決定したいとき，最もよい方法は無作為の対照実験を行うことである．患者の一団が集められ，その半分には新しい治療法が施され，残りには偽薬が処方される．研究者は，その治療法の効果を測定するために2つのグループを追跡して比較する．

　マクロ経済学者はふつう無作為の実験を行うことができないが，ときにはそのような実験を図らずして手に入れることがある．1つの例は2008年に起こった．金融危機のために経済は景気後退に向かっていた．景気後退の力を相殺するために，アメリカ連邦議会は景気刺激法を採択し，家計に1000億ドルの一時的な税金還付を行った．独身は300〜600ドル，夫婦は600〜1200ドルを受け取り，子どものいる家庭はさらに子ども1人当たり300ドルを追加的に受け取った．最も重要なのは，数百万枚もの小切手を発送するには長時間を要し，消費者は異なる時期に税金還付を受け取ったことである．受領時期は各個人の社会保障番号の下2桁に基づいており，無作為であった．前半に支払いを受けた消費者と後半に支払いを受けた消費者の支出行動を比較することにより，この無作為な変化を用いて研究者が一時的な減税の効果を推計することができた．

272　第2部　マクロ経済理論とマクロ経済政策のトピックス

この調査を行った研究者の報告によると，結果は以下のとおりであった．

支払いを受けてから3カ月の間に，家計は平均して景気刺激策で受けた金額の12〜30％を支出し，その数字は（消費者支出調査で定義された）非耐久消費財の種類によって異なる．この反応は統計学的，経済学的に有意である．また，主として自動車の購入となる耐久消費財およびそれに関連するサービスの購入にも有意な影響がみられ，総消費支出への平均的な反応は，支払いを受け取った後の3カ月の間に，その額の約50〜90％に及んだ．[4]

この研究結果は恒常所得仮説の予想と際立って対照的である．もし恒常所得仮説が想定するように，家計が時間を通じて消費を平準化させるなら，3カ月間に税金還付のごくわずかしか支出しなかっただろう．しかし，データによると，還付金は支出に対して大きな効果があったことを示している．さらに，もし恒常所得仮説が正しいならば，前半に小切手を受け取った人は後半に小切手を受け取った人と行動が異なることはなかっただろう．なぜなら，2つのグループの恒常所得は等しいからである．しかし，データによると，小切手が配達されるタイミングは家計の支出に重大な影響があった．

こうした発見の説明となりうるのは，多くの家計が借入制約（borrowing constraint）に直面している，すなわち，期待される将来所得に対して借りることができる金額に制限があるということである．フリードマンの恒常所得仮説は，家計が貯蓄や借入を用いて時間を通じて消費を平準化できるという仮定に基づいている．借入制約は消費の平準化を妨げ，家計の支出は一時的な所得を含めた現在の所得に制約される．

恒常的な税改正は一時的なものよりも消費者の支出に対してより強力に影響するという恒常所得仮説は正しいだろう．しかし，2008年の経験の証拠に基づくと，一時的な税改正の影響がわずかな影響しかもたらさないと

---

4) Jonathan A. Parker, Nicholas S. Souleles, David S. Johnson, and Robert McClelland, "Consumer Spending and the Economic Stimulus Payments of 2008," *The American Economic Review*, Vol. 103, No. 6, October 2013, pp. 2530-2553.

結論付けるのは正しくないようである．非常に一時的な租税政策でも消費者がどれだけ支出するかには影響を与えることができるのである．

ロバート・ホールとランダムウォーク仮説

恒常所得仮説は，将来を見据えた消費者が，現在所得だけでなく将来受け取ると予想される所得も考慮して消費を決定する，という洞察に基礎を置いている．このように，恒常所得仮説は，消費が人々の期待に依存するという考えを強調している．

それに続く消費に関する研究は，消費者についてのこうした見方を合理的期待の仮定と結びつけたものである．合理的期待では，人々がすべての利用可能な情報に基づいて最適な将来予測を行うことを仮定している．第 I 巻第 12 章を思い出せばわかるように，この仮定はインフレーションを減速させるコストについて潜在的に深い意味を持つ．それはまた，消費者行動についても深い意味を持ちうるのである．

仮説 経済学者ロバート・ホールは，消費に対する合理的期待の意味を初めて引き出した人物である．ホールは，もし恒常所得仮説が正しく，消費者が合理的期待を形成しているのであれば，時間を通じた消費の変化を予測できないことを示した．経済学者は，変数の変化が予測できないとき，その変数はランダムウォーク（random walk）に従うという．ホールによれば，恒常所得仮説と合理的期待が組み合わさると，消費はランダムウォークに従うことを意味する．

ホールは次のように推論した．恒常所得仮説によると，消費者は所得の変動に直面し，時間を通じて消費をできるだけ平準化しようとする．いつの時点においても，消費者はその時点における生涯所得に対する期待に基づいて消費を選択する．時間が経つにつれて，期待が修正されるようなニュースを得るので，消費は変更される．たとえば，予想外の昇進をした人は消費を増やすだろうし，予期せずに降格された人は消費を減らすだろう．いい換えれば，消費の変化は生涯所得に関する「驚き」を反映している．もし消費者があらゆる利用可能な情報を最適に利用しているのであれば，消費者が驚くのは，予想できない出来事が生じた場合のみである．したがって，消費の変化

274　第2部　マクロ経済理論とマクロ経済政策のトピックス

もまた予測不可能となるだろう.[5]

　含意　消費に対する合理的期待の接近法は, 予測のみならず, 経済政策の分析についても意味を持っている. もし消費者が恒常所得仮説に従い, 合理的期待を形成するならば, 予想外の政策変更のみが消費に影響を与える. こうした政策変更は期待を変化させるときに有効となる. たとえば, 議会が増税法案を成立させ, 翌年から実施されるとする. この場合, 消費者は議会が法案を可決したときに (あるいは, 法案の成立が予測可能であればもっと早い時期に), 生涯所得に関するニュースを入手する. このニュースの出現によって, 消費者は期待を修正して消費を減らす. 翌年になって増税が開始されたときには, 何も新しいニュースが入っていないので, 消費は変化しない.

　このため, もし消費者が合理的期待を形成するならば, 政策立案者は, 自らの行動に加えて, 自分たちの行動に対する人々の期待によっても, 経済に影響を与えることになる. しかしながら, 期待は直接には観察できない. したがって財政政策の変更によって総需要にいつどのような影響が出るかを知るのは難しいことが多い.

ケース・スタディ　予測可能な所得の変化は, 予測可能な消費の変化につながるだろうか

　消費者行動に関する多くの事実のなかで, 議論にもならないほど決まりきったことが1つある. それは, 所得と消費が景気循環によって変動することである. 経済が景気後退期に入ると, 所得と消費はどちらも減少し, 好況になると所得と消費は急速に増加する.

　この事実は, それ自体では合理的期待を取り入れた恒常所得仮説について語ることがあまりない. 短期の変動はほとんど予測できない. したがって, 経済が景気後退期に入ると, 一般的な消費者は生涯所得について悪いニュースを受け取り, 消費は自然に減少する. そして, 経済が好況になると, 一般的な消費者は自分の生涯所得についての明るいニュースを受け取

5）　Robert E. Hall, "Stochastic Implications of the Life Cycle-Permanent Income Hypothesis: Theory and Evidence," *Journal of Political Economy*, Vol. 86, No. 6, December 1978, pp. 971-987.

り，消費は増加する．この行動は必ずしも，消費の変化は予測不可能であるというランダムウォークの仮説に背いていない．

所得の予測可能な変化が認識されたとしよう．ランダムウォーク仮説によれば，こうした所得の変化は消費者が自らの消費計画を見直すきっかけにはならない．もし消費者が所得の増加や減少が予想されると考えたのであれば，その情報を入手した時点ですでにそれに反応して消費を調整しているはずだからである．したがって，予測可能な所得の変化は予測可能な消費の変化をもたらさない．

しかしながら，消費と所得に関するデータは，このランダムウォーク仮説の含意を満たさない．一般的に，所得が1ドル減少すると予想されるとき，消費は約0.5ドル減少する．いい換えれば，予測可能な所得の変化は，およそ半分の大きさの予測可能な消費の変化をもたらす．

なぜこうしたことが起こるのだろうか．考えられる1つの説明は，消費者のなかには合理的期待を形成しない消費者がいるというものである．そのような人たちは，将来所得を予想するにあたって，現在所得に頼りすぎているのかもしれない．したがって，所得が（予測できていたとしても）増えたり減ったりすると，あたかも一生涯の原資についてのニュースを受けたかのように行動し，それに応じて消費を変化させるのである．もう1つの考えられる説明は，借入制約に直面する消費者がいて，現在所得のみに依存して消費を決めるというものである．どちらの説明が正しいにせよ，ケインズの元の消費関数の魅力は増す．すなわち，ホールのランダムウォーク仮説が示唆する以上に，消費者の支出を決めるうえで現在所得が大きな役割を果たしているのである．[6]

デヴィッド・レイブソンと即時的満足の魅力

ケインズは消費関数を「根源的な心理的法則」であると呼んだ．しかし，

6） John Y. Campbell and N. Gregory Mankiw, "Consumption, Income, and Interest Rates: Reinterpreting the Time-Series Evidence," *NBER Macroeconomics Annual*, 1989, pp. 185-216: Jonathan A. Parker, "The Reaction of Household Consumption to Predictable Changes in Social Security Taxes," *The American Economic Review*, Vol. 89, No. 4, September 1999, pp. 959-973; Nicholas S. Souleles, "The Response of Household Consumption to Income Tax Refunds," *The American Economic Review*, Vol. 89, No. 4, September 1999, pp. 947-958.

276　第2部　マクロ経済理論とマクロ経済政策のトピックス

それに続く消費の研究において心理学は大きな役割を果たさなかった．たいていの経済学者は，消費者が生涯を通じて最も高い満足を得るために，絶えず自分の機会と計画を評価し，合理的に効用を最大化する人であると仮定した．モジリアーニ，フリードマン，そしてホールのすべては消費の理論を発展させるときにこの人間行動のモデルに依拠した．

　近頃になって，経済学者は心理学に回帰した．消費決定は超合理的な**ホモ・エコノミカス**（Homo economicus）によってではなく，より複雑な行動をとる生身の人間によってなされるのである，と提唱したのである．心理学を経済学に取り入れるこの新しい一分野は，行動経済学（behavioral economics）と呼ばれる．

　消費を研究する最も卓越した行動経済学者であるデヴィッド・レイブソンは，消費者の多くが自分自身を不完全な意思決定者であると思っていると指摘する．アメリカ人に対するある世論調査では，76%の人々が退職後のための十分な貯蓄をしていないと回答した．ベビーブーム世代への別の世論調査では，回答者は，所得のうち実際に貯蓄している割合と，貯蓄すべきであると考える割合を尋ねられた．すると，貯蓄の不足は平均して11%であった．

　レイブソンによると，貯蓄の不十分さはもう1つの現象に関連している．それは即時的満足の魅力である．次の2つの質問について考えてみよう．

　　問1　あなたは，（A）今日もらえる1個のキャンディと，（B）明日2個
　　　　もらえるキャンディのどちらを選びますか？
　　問2　あなたは，（A）100日後にもらえる1個のキャンディと，（B）101
　　　　日後にもらえる2個のキャンディのどちらを選びますか？

　人々の多くは問1に対し（A）と答え，問2に対し（B）と答える．ある意味，人々は短期よりも長期のほうが忍耐強いのである．

　これより，消費者が時間非整合的な選好（time-inconsistent preference）を有するという可能性が出てくる．すなわち，消費者はたんに時間が経過したということが理由で決定した内容を変更するのである．問2に直面した人はBを選択し，もう1つのキャンディを得るためにもう1日待つかもしれない．しかし，100日経ったのちに，問1に直面していることに気づく．即

時的満足の魅力によってその人は気持ちを変えるようになるかもしれない.

生活のなかでこうした類いの行動はしばしばみられる. ダイエットしている人のなかには, 夕食でお代わりをしながら, 明日は食べる量を減らそうと誓う人がいるかもしれない. もう1本タバコを吸いながら, これが最後だと誓う人がいるかもしれない. 消費者のなかには, ショッピングモールで散財をしながら, 明日は支出を減らし, 退職後に備えて貯蓄を増やすと誓う人がいるかもしれない. しかし明日になると, その誓いは過去のものとなり, 新しい自己が意思決定を支配し, 即時的満足への願望を持つようになる.

消費者が型にはまった合理性から逸脱し, 時間非整合的な行動をとる可能性は, 次のケース・スタディで議論するように, 公共政策を立案するうえで重要となりうる.[7]

ケース・スタディ 人々にもっと貯蓄をさせる方法

多くの経済学者が信じていることであるが, アメリカ人は所得のうち貯蓄する割合を増やすことが望ましいだろう. この結論にはいくつかの理由がある. ミクロ経済学的な視点からは, 貯蓄が増えることで人々の退職への備えがよりよく整う. この目的はとりわけ重要である. というのも, 退職者に所得を与える公共プログラムである社会保障は, 人口の高齢化に伴って, 何年か後には財政的危機に陥ると予想されるからである. マクロ経済学的な視点からは, 貯蓄が増えると, 投資資金を融通することのできる貸付資金の供給が増えるだろう. ソロー・モデルでは, 資本蓄積の増大は高所得につながる. 開放経済の視点からは, 国内投資のうち海外からの資本流入によって資金調達されるものが少なくなる. 資本流入が減ると, 貿易収支を赤字から黒字へと押し上げるだろう. 最後に, 多くのアメリカ人が貯蓄は十分でないと口にするという事実も, 貯蓄の増加が国民的目標であるべきだと考える十分な理由になるかもしれない.

---

7) このトピックについては, さらに以下を参照されたい. David I. Laibson, "Golden Eggs and Hyperbolic Discounting," *The Quarterly Journal of Economics*, Vol. 112, No. 2, May 1997, pp. 443–477; George-Marios Angeletos, David Laibson, Andrea Repetto, Jeremy Tobacman, and Stephen Weinberg, "The Hyperbolic Consumption Model: Calibration, Simulation, and Empirical Evaluation," *The Journal of Economic Perspectives*, Vol. 15, No. 3, Summer 2001, pp. 47–68.

政策立案者はどのようにして貯蓄を増進できるだろうか．急速に成長する分野である行動経済学では，いくつかの答えを提示している．

第1のアプローチは，貯蓄を最も抵抗の小さいものにすることである．たとえば，401(k)プランを考えてみよう．それは，雇用者を通じて多くの労働者に利用可能であり，税制上の優遇を受ける貯蓄口座である．ほとんどの企業では，401(k)プランへの参加は，労働者が簡単な書式に記入することで選ぶことのできるオプションとして提供されている．しかしながら，いくつかの企業では，労働者は自動的にそのプランに登録されており，簡単な書式に記入することで抜けることができるようになっている．研究によると，後者の場合のほうが前者の場合よりはるかに労働者は加入することがわかっている．経済理論でよく仮定されているように，もし労働者が合理的な最大化を行うのであれば，登録することを選ばなくてはならないか自動的に登録されるかにかかわらず，最適な貯蓄の大きさを選ぶだろう．実際のところ，労働者は慣性に従うため，初期設定はどれだけ貯蓄するかに強く影響する．貯蓄を増やしたいと考える政策立案者は，自動的な登録をより一般的なものにすることにより，この慣性を利用することができる．

貯蓄を増やすための第2のアプローチは，人々に即時的満足への欲望をコントロールする機会を与えることである．それは，2017年にノーベル経済学賞を受賞した経済学者のリチャード・セイラーによって提案された，「明日はもっと貯蓄しよう」というプログラムである．このプログラムの核心は，人々が前もって，将来の昇給の一部を年金貯蓄口座に入れると自分自身を拘束することである．労働者が署名すると，今日消費を減らすという犠牲を払わないが，その代わりに，将来には消費の伸びを減らすように自分自身を拘束する．このプランがいくつかの企業で実行されたときには大きなインパクトがあった．このプランを提示された人々のうち，多くの割合の人（78%）がこのプランに参加した．さらに，登録した人のうち，大多数の人（80%）が少なくとも4回の年次昇給を経てもプログラムにとどまった．このプログラムに参加する人たちの平均貯蓄率は，40カ月の間に3.5%から13.6%へと上昇した．

こうしたアイディアをより広く適用することが，アメリカの貯蓄率を高

めるのにどれほど成功するだろうか．それを知ることは難しい．しかし，貯蓄が個人と国民の繁栄にとって重要であるということを考えれば，こうした提案はやってみるに値すると，多くの経済学者が信じている．[8]

消費に関する結論

本章では，5人の卓越した経済学者の研究を通じて，消費者行動についてのさまざまな見解をみた．ケインズは，消費が主として現在所得に依存することを提示した．ケインズは，

消費＝f（現在所得）

の形の消費関数を提案した．最近では，消費者は将来の資力とニーズを考えるので，消費関数はケインズが提案したよりも複雑なものになると経済学者は論じている．最近の研究は，代わりに，

消費＝f（現在所得，富，期待将来所得，利子率，自己制御メカニズム）

を提案している．いい換えれば，現在所得は集計された消費の1つの決定要因にすぎない．

経済学者は，これらの消費の決定要因の重要性について議論している．たとえば，利子率は消費者の支出に大きな影響を持っているか，借入制約はどれほど一般的か，また心理的な効果は重要かといった点については，意見の不一致が残されている．重要なことは，経済学者は消費関数が異なれば経済政策について異なる結論に達するということである．

8 - 2 投資支出を決めるのは何か

消費財への支出は今日の家計に効用を与えるものであり，投資財への支出は，将来のより高い生活水準を供給することを目指すものである．投資は，GDPのなかで現在を将来につなげるものである．

---

[8] James J. Choi, David Laibson, Brigitte C. Madrian, and Andrew Metrick, "Defined Contribution Pensions: Plan Rules, Participant Choices, and the Path of Least Resistance," *Tax Policy and the Economy*, Vol. 16, 2002, pp. 67-113; Richard H. Thaler and Shlomo Benartzi, "Save More Tomorrow™: Using Behavioral Economics to Increase Employee Saving," *Journal of Political Economy*, Vol. 112, No. S1, 2004, pp. S164-S187.

投資は GDP の構成要素のなかで最も不安定な要素である．財・サービスへの支出が景気後退期に減少するとき，その大部分は通常，投資の減少による．たとえば，2008〜2009年の大不況の間に，アメリカの実質 GDP は2007年第4四半期のピーク時から2009年第2四半期の景気の谷にかけて6280億ドル減少したが，同時期の投資支出は7810億ドルも減少し，支出の総減少額を上回っていた．

第I巻第2章でみたように，投資支出には3つのタイプがある．企業固定投資，住宅固定投資，在庫投資である．ここでは投資支出の4分の3を占める企業固定投資に着目する．「企業」という用語は，その資本財は企業によって将来の生産に用いるために購入されることを意味する．「固定」という用語は，すぐに使用・販売される在庫投資とは異なり，この支出が資本としてしばらくの間残ることを意味する．企業固定投資は，オフィス用の家具から工場まで，またコンピューターから社用車まで，あらゆるものを含む．

企業固定投資の標準的なモデルは，投資の新古典派モデル（neoclassical model of investment）と呼ばれる．新古典派モデルは，資本財を保有する企業の費用と便益を考察するもので，投資（資本ストックへの追加分）が，資本の限界生産力，利子率，企業に影響を与える課税ルールとどのような関係にあるかを示している．

モデルを展開するために，2種類の企業が存在すると想定しよう．生産企業は，資本を借りて財・サービスを生産する（ちょうど第I巻第3章でのモデルと同様である）．レンタル企業は経済のすべての投資を行う——すなわち資本を購入し，生産企業に賃貸（レンタル）するのである．実際にはほとんどの企業は財・サービスを生産すると同時に，将来の生産のために資本に投資する．しかし，この2つの行動を分離し，異なる企業で起こると考えることにより，思考が明確になる．

資本のレンタル料

最初に典型的な生産企業を考えよう．第I巻第3章でみたように，この企業は，資本1単位ごとの費用と便益を比較してどれだけ資本を賃借（レンタル）するかを決定する．この企業は資本をレンタル料 R で借り，生産物を価格 P で販売する．すなわち，生産企業にとっての資本1単位の実質費用

図8-6 ● 資本のレンタル料

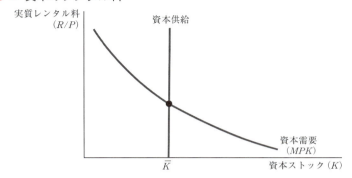

資本の実質レンタル料は，（資本の限界生産力で決定される）資本需要と一定量の供給を均衡させるように調整される．

（実質レンタル料）は R/P である．資本1単位の実質便益は，資本の限界生産力 MPK（1単位の資本の追加による産出の増加分）である．資本の限界生産力は，資本の量が増えるにつれて低下する．すなわち，企業の保有する資本が多ければ多いほど，資本の追加によって産出が増加する量は減っていくであろう．第Ⅰ巻第3章での結論は，企業は利潤を最大化するため，資本の限界生産力が低下して実質レンタル料に等しくなるまで資本を賃借するということであった．

図8-6は，資本のレンタル市場における均衡を示している．いま論じた理由から，資本の限界生産力が需要曲線を決定する．資本の水準が高いときには資本の限界生産力は低いので，需要曲線は右下がりになる．いかなる時点においても，経済に存在する資本の量は一定なので，供給曲線は垂直である．資本の実質レンタル料は需要と供給が均衡するように調整される．

どの変数が均衡レンタル料に影響を及ぼすかをみるために，ある特定の生産関数を考えよう．第Ⅰ巻第3章でみたように，多くの経済学者は，経済がどのように資本と労働を財・サービスに変換するかについて，コブ＝ダグラス生産関数がよく近似していると考えている．コブ＝ダグラス生産関数は，

$$Y = AK^{\alpha}L^{1-\alpha}$$

である．ここで Y は産出量，K は資本量，L は労働量，A は技術水準を測るパラメーター，α は0と1の間のパラメーターで産出に占める資本の分配

率を表す. コブ＝ダグラス生産関数における資本の限界生産力は,
$$MPK = \alpha A(L/K)^{1-\alpha}$$
である. 均衡では実質レンタル料 R/P が資本の限界生産力に等しいので,
$$R/P = \alpha A(L/K)^{1-\alpha}$$
と書くことができる. この式は実質レンタル料を決定する変数を示している.
この式より以下のことがわかる.

- 資本ストックが少ないほど, 資本の実質レンタル料は高くなる.
- 雇用される労働量が多いほど, 資本の実質レンタル料は高くなる.
- 技術水準が高いほど, 資本の実質レンタル料は高くなる.

（竜巻などで）資本ストックが減少したり,（総需要の拡大などで）雇用が
増加したり,（技術者の発見などで）技術が進歩するような出来事が起こる
と, 均衡における資本の実質レンタル料は上昇する.

資本コスト

次に, レンタル企業を考えよう. レンタカー会社のように, この企業は資
本財を購入してそれを賃貸するだけである. われわれの目的はレンタル企業
による投資を説明することなので, 資本を保有する便益と費用を考えること
から始めよう.

資本を保有することの便益は, 資本を生産企業に賃貸することで得る収入
である. レンタル企業は, 資本を保有し賃貸することで, 資本1単位につき
実質レンタル料 R/P を受け取る.

資本を保有する費用はもう少し複雑である. レンタル企業は, 資本1単位
を賃貸するにあたって, 各期ごとに3種類の費用を負担する.

1. レンタル企業は1単位の資本を購入するために借入をすると, 借入金
   の利子を支払わなければならない. P_K を資本財1単位の購入価格, i
   を名目利子率とすると, その利子費用は iP_K になる. この利子費用は,
   レンタル企業が資金を借り入れる必要がない場合でさえ負担することに
   注意しよう. レンタル企業が手持ちの資金を用いて資本財1単位を購入

第8章　消費と投資のミクロ的基礎　　283

する場合でも，その資金を銀行に預金すれば得られたはずの利子を失っ
ているからである．どちらの場合も，利子費用は iP_K となる．
2.　レンタル企業が資本を賃貸している間に，資本の価格は変化すること
がある．資本価格が下落すると，保有資産の価値が下がるのでレンタル
企業は損失を被る．資本価格が上昇すると，保有資産の価値が高まるの
でレンタル企業は利益を得る．この損失あるいは利益の費用は $-\Delta P_K$
である（便益でなく費用を計算しているので，ここではマイナスの符号
がついている）．
3.　資本は賃貸されている間に，磨滅したり損耗したりする．これは，減
価償却（depreciation）と呼ばれる．δ を減価償却率（磨滅や損耗のた
め，1期間ごとに失う資本の価値の割合）とすると，減価償却の費用は
貨幣単位で測って δP_K となる．

したがって，1単位の資本財を1期間賃貸する総費用は，

資本コスト $= iP_K - \Delta P_K + \delta P_K$

$= P_K(i - \Delta P_K / P_K + \delta)$

となる．資本コストは，資本財の価格，名目利子率，資本財価格の変化率，
そして減価償却率に依存する．

たとえば，レンタカー会社にとっての資本コストを考えてみよう．この会
社は自動車を1台当たり3万ドルで購入し，他の企業に賃貸する．利子率 i
を年10％とすると，利子費用 iP_K は，保有する自動車1台当たり年間3000
ドルとなる．自動車価格が年間6％ずつ値上がりしていると，磨滅や損耗を
除けば，企業はキャピタルゲイン ΔP_K を年間1800ドル得る．自動車の減価
償却率を年20％とすると，磨滅や損耗のための損失 δP_K は，年6000ドルと
なる．したがって，この会社の資本コストは，

資本コスト $=$ 3000ドル $-$ 1800ドル $+$ 6000ドル

$=$ 7200ドル

となる．したがって，レンタカー会社が資本ストックとして自動車1台を保
有する費用は年間7200ドルである．

資本コストをより単純で解釈しやすい表現にするために，資本財価格は他
の財の価格と同様に上昇するとしよう．この場合，$\Delta P_K / P_K$ は一般のインフ

284 第2部 マクロ経済理論とマクロ経済政策のトピックス

レ率 π に等しい．$i-\pi$ は実質利子率 r に等しいので，資本コストは，

$$資本コスト＝P_K(r+\delta)$$

と書ける．この式は，資本コストが資本財の価格，実質利子率，そして減価償却率に依存することを表している．

　最後に，資本コストを経済全体の他の財との相対価格で表そう．経済全体の産出物で測った資本財1単位を購入し賃貸する費用，すなわち実質資本コスト（real cost of capital）は，

$$実質資本コスト＝(P_K/P)(r+\delta)$$

となる．この式は，実質資本コストが，資本財の相対価格 P_K/P，実質利子率 r，そして減価償却率 δ に依存することを表している．

投資の費用便益分析

　次に，資本ストックの増減に関するレンタル企業の意思決定について考えよう．資本財1単位につき，レンタル企業は実質収入 R/P を受け取り，実質費用として $(P_K/P)(r+\delta)$ を負担する．資本財1単位当たりの実質利潤は，

$$利潤率＝収入－費用$$
$$＝R/P-(P_K/P)(r+\delta)$$

となる．均衡における実質レンタル料は資本の限界生産力に等しいので，利潤率は，

$$利潤率＝MPK-(P_K/P)(r+\delta)$$

と書くことができる．レンタル企業は，資本の限界生産力が資本コストを上回っていれば利潤を得て，限界生産力が資本コストを下回っていれば損失を被る．

　ここで，レンタル企業の投資決定の背後にあるインセンティブをみることができる．企業の資本ストックに関する決定，すなわち資本ストックを追加すべきか減耗したまま放置しておくべきかについては，資本を保有し賃貸することが利益を生むか否かに依存している．純投資（net investment）と呼ばれる資本ストックの変化は，資本の限界生産力と資本コストの差に依存する．もし資本の限界生産力が資本コストを上回っていれば，企業は資本ストックを追加して利潤を得るであろう．また，もし資本の限界生産力が資本コストを下回れば，企業は資本ストックが減るままにしておくであろう．

第8章　消費と投資のミクロ的基礎　　285

　ここでまた，生産企業とレンタル企業とに経済活動を分けて考えることは，考え方を明確にするのには役に立つが，企業がどれほどの投資をするかについて結論を出すときには必要ないこともわかる．資本を保有し使用する企業にとって，資本財1単位の追加による便益は資本の限界生産力であり，費用は資本コストである．資本を所有し賃貸する企業と同様に，この企業も，もし資本の限界生産力が資本コストを上回っていれば資本ストックを追加する．したがって，

$$\Delta K = I_n[MPK - (P_K/P)(r+\delta)]$$

と書くことができる．ただし，$I_n(\ )$は，純投資が投資インセンティブにどのように反応するかを表す関数である．資本ストックがどれだけ反応するか（したがって，この関数の正確な形）は，調整過程にどれほど費用がかかるかに依存する．

　これで，投資関数を導くことができる．投資への総支出は，純投資と減耗資本の置換えの合計であるから，投資関数は，

$$I = I_n[MPK - (P_K/P)(r+\delta)] + \delta K$$

となる．投資は，資本の限界生産力，資本コスト，減価償却量に依存して決まる．

　このモデルは，投資がなぜ実質利子率に依存するのかを示している．実質利子率の低下は資本コストを減少させる．それにより資本保有による利潤が増加し，資本をさらに蓄積するインセンティブを高める．同様に，実質利子率の上昇は資本コストを増加させるため，企業は投資を減らす．こうした理由により，投資と実質利子率の関係を表す投資関数は，図8-7のパネル（a）のように右下がりとなる．

　このモデルはまた，何が投資関数をシフトさせるかも示している．資本の限界生産力を上昇させるような出来事は，必ず投資の収益性を引き上げるので，図8-7のパネル（b）にあるように，投資関数を外側（右側）にシフトさせる原因となる．たとえば，生産関数のパラメーターAを上昇させるような技術革新は資本の限界生産力を高め，いかなる所与の利子率に対してもレンタル企業が購入しようとする資本財の量を増やす．

　最後に，資本ストックの調整が続くと，時間の経過とともに何が起こるかを考えてみよう．限界生産力が資本コストを上回っているところを出発点と

図8-7 ● 投資関数

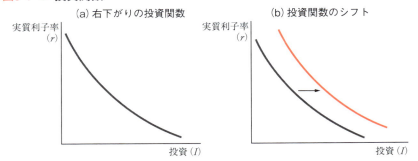

パネル(a)では，実質利子率が低下するときに投資が増加することが示されている．実質利子率が低いと資本コストが減少し，資本を保有することの収益性が高まる．パネル(b)は，資本の限界生産力の上昇などにより，投資関数が右側にシフトすることを示している．

すると，資本ストックは増加し，限界生産力は低下するだろう．資本の限界生産力が資本コストを下回っているところを出発点とすると，資本ストックは減少し，限界生産力は上昇するだろう．最終的には，資本ストックが調整され，資本の限界生産力は資本コストに接近する．資本ストックが定常状態に達した状況は，

$$MPK = (P_K/P)(r+\delta)$$

と書ける．このように，長期的には資本の限界生産力は実質資本コストと等しくなる．定常状態への調整速度は，企業がどれくらい速やかに資本ストックを調整するかに依存する．すなわち，新しい資本を作り，配送し，設置するのにどれくらい費用がかかるかに依存する．[9]

租 税 と 投 資

税法は，多くの点で企業の資本蓄積へのインセンティブに影響を与える．ときには政策立案者は税制を変更し投資関数をシフトさせ，総需要に影響

---

[9] 経済学者はしばしば，資本財1単位の価格が他の財・サービス1単位の価格と等しいとして，資本財が何単位かを測る（$P_K = P$）．この方法は，たとえば第Ⅱ巻第1章および第2章で暗黙のうちにとられた．この場合，定常状態では，資本の限界生産力から資本減耗を差し引いたもの，すなわち $MPK - \delta$ は実質利子率 r に等しい．

第8章　消費と投資のミクロ的基礎　　287

与えようとする．ここでは，法人所得税と投資税額控除という，法人税のなかでも最も重要な2つの規定について考えることにしよう．

　法人所得税（corporate income tax）は，企業利潤に対する課税である．過去の大部分において，アメリカ連邦政府により課される法人税率は46％であった．1986年にその率が34％に引き下げられ，その後，1993年には35％に引き上げられた．2017年までその水準は変更されていない．多くの州では追加的な法人税も課しており，アメリカでの総法人税率は約40％になっている．これと対照的に，2017年の平均法人税率はヨーロッパでは20％，アジアでは21％であった．アメリカを国際標準に近づけるために，トランプ大統領は2017年末の法案に署名し，2018年に施行された．それにより，連邦法人税は35％から21％に低下した．

　法人所得税が投資に与える影響は，税法が「利潤」をどのように定義するかに依存する．最初に，われわれがこれまでしてきたように，資本のレンタル料から資本コストを引いたものを法律が利潤と定義するとしよう．この場合，企業は利潤を政府と分けることになるが，それでもなお，資本のレンタル料が資本コストを上回っているならば投資をし，レンタル料が資本コストを下回れば投資をしないのが合理的である．利潤に対する課税をこのように測った場合，投資インセンティブは変化しない．

　しかし，実際の法人所得税の利潤の定義は，投資決定に影響を与えるものである．法律の定義と経済学における定義の間には数多くの異なる点が存在する．たとえば，1つの違いは，減価償却の取扱いである．経済学における利潤の定義では，減価償却の現在における価値を費用として差し引く．すなわち，減価償却を今日磨耗した資本を置き換えるのにどれだけ費用がかかるかという点でとらえている．しかし，既存の法人税法では企業は購入時点の費用を用いて減価償却を差し引く．すなわち，減価償却分の控除は購入時の資本の価格に基づく．したがってインフレーションのときには置換え費用は購入時の費用を上回るため，法人税は減価償却の費用を過小評価し，利潤を過大評価する．その結果，経済学上の利潤がゼロのときでさえ，税法は利潤があるとみて課税するので，資本を保有する魅力は低下してしまう．こうした理由に加えて他の理由もあり，多くの経済学者は法人所得税が投資に水を差すと信じている．

288　第2部　マクロ経済理論とマクロ経済政策のトピックス

　政策立案者はしばしば法人所得税の規定のルールを変更して投資を促したり，少なくとも税法による投資の阻害要因を緩和しようとしたりする．その1つの例が投資税額控除（investment tax credit）である．これは資本財に支出された金額の一部を企業の税から差し引く条項である．企業は新資本への支出の一部を税の低下を通じて取り戻せるので，投資税額控除は資本財1単位当たりの事実上の購入価格 P_K を引き下げる．すなわち，投資税額控除は資本コストを引き下げ，投資を増やす．

　1985年に投資税額控除は10％であった．しかし，1986年の税制改革法は法人所得税率を引き下げ，投資税額控除を廃止した．ビル・クリントンが1992年に大統領に立候補したとき，投資税額控除を復活させるという綱領にのっとって運動したが，彼は議会でこの提案を通せなかった．しかしながら，投資税額控除を復活させるという考えはときどき浮上する．

　減価償却に関する税法のルールは，政策立案者がどのようにして投資インセンティブに影響を与えることができるかという例である．2001年にジョージ・W・ブッシュ（子）が大統領になったとき，経済は景気後退に陥るところであり，その大部分は企業固定投資の顕著な落込みに起因していた．ブッシュが第1期に署名をして成立した減税は，一時的な「ボーナス減価償却」を含むものであった．これは，法人税額を計算する目的のために，企業は投資プロジェクトの寿命の早い時期に加速度的に減価償却の費用を償却することができることを意味した．しかしながら，このボーナスは2004年度末までに実施された投資だけに適用可能であった．その政策の目的は，経済が総需要の押し上げを必要としたときに，投資を促進することであった．経済学者のクリストファー・ハウスとマシュー・シャピロによる研究によると，その目的はある程度達成された．彼らは以下のように記している．

　　総体的な効果はおそらく大きくはなかったが，2002年と2003年のボーナス減価償却政策は経済に著しい影響を持った．アメリカ経済全体として，この政策はおそらく GDP を100億ドルから200億ドル増やし，10万人から20万人の職を生み出すのに役立っただろう．

　経済が次の景気後退から回復途上にある2011年に，オバマ大統領はそれと

同様の，一時的なボーナス減価償却手段の法案に署名をした.[10]

株式市場とトービンの q

多くの経済学者は，投資の変動と株式市場の変動の間に何らかの関係があることを見出している．**株式**（stock）という用語は，企業の所有権の持ち分を指し，**株式市場**（stock market）は，その持ち分（株式）が取引される市場であることを思い出そう．企業が収益性のある投資機会を多く有するほど，株価は高くなる傾向がある．こうした投資機会は，株主にとって将来所得が増えることを意味するからである．このように，株価は投資インセンティブを反映する．

ノーベル賞を受賞した経済学者ジェイムズ・トービンは，現在ではトービンの q（Tobin's q）と呼ばれる，次の比率に基づいて企業が投資を決定するという考え方を提起した.

$$q = \frac{資本の市場価値}{資本の置換費用}$$

トービンの q の分子は，株式市場で決まる経済全体の資本の価値である．分母は，その資本をいま購入するとしたときの価格である．

トービンは，純投資は q が 1 より大きいか小さいかに依存して決まると論じた．もし q が 1 よりも大きければ，株式市場は資本を置換費用よりも高く評価していることになる．この場合，経営者は資本をもっと購入することで，企業の株式の市場価値を高めることができる．逆に，もし q が 1 よりも小さければ，株式市場は資本を置換費用よりも低く評価していることになる．この場合，経営者は資本が磨耗しても置き換えないだろう．

投資の q 理論（q theory of investment）は，最初はこれまで展開してきた新古典派モデルと大きく異なるものにみえるかもしれない．しかし，実際は 2 つの理論は密接に関連している．その関係をみるために，トービンの q

---

10) 租税が投資にどのような影響を与えるかについての古典的な研究としては以下がある．Robert E. Hall and Dale W. Jorgenson, "Tax Policy and Investment Behavior," *The American Economic Review*, Vol. 57, No. 3, June 1967, pp. 391-414. また近年の法人所得税の研究としては以下を参照のこと．Christopher L. House and Matthew D. Shapiro, "Temporary Investment Tax Incentives: Theory with Evidence from Bonus Depreciation," *The American Economic Review*, Vol. 98, No. 3, June 2008, pp. 737-768.

が資本の現在利潤と将来の期待利潤に依存しているということに注意しよう．もしある企業の資本の限界生産力が資本コストを上回っているならば，企業はその資本から利潤を稼いでいる．この利潤によりこの企業を所有することはさらに望ましいものとなり，この企業の株式の市場価値は上昇し，q は高い値をとる．同様に，もし企業の資本の限界生産力が資本コストを下回っているならば，資本によって損失を出していることになり，市場価値は低く，q も低い値をとる．

投資インセンティブの尺度としてのトービンの q の利点は，資本の現在の収益性だけでなく，将来の期待される収益性も反映することにある．たとえば，議会が来年度からの法人所得税の減税を制定するとしよう．法人所得税の減税が期待されるということは，資本所有者にとっては将来の利潤の増加を意味する．こうした期待利潤の増加は，株式の価値を高め，トービンの q を高くし，したがって投資を促進する．このように，投資のトービンの q 理論は，投資決定がたんに現在の経済政策だけでなく，期待される将来の政策にも依存することを強調している．[11]

ケース・スタディ 経済指標としての株式市場

「株式市場は過去5回の景気後退のうち9回を予言した．」これが経済指標としての株式市場の信頼性に対するポール・サムエルソンの有名な警句である．株式市場は実際にきわめて不安定であり，将来経済に対して誤ったシグナルを送ることもある．しかし，株式市場と経済の関係は決して無視してはならないものである．図8-8によれば，株式市場の変化はしばしば実質 GDP の変化を反映する．株式市場が相当な下落を経験するときには，景気後退が近づいているのではないかと心配するに足る理由があるのである．

なぜ株価と経済活動は一緒に変動するのだろうか．1つの理由は，トー

---

11) 投資の新古典派モデルと q 理論の関係についてもっと詳しく知りたい読者は以下を参照されたい．Fumio Hayashi（林文夫），"Tobin's Marginal q and Average q: A Neoclassical Interpretation," *Econometrica*, Vol. 50, No. 1, January 1982, pp. 213-224; Lawrence H. Summers, "Taxation and Corporate Investment: A q-Theory Approach," *Brookings Papers on Economic Activity*, No. 1, 1981, pp. 67-140.

図8-8 ● 株式市場と経済：アメリカ

この図は，株式市場と現実の経済活動の間の関連を示している．これは1980年から2020年までの四半期データを用いて，（株価指数の1つである）ウィルシャー5000と実質GDPの対前年同期の変化率をとったものである．この図では，株式市場とGDPが一緒に動く傾向があるが，その関係は正確というには程遠いことが示される．

（出所）　米国商務省，ウィルシャー・アソシエイツ．

ビンの q 理論と総需要-総供給モデルで考えられる．たとえば，株価の下落が観察されたとしよう．資本の置換え費用はかなり安定しているので，株式市場の下落は通常はトービンの q を低下させる．この q の低下は，現在および将来の資本の収益性についての投資家の悲観を反映したものである．これは，投資関数が内側にシフトしたことを意味する．すなわち，いかなる所与の利子率に対しても，投資は少なくなるのである．その結果，財・サービスへの総需要は縮小し，産出と雇用は減少する．

株価が経済活動と関連する理由はさらに2つある．第1に，株式は家計の富の一部であるため，株価の下落は人々が貧しくなることを意味し，消費支出が減り，したがって総需要が減る．第2に，株価の下落は，技術進歩や経済成長について悪いニュースを反映しているのかもしれない．もしそうであれば，自然産出量（および総供給）の成長が，これまでの予想よりも将来は鈍化するだろうということを示唆する．

図8-8′ ● 株式市場と経済：日本

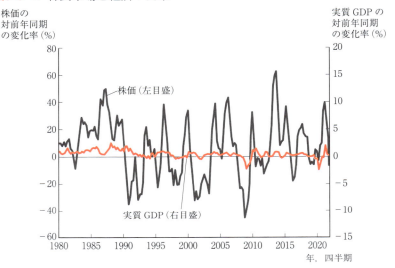

日本の場合も，株式市場と現実の経済活動との間に相関が観察される．日経平均株価指数と実質GDPの四半期データを用いて，対前年同期の変化率をとった．日経平均株価指数とは，東京証券取引所上場の主要企業225社の株価の平均を指数化したものである．
(出所) 実質GDP：内閣府「国民経済計算」，日経平均株価：Nikkei Industry Research Institute.

　株価と経済の間のこうしたつながりが，連邦準備などの政策立案者に見逃されることはない．実際，株式市場は実質GDPの変化をしばしば予測しているうえ，株式市場のデータはGDPのデータよりもずっと早く入手できるので，株式市場は経済活動の指標として注視されている．

資金調達制約

　企業が新しい工場の建設など新資本に投資をするとき，しばしば金融市場で必要な資金を調達する．第Ⅱ巻第7章で議論したようにこの資金調達は，銀行から借入をしたり，債券を一般向けに売却したり，株式市場で将来利潤の持ち分（株式）を販売するなどのいくつかの形態をとりうる．新古典派モデルでは，企業が資本コストを支払おうとすれば，金融市場で資金が調達可能であると仮定する．

第8章　消費と投資のミクロ的基礎　　293

しかし，ときに企業は資金調達制約（financing constraint）に直面することがある．すなわち，金融市場で調達できる額が制限されるのである．資金調達制約があると，企業は利益を生む投資を実行できないことがある．企業が金融市場で資金を調達できないとき，新しい資本財に支出できる金額は，現在の利益の額に限定される．資金調達制約が企業の投資行動に影響を及ぼすのは，借入制約が家計の消費行動に影響を及ぼすのと同じである．借入制約があると，家計は恒常所得ではなく現在所得に基づいて消費を決定しなければならない．同様に，資金調達制約があると，企業は期待利潤ではなく現在のキャッシュフローに基づいて投資を決定しなければならなくなる．

資金調達制約の影響をみるために，短期の景気後退が投資支出に及ぼす影響を考えてみよう．景気後退により，雇用，資本のレンタル料，利潤が低迷する．しかし企業は，景気後退を一時的と予想するならば，投資が将来には収益を生むと考え，投資を続けることを望むだろう．すなわち，短期の景気後退はトービンの q には小さな影響しか及ぼさない．金融市場で資金を調達できる企業にとっては，景気後退は投資に対してわずかな影響しか及ぼさないであろう．

しかし，資金調達制約に直面する企業にとっては逆のことが当てはまる．現在利潤の減少は，この企業が新しい資本財に支出できる金額を制限し，収益性のある投資ができなくなるかもしれない．このように，資金調達制約があると，投資は現在の経済状態に反応しやすくなるのである．[12]

資金調達制約がどれほど投資支出を妨げるかは時代によって異なり，金融システムの健全性に依存する．そしてこれは短期の経済変動の源になる．たとえば，第Ⅰ巻第10章で議論したように，1930年代の大恐慌の間は多くの銀行は資産の価値が負債の価値を下回って破綻した．こうした銀行は業務の一時停止に追い込まれ，顧客は投資プロジェクトの資金調達がより困難になった．この期間における広範な銀行破綻が大恐慌の深刻さと持続性を説明すると多くの経済学者は信じている．同様に，第Ⅰ巻第10章と第Ⅱ巻第7章で議論したように，2008〜2009年の大不況は金融危機の直後に起こった．

---

12)　資金調達制約の重要性を支持する実証研究については以下を参照されたい．Steven M. Fazzari, R. Glenn Hubbard, and Bruce C. Petersen, "Financing Constraints and Corporate Investment," *Brookings Papers on Economic Activity*, No. 1, 1988, pp. 141-195.

投資に関する結論

本節の目的は，企業固定投資の決定要因を検討することであった．はっきりとした3つの結論に至ることができる．

第1に，投資支出は実質利子率の減少関数である．実質利子率が上昇すると，資本コストが増えるからである．このように，投資の新古典派投資モデルは，本書を通じて用いる投資関数を正当化する．

第2に，さまざまな出来事が投資関数をシフトさせる．利用可能な技術が改良されると，資本の限界生産力と投資が増える．法人所得税の変化のようなさまざまな政策によって，投資インセンティブが変わり，したがって投資関数がシフトする．

第3に，投資支出は利子率のみならず経済状態にも依存するため，投資は景気循環の過程で変動しやすいと考えるのが自然である．投資の新古典派モデルでは，雇用が増えると資本の限界生産力や投資インセンティブが高くなる．また産出量が増えると企業の利潤が高まるため，一部の企業が直面していた資金調達制約を緩める．われわれの分析の予測では，経済が好況になると投資が刺激され，不況になると投資が抑圧される．これはまさに観察されているとおりのことである．

8-3 結論：期待の重要な役割

消費と投資のミクロ的基礎の分析を通じて，1つのテーマが現れる．家計と企業は将来を見据えるので，将来についての期待は今日の決定に影響を与える．人々は稼げると期待する所得と，達したいと憧れる生活水準を見据えて，どれだけ消費するかを決める．企業経営者は新資本が生むと見込む利潤を見据えて，どれだけ投資するかを決める．

その結果として，公共政策は直接的な効果だけでなく期待を変えることも通じて消費と投資に影響を与える．消費者は増税や減税に対してどれだけ反応するかを決めるとき，その変化が一時的なものになりそうか恒久的なものになりそうかを予想する．企業経営者が資本の配分について決定をするとき，投資の全期間にわたって予想される税法を考慮する．結果として，政策立案者は自分たちの言葉や行動が消費や投資の決定をする人の期待にどのように

第8章　消費と投資のミクロ的基礎　　295

影響を与えるかを考慮しなければならない.

　より上級のマクロ経済学のコースでは期待のモデル化が重要な役割を果たす. 経済学者のなかには合理的期待を提唱する人たちがいる. それによると意思決定者は将来を予想するときに公共政策についての情報を含む利用可能な情報を最適に利用する. 他の経済学者には, 不注意や慣性のような, 伝統的な合理性からの乖離が, 人々が出来事をどのように予想するかを説明するのに役立ちうるという人たちがいる. しかし, 期待がどのように形成されようとも, 期待が経済行動と政策効果を理解する中心であるという一般的なコンセンサスがある.

要約

1　ケインズは, 限界消費性向が0と1の間であり, 平均消費性向が所得の増加につれて低下し, そして現在所得が消費の主要な決定要因であると推論した. 家計のデータや短期の時系列の研究は, ケインズの推論を立証した. しかし, 長期の時系列の研究では, 時間の経過につれて所得が増加しても, 平均消費性向が低下する傾向は見出せなかった.

2　モジリアーニのライフサイクル仮説は, 人の一生における所得の変化の一部は予測可能であり, そして, 消費者は貯蓄や借入を行って, 生涯にわたる消費を平準化させることを強調する. この仮説によると, 消費は所得と富の両方に依存して決まる.

3　フリードマンの恒常所得仮説は, 人々が所得の恒常的な変動と一時的な変動を経験することを強調する. 消費者は貯蓄や借入をすることができ, また消費を平準化させたいために, 消費は変動所得にはあまり反応せず, 主として恒常所得に依存する.

4　ホールのランダムウォーク仮説は, 消費者が将来所得について合理的期待を有しているという仮定と恒常所得仮説を結びつける. それは消費の変化が予測できないことを意味する. なぜならば, 消費者は生涯の原資についての新しいニュースを受けるときにのみ消費を変化させるからである.

5　レイブソンは, 消費者行動を理解するためには心理学的な影響が重要

であることを示唆した．とくに，人々は即時的な満足への強い願望を持っているので，時間非整合的な行動をとり，貯蓄が少なすぎてしまうかもしれない．

6 資本の限界生産力は資本の実質レンタル料を決定する．実質利子率，減価償却率，資本財の相対価格は資本コストを決定する．新古典派モデルによると，企業は，実質レンタル料（資本の限界生産力）が資本コストを上回れば投資を行い，実質レンタル料が資本コストを下回れば投資をしない．

7 連邦税法は投資インセンティブに影響を及ぼす．法人所得税は投資を抑制し，投資税額控除（すでにアメリカでは廃止されている）は投資を促進する．

8 新古典派モデルを別の表現で表すと，投資は資本の置換費用に対する資本の市場価値の比率，すなわちトービンの q に依存する．この比率は，資本の現在の収益性と将来に期待される収益性を反映している．q が高いほど，置換費用に対する資本の市場価値の比率が高く，投資インセンティブも大きい．

9 新古典派モデルの仮定とは異なり，企業はいつでも投資のための資金を調達できるわけではない．資金調達制約により，投資は企業の現在のキャッシュフローにより感応的になる．

10 消費と投資のミクロ経済モデルは，家計と企業経営者が将来を見据えることを強調する．その結果，期待が重要であり，政策は期待を変化させることによりある程度経済に影響を与える．

キーワード

限界消費性向　平均消費性向　ライフサイクル仮説　恒常所得仮説
恒常所得　変動所得　借入制約　ランダムウォーク　行動経済学
時間非整合的な選好　投資の新古典派モデル　減価償却
実質資本コスト　純投資　法人所得税　投資税額控除
トービンの q　投資の q 理論　資金調達制約

第8章 消費と投資のミクロ的基礎 **297**

＜＜＜＜＜ 確認問題 ＞＞＞＞＞

1 ケインズの消費関数は，経済が時間とともに豊かになるにつれて貯蓄率が_____すると予測した．しかしサイモン・クズネッツが集めたデータは，貯蓄率が_____ことを示した.

　a　上昇する，下落する

　b　上昇する，安定的である

　c　下落する，上昇する

　d　下落する，安定的である

2 時間を通じて安定的な消費を望む人々は，

　a　消費を生涯の原資ではなく現在の所得に依存させる.

　b　現在所得が恒常所得よりも下がるときには貯蓄を増やす.

　c　所得の一時的な増加に対応して貯蓄を増やす.

　d　恒常的な減税よりも一時的な減税のほうが多く消費する.

3 ロバート・ホールのランダムウォーク仮説が示唆するところによると，租税政策の変化が消費に大きな影響を持つのは，人々が，

　a　立法者がその変化を提案するのを聞くときである.

　b　その政策が実現する可能性が高いと結論するときである.

　c　その政策が法律として制定されるのをみるときである.

　d　その変化が給料に反映されるのをみるときである.

4 時間非整合的な選好を持った消費者モデルによると，人々は将来にはより多く_____ことを約束するが，将来になったときには計画したよりも多く_____気になる.

　a　消費する，貯蓄する

　b　消費する，働く

　c　貯蓄する，消費する

　d　貯蓄する，働く

5 もし景気後退期に雇用と実質利子率の両方が低下するならば，資本の限界生産力は_____，資本のコストは_____.

　a　上昇し，上昇する

　b　上昇し，下落する

298 第2部 マクロ経済理論とマクロ経済政策のトピックス

    c　下落し，上昇する

    d　下落し，下落する

6　もし投資家が，議会は将来において事業税を引き下げると期待するようになれば，その今日における影響は，

    a　トービンの q は高くなり，投資が増える．

    b　トービンの q は高くなり，投資が減る．

    c　トービンの q は低くなり，投資が増える．

    d　トービンの q は低くなり，投資が減る．

＞＞＞＞＞ 復習問題 ＜＜＜＜＜

1　消費関数についてのケインズの3つの推論とは何か．

2　ケインズの推論と合致する実証結果と合致しない実証結果を述べなさい．

3　消費行動に関する一見矛盾するような実証結果を，ライフサイクル仮説と恒常所得仮説はどのように解決しているだろうか．

4　もし消費者が恒常所得仮説に従い，合理的期待を形成するならば，なぜ消費の変化が予測できないのか説明しなさい．

5　時間非整合的な選好を示すような人の例を述べなさい．

6　投資の新古典派モデルにおいて，企業は，どのような条件の下で，資本ストックの追加が利潤をもたらすと判断するだろうか．

7　トービンの q とは何か．また，それは投資とどのような関係があるだろうか．

＜＜＜＜＜ 応用問題 ＞＞＞＞＞

1　アルバータとフランコはともにライフサイクル仮説に従い，できるだけ消費を平準化する．彼らは5期間にわたって生き，最後の2期間は退職後である．2人の各期間の所得は次のとおりである．
単純化のため，貯蓄と借入の利子率はゼロであり，寿命は完全に予見可能であるとする．

期間	アルバータ	フランコ
1	10万ドル	4万ドル
2	10万ドル	10万ドル
3	10万ドル	16万ドル
4	0	0
5	0	0

a　各人について，各期の消費と貯蓄を計算しなさい．

b　第6期を含め，各期の初めの富（すなわち，貯蓄の累計）を計算しなさい．

c　各人について期を横軸に取り，各人の消費，所得，富をグラフで示しなさい．また図8-5のグラフと比べなさい．

d　消費者は借入をすることができず，富が負になりえないと仮定しよう．この変化で答えはどのように変わるだろうか．もし必要なら，問cのグラフを書き直しなさい．

2　人口学者は，高齢者人口の割合が今後20年間高まり続けると予測している．この人口変化が一国の貯蓄率に及ぼす影響について，ライフサイクル仮説からはどのような予測ができるだろうか．

3　高齢者はライフサイクル仮説が予測するほどには貯蓄を取り崩さないことを，本章で指摘している．

a　この現象について考えられる2つの説明を述べなさい．

b　ある研究で，子どものいない高齢者は，貯蓄を取り崩す率が子どものいる高齢者とほぼ同じであることがわかった．この調査結果は，2つの説明の妥当性について何を意味するだろうか．また，なぜそれは決定的な証拠にはならないかもしれないのだろうか．

4　借入制約は，財政政策が総需要に及ぼす影響力を高めるだろうか，低めるだろうか．次の2つの場合について説明しなさい．

a　一時的な減税

b　発表された将来の減税

5　同じ利子率を支払う2つの貯蓄口座を考えてみよう．1つの口座は，請求すればお金を引き出せる．もう1つの口座は，引出しの30日前に連絡しなければならない．

300 第2部 マクロ経済理論とマクロ経済政策のトピックス

  a どちらの口座をあなたは選ぶだろうか．それはなぜか．

  b 逆の選択を行う人を想像することができるかについて説明しなさい．

  c こうした選択から，この章で議論された消費関数の理論について何がいえるだろうか．

6 この問題では代数を用いて，消費者の最適化の2つのシナリオを比較する．

  a ニーナは次の効用関数を有する．

$$U = \ln(C_1) + \ln(C_2) + \ln(C_3)$$

彼女は12万ドルの富を持って生まれ，追加的な所得を稼がず，利子率ゼロに直面する．3期間の各期に彼女はどれだけ消費するだろうか．

  b デイヴィッドは，つねに現在の消費から追加的な効用を得るという点を除いて，ニーナと同様である．第1期の視点からみると効用関数は

$$U = 2\ln(C_1) + \ln(C_2) + \ln(C_3)$$

となる．第1期にデイヴィッドは各期においてどれだけ消費しようとするか．第1期の終了時にどれだけの富を残すか．

  c デイヴィッドは第2期に入ると効用関数は，

$$U = \ln(C_1) + 2\ln(C_2) + \ln(C_3)$$

となる．第2期と第3期にどれだけ消費するか．その答えは，デイヴィッドの問bの意思決定と比べるとどうなるか．

  d もしデイヴィッドが第2期に行う選択を第1期に拘束することができるなら彼はどうするだろうか．この例を，本章で議論した消費の理論の1つと関連させなさい．

7 投資の新古典派モデルを用いて，以下のそれぞれが資本のレンタル料，資本コスト，投資に及ぼす影響を説明しなさい．

  a インフレ抑制的な金融政策によって実質利子率が上昇する．

  b 地震によって資本ストックの一部が損壊する．

  c 外国人労働者の移民により労働力が拡大する．

  d コンピューター技術の発展により生産の効率性が高まる．

8 政府が石油会社に，原油保有量の価値に比例した税を課すとする（政府は企業にこの税が1回限りであることを保証する）．新古典派モデルによると，課税はこれらの投資にどのような影響を及ぼすだろうか．こ

れらの企業が資金調達制約に直面している場合にはどうなるだろうか.

9 第I巻第9章と第10章で展開された $IS\text{-}LM$ モデルでは,投資が実質利子率だけに依存すると仮定している.しかし,投資についてのわれわれの理論は,投資が国民所得にも依存することを示唆している.すなわち,所得の増加は企業による投資の増加をもたらす.

a 投資がなぜ国民所得に依存するのかを説明しなさい.

b 投資が,

$$I = \bar{I} + aY$$

で決まるとする.ただし,a は0と1の間のパラメーターであり,国民所得が投資に及ぼす影響を示す.投資がこのように設定されるとき,ケインジアンの交差図での財政政策乗数はいくらになるかを説明しなさい.

c 投資が所得と実質利子率の両方に依存するとしよう.すなわち,投資関数は,

$$I = \bar{I} + aY - br$$

であるとする.ただし,a は0と1の間のパラメーターであり,国民所得が投資に及ぼす影響を示す.また,b は正のパラメーターであり,実質利子率が投資に及ぼす影響を示す.$IS\text{-}LM$ モデルを用いて,政府購入の増加が国民所得 Y,実質利子率 r,消費 C,投資 I に与える短期的な影響を考察しなさい.この投資関数により,基本的な $IS\text{-}LM$ モデルでの結論はどのように変更されるだろうか.

10 株式市場の暴落は,投資,消費,総需要にどのような影響を与えるか.その理由も説明しなさい.また,連邦準備はどのように対応すべきだろうか.それはなぜだろうか.

11 今年は大統領選挙の年で経済は景気後退期にあるとする.野党候補は,投資税額控除の法案通過を綱領として選挙運動をしている.もし野党候補が当選すれば,この法案は来年施行されることになるだろう.この選挙運動での公約は今年の経済状態にどのような影響を与えるだろうか.

Epilogue

終章

わかっていること，いないこと

●

「もしすべての経済学者が円座になって議論するならば，どうどうめぐりで結論に至らないであろう．」

——ジョージ・バーナード・ショー（イギリスの劇作家，社会批評家）

「経済学の理論は政策に直ちに適用できる確固たる結論の体系を提供するものではない．それは，教義というよりは手段であり，思考装置であり，考える技術であり，これを持つと正しい結論を導く手助けになる．」

——ジョン・メイナード・ケインズ

　第Ⅰ巻第1章で，マクロ経済学の目的は経済上の出来事を理解し，経済政策を改善することであると述べた．これまでマクロ経済学者の道具箱のなかで最も重要なモデルの多くを学んできたので，いまやマクロ経済学がこうした目的に到達したかどうかが評価できる．

　今日のマクロ経済学を公平に評価すると，この科学が不完全であることを認めざるをえない．マクロ経済学の原理のなかには，ほとんどすべてのマクロ経済学者が受け入れ，経済事象を分析したり政策を立案するときに依拠できるものがある．しかし，議論の余地が残されている経済問題もまた数多くある．この最後の章では，マクロ経済学の中心となる教訓と，最も急を要する未解決の問題を復習しよう．

マクロ経済学の4つの最も重要な教訓

　最初に，本書全体を通じて繰り返し用いられ，ほとんどの経済学者が支持する4つの教訓から始めよう．それぞれの教訓は，長期または短期において，政策が産出，インフレーション，失業といった重要な経済変数にどのような

304　終章　わかっていること，いないこと

影響を与えるかを教えてくれるものである．

教訓1：長期においては，一国の財・サービスの生産力がその国民の生活水準を決定する

　第Ⅰ巻第2章で導入され，本書全体を通じて用いられてきたすべての統計のなかで，経済厚生を捉える最もよい指標はGDPである．実質GDPは一国の経済の財・サービスの総産出量を測定するものであり，したがってその国が国民の必要と欲求を満足させられる能力を測るものである．1人当たりのGDPがより高い国は，ほとんどすべてのものをより多く持っているだろう．すなわち，より大きい家，より多くの車，より高い識字率，より優れた健康管理，より長い期待寿命，そしてインターネットへのより容易なアクセスなどである．おそらくマクロ経済学で最も重要な問題は，GDPの水準と成長を決めるのは何かということであろう．

　第Ⅰ巻第3章と第Ⅱ巻第1章，第2章のモデルをみると，GDPの長期の決定要因がわかる．長期において，GDPは生産要素である資本と労働，およびそれらを産出に変換するのに使われる技術に依存する．生産要素が増加するとき，あるいは経済がこれらの投入物を財・サービスに変換する技術を改善するとき，GDPは成長する．

　この教訓は重要な結果につながる．すなわち，公共政策が長期的にGDPを増加させることができるのは，経済の生産能力を改善するときのみである．政策立案者がこれを試みる方法は数多くある．一国の貯蓄を増やす政策は，それが公的貯蓄の増加であれ民間貯蓄の増加であれ，資本ストックの増大をもたらす．教育や技術進歩を支援することによって労働の効率性を高める政策は，資本と労働をより生産性の高い形で利用することにつながる．役人の汚職の取り締まりのように一国の諸制度を改善する政策は，資本蓄積と希少資源のより効率的な利用の両方を促進する．これらの政策は，一国経済の財・サービスの産出を増やし，それによって生活水準を高める．

教訓2：短期においては，総需要が一国で生産される財・サービスの量に影響を与える

長期においては，GDPの決定要因は一国経済の財・サービスを供給する

能力だけであった．しかし，短期においては，GDP は財・サービスの総需要にも依存する．短期では価格は硬直的なので，総需要は重要である．第Ⅰ巻第 9 章と第10章で展開された *IS-LM* モデルは，第11章の開放経済のマンデル＝フレミング・モデルとともに何が総需要を変化させ，したがって何がGDP の短期的変動を引き起こすかを示している．

総需要は短期の産出に影響を及ぼすので，総需要に影響を与える変数は経済変動に影響を及ぼすことができる．金融政策，財政政策，そして金融市場や財市場へのショックは，しばしば毎年の産出と雇用の変動の原因になる．総需要の変動は短期の変動に関して決定的に重要なので，政策立案者は経済を綿密に監視する．金融政策や財政政策を変更する前に，経済が好況になりつつあるのか景気後退に向かっているのかを知りたいからである．

教訓 3：長期においては，貨幣成長率はインフレ率を決定するが，失業率には影響を与えない

GDP に加えて，インフレーションと失業は，経済のパフォーマンスの基準のなかでも最も注意深く監視されるものである．第Ⅰ巻第 2 章では，この2 つの変数がどのように測定されるかを議論した．それに続くいくつかの章では，それらがどのように決定されるかを説明するモデルを展開した．

第Ⅰ巻第 5 章の長期分析は，マネーサプライの成長がインフレーションの究極の決定要因であることを強調している．すなわち，長期においては，通貨が実質的な価値を失うのは，中央銀行が紙幣をどんどん増刷するときであり，またそのときに限られる．この教訓は，アメリカで観察されたインフレの10年単位の変動も説明できるし，同様にさまざまな国がときおり経験してきたより激しいハイパーインフレーションも説明できる．

われわれはまた，高率のインフレーションの長期的な影響の数々も論じてきた．第Ⅰ巻第 5 章では，フィッシャー効果により高率のインフレーションが名目利子率を高める（その結果，実質利子率は変化しない）ことをみた．第Ⅰ巻第 6 章では，高率のインフレーションは外国為替市場において通貨の価値を減価させることもみた．

失業の長期的な決定要因は異なっている．古典派の二分法によれば，実質変数の決定において名目変数は無関係である．その結果，長期においてはマ

ネーサプライの成長は失業には影響を与えない．第I巻第7章でみたように，自然失業率は離職率と就職率によって決まり，それは職探しのプロセスと賃金の硬直性によって決まる．

こうして，長期においては永続的なインフレーションと永続的な失業は無関係の問題であるという結論を得た．インフレーションと戦うためには，政策立案者はマネーサプライの成長率を制限しなければならない．失業と戦うためには，労働市場の構造を改善しなければならない．長期ではインフレーションと失業の間にトレードオフは存在しないのである．

教訓4：短期においては，金融・財政政策を管理する政策立案者はインフレーションと失業のトレードオフに直面する

インフレーションと失業は長期的には無関係であるが，短期的にはそれらの間にトレードオフがあり，短期のフィリップス曲線で表される．第I巻第12章で議論したように，政策立案者は金融・財政政策を用いて総需要を拡張することができるが，その場合には失業が減り，インフレ率が上昇する．あるいは，それらの政策を用いて総需要を緊縮することもできるが，その場合には失業が増え，インフレ率が低下する．

政策立案者は短期においてのみ，インフレーションと失業の一定のトレードオフに直面する．時間が経過すると，短期のフィリップス曲線は2つの理由でシフトする．第1に，石油価格の変化などの供給ショックが短期のトレードオフを変化させる．負の供給ショックは，インフレ率の上昇かそれとも失業の増加かという難しい選択に政策立案者を直面させる．第2に，人々がインフレの期待を調整すると，インフレーションと失業の間の短期のトレードオフがシフトする．期待の調整によって，トレードオフは一時的であるということが保証される．すなわち，失業率が自然失業率から乖離し，金融政策が実質的効果を持つのは短期においてのみである．長期においては，第I巻第3章〜第7章および第II巻第1章〜第3章で扱った古典派モデルが世界を最もうまく説明するのである．

終章　わかっていること，いないこと　　**307**

マクロ経済学の４つの未解決の最重要問題

　ここまでは，ほとんどの経済学者の意見が一致する一般的な教訓について議論してきた．ここでは，論争が続いている４つの問題に目を転じよう．見解が分かれるのは，代替的な理論の妥当性についてと，理論が政策に適用される方法についてである．

問題１：政策立案者はどのようにして一国経済の自然産出量を引き上げるべきだろうか

　一国経済の自然産出水準は，資本量，労働量，技術水準に依存するので，長期的に産出を増やすことを意図した政策はすべて，資本蓄積を増やし，労働利用を増進し，利用可能な技術を高めることを目指さなければならない．しかしながら，これらの目的を達成するのに，簡単な方法はない．

　第Ⅱ巻第１章と第２章のソロー・モデルは，資本量を増やすには一国経済の貯蓄率と投資率を上げなければならないことを示している．したがって，多くの経済学者は国民貯蓄を増やす政策を提唱する．しかし，ソロー・モデルはまた，資本ストックを増やすには現在世代の消費を減らす期間が必要なことも示している．一部の人は，政策立案者は現在世代にこのような犠牲を払うことを奨励するべきではないと論じている．技術進歩によって，将来世代が現在世代よりも裕福になることは確実だからである（ある経済学者はおどけて「子孫は私にいったい何をしてくれただろうか」と問いかけた）．さらに，貯蓄や投資を増やすことを提唱する人たちの間ですら，どのようにして貯蓄を促進するのか，そして投資は民間所有の工場や設備に向けられるべきか，それとも道路や学校のような公共的インフラストラクチャーに向けられるべきかについては，意見が分かれる．

　一国経済の労働力の利用を増進するために，ほとんどの政策立案者は自然失業率を低下させたいと思っている．しかし，第Ⅰ巻第７章で議論したように，異なる国々の間で観察される失業には差があり，時間を通じて観察される失業にも変化があることから，自然失業率は不変ではなく，一国の政策や制度に依存するということが示唆される．しかも労働市場の諸政策はしばし

ば困難なトレードオフを生じさせる．自然失業率は，おそらく失業保険給付を切り下げる（それにより失業者の職探しの努力を高める）か，あるいは最低賃金を引き下げる（それにより賃金を均衡水準に近づける）という方法によって低下させることができるだろう．しかし，こうした政策は社会で最もそれを必要としている人たちの一部に打撃を与える．2008～2009年の大不況の時期に，アメリカの議会は失業保険の有資格を前例のない99週に延長した．この政策が異常な事態に対する適切な反応かそれとも過剰な反応かということについて論争が引き起こされた．同様に，2020年の新型コロナウイルス感染症による景気後退（新型コロナ不況）の時期に，議会は失業保険の置換え率[1] をかなりの程度引き上げたが，それは再び多くの論争をもたらした．

　多くの国々において，自然産出量は，先進国には当然のように存在する諸制度が欠如しているために押し下げられている．現在のアメリカ国民は，革命，クーデター，内乱などの心配をすることはない．彼らは一般的に，法を尊重し，秩序を維持し，財産権を保護し，そして個人的な契約を守らせる警察や裁判制度に信頼を置いている．そのような制度がない国々では，人々は誤ったインセンティブに直面する．価値があるものを創造することのほうが，隣人から盗むことよりも富を獲得するのに確実性が低いのであれば，経済は繁栄しないだろう．適切な制度を設定することが世界の最も貧しい国々の成長を高めるために必要であるという点ではすべての経済学者が同意しているが，一国の制度を変えようとするとしばしば困難な政治的障害に直面するのである．

　一部の経済学者によると，技術進歩を促進することは公共政策の最も重要な目標である．ソロー・モデルは，生活水準の永続的な成長をもたらすことができるのは技術進歩のみであることを示している．内生的成長の理論は，技術変化を左右する社会的諸決定に焦点を当てた理論であり，これまでも多くの研究がなされてきたが，経済学者は急速な技術進歩を保証するための信頼できる処方箋を提供できていない．政府は技術進歩の鍵となるような個別産業を援助すべきであると提言する人もいるが，他方で政府は平等な条件を創り出し，どの部門が成長しどの部門が縮小するかは市場の諸力に任せるの

---

1)　訳者注：失業前の所得水準に対する失業保険給付額の比率．

が望ましいと考える人もいる。ある経済学者が質問したように，コンピューター・チップとポテトチップス間に経済的な差はあるのだろうか。

問題 2 ：経済を安定化させる最良の方法はどのようなものか

　第Ⅰ巻第 8 章〜12章および第Ⅱ巻第 4 章で展開された総需要-総供給モデルは，経済へのショックがどのように経済変動を引き起こし，また金融・財政政策がこの変動にどのように影響を与えうるかを示している。多くの経済学者は，政策立案者がこの分析を用いて経済の安定化に努めるべきだと信じている。彼らは，金融・財政政策で積極的にショックを相殺して，産出と雇用を自然率水準に近いところに維持するように努めるべきだと信じている。

　しかし，第Ⅱ巻第 5 章で議論したように，経済を安定化するわれわれの能力に懐疑的な経済学者もいる。これらの経済学者は，経済政策の立案には長くて変化しやすいラグが存在し，経済予測の成果も芳しくなく，経済がどのように機能するかについて理解する能力がいまなお限られているという点をあげる。これらの経済学者は，政策はより受動的であるべきだと結論する。それに加えて，政策立案者はしばしば政治的に日和見主義になり，あるいは時間非整合的な政策に従いがちであると一部の経済学者は信じている。彼らの結論は，政策立案者に金融・財政政策の裁量を与えるべきではなく，一定の政策ルールに従うことを約束させるべきである，というものである。あるいは少なくとも，中央銀行がインフレ・ターゲティングの政策を採用する場合がそうであるように，彼らの裁量を制限すべきであるとする。

　また，経済学者の間では，マクロ経済的諸手段のなかでどれが安定化のために最もふさわしいかということについての論争もある。一般的には，金融政策が経済の下降に対する防衛の最前線に位置するものとされている。しかしながら，2008〜2009年の深刻な景気後退および2020年の新型コロナウイルス感染症による景気後退においては，連邦準備は金利をゼロの下限にまで切り下げたので，焦点は財政政策へと移った。経済学者の間では，景気後退期に経済を刺激するために財政政策をどの程度使うべきか，そして減税と支出増加の間での財政的刺激の最適な分割については意見の相違がある。

　これに関連して，安定化が達成できると仮定した場合，経済安定化の便益が大きいか小さいかという問題がある。多くの経済学者は深刻な景気後退の

時期に経験する苦難を指摘し，経済を安定化させることは政策立案者の最も重要な関心事であるべきだと論じる．しかし他の経済学者たちが指摘するのは，自然失業率に何も変化がなければ，安定化政策は自然率水準の周辺で生じる変動を小さくすることができるだけだということである．もし安定化政策が成功して，景気後退だけでなく好況もなくなってしまうと，安定化から得られる平均的な便益は小さいだろう．

最後に，2008〜2009年の金融危機と大不況の直後の時期に，経済学者は将来そのようなショックを回避することによって経済を安定させることができるか否かについて疑問を唱えた．第Ⅱ巻第7章で論じたように，金融システムの問題は経済全体の問題へと導いていく可能性がある．実際，歴史を通じて，金融危機はいくつかの最も深刻な沈滞をもたらした．不幸にも，そのような危機を防ぐにはどのようにするのが最もよいかは明らかでない．

論争点の1つは資産価格の投機的バブルに対して金融政策がいかに反応すべきかに集中する．一部の経済学者の議論では，中央銀行は金融市場を監視し，投機的バブルが起こらないように努力すべきであるとする．たとえば連邦準備は，バブルが形成され始めた場合には，そうでない場合よりも早く利子率を引き上げることができるだろう．他の経済学者は，資産価格の上昇がファンダメンタルズの変化の合理的な評価ではなく非合理的な投機的バブルを反映するのはどのような場合かを決定するのに，中央銀行のほうが市場の参加者よりもすぐれているということはないと信じている．そのうえ，彼らの議論によれば，金融政策の手段はバブルをうまく潰すにはあまりにも粗雑であり，そのような方法で使おうとすると，中央銀行が安定的な物価と完全雇用という主要な目的を達成する能力を弱体化させる可能性があるというのである．

もう1つの論争点は規制に関するものである．一部の経済学者が主張するのは，金融機関をより用心深く規制することで，むこうみずなリスクテイキングの行動と金融危機の可能性を減らすことができるという点である．他の経済学者が信じているのは，金融規制は実行することが難しくて回避されやすく，また金融システムが実際よりも安全であるという誤った期待を公衆に与えがちであるという点である．そのうえ，行き過ぎた規制は，金融システムが資本とリスクを効率的に配分するという仕事を行うのを妨げ，それによ

って長期の経済成長も妨げられる可能性がある.

問題3：インフレーションはどれほどコストがかかるのか，また，インフレ率の引下げにはどれほどコストがかかるのか

物価が上昇しているときにはいつでも，政策立案者はインフレーションを引き下げる政策をとるべきかどうかという問題に直面する. これを決定するため，彼らはインフレーションが現行の率で続くコストとそれを引き下げるコストを比較しなければならない. 残念ながら，経済学者はどちらのコストも正確に見積もることができない.

インフレーションの費用は，経済学者と一般人の間で意見が分かれることが多い話題である. 1970年代の終わりにインフレ率が年率10％に達したとき，世論調査によると人々はインフレーションを主要な問題とみていた. しかし，第I巻第5章でみたように，経済学者がインフレーションの社会的コストとしてどのようなものがあるかを明らかにしようとするとき，彼らが示すことができるのはせいぜい靴底コスト，メニュー・コスト，物価スライドされていない税制の費用を含むいくつかのコストである. これらのコストは，インフレーションが高いときには大きいが，ほとんどの主要な経済で最近経験されているような年率2％ないし4％程度の適度なインフレ率の下では比較的小さいであろう. 一般の人々はインフレーションそのものを，インフレーションと同時に起こる他の問題と混同しているのだと一部の経済学者は信じている. たとえば，1970年代に生産性と実質賃金の成長が減速したとき，一般の人たちは，インフレーションを実質賃金の減速の原因とみなしたのかもしれないというのである. しかし，経済学者が誤っているかもしれない. おそらく，インフレーションは非常にコストがかかるのだが，われわれ経済学者がなぜそうなるのかという問題をまだ解決していないのかもしれないのである.

また，ある程度のインフレーションは望ましいということもありうる. 労働者が名目賃金の削減に対して抵抗する場合には，インフレーションは，労働の供給と需要の均衡をもたらすために必要なときに実質賃金を容易に下落させる. すなわち，インフレーションは労働市場で「事を円滑に運ぶ」かもしれない. そのうえ，インフレ率の上昇はフィッシャー効果を通じて名目利

子率を上昇させ、そして名目利子率の上昇は、経済を刺激するために必要なときに、中央銀行が利子率を引き下げる余地を大きくする。換言すれば、インフレ率が高くなると、中央銀行が名目利子率のゼロの下限に突き当たる可能性が低くなり、流動性の罠のリスクを低下させるであろう。一部の経済学者はこのような議論を用いて、連邦準備は現在の2％のインフレ目標よりもむしろ4％のインフレーションを目指すべきであると提案している。

インフレ率を引き下げるコストは、経済学者たちの間でしばしば意見の不一致をみる問題である。第Ⅰ巻第12章で議論したように、短期のフィリップス曲線で示される標準的な見解では、インフレ率を引き下げるには低産出・高失業の時期が必要となる。この見解によると、インフレ率を引き下げる費用は犠牲率（インフレ率を1％引き下げるために1年間に失われるGDPのパーセントで表される数値）で測られる。しかし、インフレ率を引き下げるコストは犠牲率の推計値で示される大きさよりも小さい可能性があると考える経済学者もいる。第Ⅰ巻第12章で議論された合理的期待アプローチによると、インフレ抑制的な政策が前もって公表され信認を得れば、人々は速やかに期待を調整し、インフレ抑制は景気後退を引き起こすとは限らない。

また他の経済学者は、インフレ率を引き下げるコストは犠牲率の推計値で示される大きさよりも大きいと信じている。第Ⅰ巻第12章で議論された履歴現象の理論は、インフレ抑制政策によって景気後退が生じると、自然失業率が高まる可能性があると示唆している。もしそうであれば、インフレ率を引き下げるコストは一時的な景気後退だけではなく、永続的な高失業水準になる。

インフレーションのコストとインフレ抑制のコストについては議論の余地が残されているため、経済学者が相反するアドバイスを政策立案者に提示することもしばしばある。おそらく、もっと研究が進めば、最適インフレ率とその目標に到達する最善の方法について見解の一致をみることができるであろう。

問題4：政府の財政赤字はどれほど大きな問題か

政府負債は繰り返し論争となる問題であるが、それはとくに近年になって高まってきた。2020年のコロナウイルス感染症の深刻な景気後退の間に、ア

終章　わかっていること，いないこと　　313

メリカの財政赤字は３兆3000億ドルすなわち GDP の約16％まで増加した．これは第２次世界大戦以降にはみられなかった水準である．もっと厄介なのは長期の財政状況である．経済が景気後退から回復すると財政赤字は縮小するだろうが，大量のベビーブーム世代が退職年齢に達し，政府が高齢者に支給する給付金を受給するようになると，それは再び上昇すると予想される．

　たいていの経済学者は，政府負債に関しては伝統的な見解をとっている．この見解によると，政府が財政赤字に陥り国債を発行すると，国民貯蓄は減少し，投資の減少と貿易赤字がもたらされる．長期的には，これは定常状態での資本ストックの縮小と対外債務の拡大につながる．伝統的な見解をとる人たちは，財政赤字が将来の世代に負担を残すと結論する．

　しかし，第Ⅱ巻第６章で論じたように，この評価に懐疑的な経済学者もいる．政府負債についてのリカードの見解を提唱する人たちは，財政赤字は現在課税を将来課税に代替するだけであると強調する．第Ⅱ巻第８章で示された多くの消費の理論が仮定するように，もし消費者が将来を考慮しているならば，自分や自分の子どもの将来における税負担に見合うように現在の貯蓄を行うだろう．これらの経済学者は，財政赤字の水準は経済に対して小さな影響しか及ぼさないと信じている．彼らは，政府支出の決定は重要であるが，その支出が課税で賄われるか国債の販売で賄われるかは２次的な重要性しか持たないと主張する．

　また，他の経済学者たちのなかには，財政政策の従来の指標はあまりにも不完全で役に立たないと主張する人もいる．租税と支出に関する政府の選択は異なる世代に大きな影響を及ぼすにもかかわらず，それらの選択のすべてが政府負債の大きさに反映されるとは限らないのである．たとえば，年金給付の水準と税金の水準は高齢の年金受給者と就業年齢の納税者との厚生に異なる影響を持つが，財政赤字の大きさではこの相違は把握されない．おそらくわれわれは，財政赤字にはより少なく，そして財政政策のより広い世代間への影響により多く焦点を当てるべきなのである．

　近年，数人の優れた経済学者は，利子率が非常に低いという理由により，政策立案者は国債にあまり関心を持つべきでないと提言した．たとえば，2020年には，10年物の財務省証券に対する利子率は１％以下に下落した．インフレは約２％であり続けていたので，実質利子率は負であった．このよう

な状況においては，民間投資のクラウディング・アウトはあまり問題とならないかもしれない．おそらく政府はこの機会を利用してインフラや教育のような公共投資を融資するためにもっと借り入れるべきだろう．

それにもかかわらず，一部の経済学者は政府の債務不履行の可能性に関心を持っている．18世紀においては，アメリカの連邦政府はその負債をつねに履行すべきであるというアレクサンダー・ハミルトンの議論が成功を収めた．しかし2010年代の初期においては，ギリシャや他のいくつかのヨーロッパ諸国はそれを実行しようとして苦しみもがいてきた．2011年8月に，スタンダード＆プアーズはアメリカの国債の信用格付けを最上位のAAA水準から引き下げ，2020年においてもその水準にとどまっていたが，それはハミルトンのルールがアメリカにおいてさえいつか破られるかもしれないということを示唆している．アメリカの政治制度が継続的な財政赤字と戦っているなかで，経済学者と一般の人々のどちらも，持続可能な経路に財政政策を引き戻すために何がなされるべきかについて意見が分かれている．問題がよくわかっている人でも，財政の調整のうちどれだけを税金の引上げから賄い，どれだけを政府支出の削減から賄うべきかについて意見が一致していない．

結　　論

経済学者も政策立案者も，あいまいなものを扱わなければならない．マクロ経済学は現段階においても多くの洞察を提供するが，未解決の問題もまた多い．経済学者にとっての挑戦は，こうした問題に答え，知識を増やしていくことである．政策立案者にとっての挑戦は，すでにある知識を使って経済のパフォーマンスを改善することである．どちらの挑戦も手強いが，手が出ないものではない．

 確認問題解答

第 1 部

第 1 章
1　a　　2　a　　3　d　　4　c　　5　b　　6　c

第 2 章
1　d　　2　b　　3　c　　4　d　　5　a　　6　b

第 3 章
1　d　　2　a　　3　b　　4　d　　5　c　　6　a

第 2 部

第 4 章
1　c　　2　d　　3　c　　4　a　　5　b　　6　b

第 5 章
1　b　　2　c　　3　b　　4　a　　5　d　　6　a

第 6 章
1　c　　2　a　　3　c　　4　b　　5　d　　6　b

第 7 章
1　d　　2　d　　3　b　　4　c　　5　a　　6　b

第 8 章
1　b　　2　c　　3　b　　4　c　　5　d　　6　a

マクロ経済学の基本用語

ア　行

***IS-LM* モデル（*IS-LM* model）**　所与の物価水準において，財市場と貨幣市場との相互作用を分析することにより，総所得水準がどのように決定されるかを示す，総需要のモデル（→ *IS* 曲線，*LM* 曲線）.

***IS* 曲線（*IS* curve）**　財・サービス市場の需給均衡から生じる，利子率と所得との間のマイナス（右下がり）の関係（→ *IS-LM* モデル，*LM* 曲線）.

アウトサイダー（outsiders）　現在雇用されていないために，賃金交渉に何の影響力も持たない労働者（→インサイダー）.

アニマル・スピリッツ（animal spirits）　血気．景気見通しに関する楽観・悲観の外生的な変動のことであり，多くの場合自己実現的でもある．一部の経済学者は，これが投資の水準を左右すると考えている.

安定化政策（stabilization policy）　短期の経済変動を緩和する目的で行われる公共政策.

一般均衡（general equilibrium）　経済のすべての市場が同時に均衡している状態.

移転支払（transfer payments）　財・サービスの提供に対する代価ではない，一方的な政府から個人への支払い．社会保障・福祉関係の給付などがあてはまる（→政府購入）.

インサイダー（insiders）　すでに雇用されており，賃金交渉に対して影響力を持っている労働者（→アウトサイダー）.

インフレーション（inflation）　一般物価水準の上昇（→デフレーション，ディスインフレーション）.

インフレ税（inflation tax）　貨幣の発行によって政府が獲得する収入．貨幣発行収入（seigniorage）とも呼ばれる.

インフレ・ターゲティング（inflation targeting）　中央銀行がインフレ率に関する特定の目標あるいは目標の範囲を発表する金融政策.

インフレ非加速的失業率（NAIRU, non-accelerating inflation rate of unemployment）　インフレを加速させないような失業率.

インフレ率（inflation rate）　物価が上昇する速度（率）.

エクイティ（株式）・ファイナンス（equity finance）　株式市場で株式を発行するなどのように，企業に対する所有権の一部を売却することで，ビジネスに必要な資金を調達する方法.

FF 金利（Federal funds rate）　→フェデラル・ファンド・レート

M1, M2　マネーストックの尺度．番号が大きいほど広義の貨幣の概念である.

***LM* 曲線（*LM* curve）**　実質貨幣残高の需給均衡から導出された，価格水準一定の下での利子率と所得との間のプラス（右上がり）の関係（→ *IS* 曲線，*IS-LM* モデル）.

オイラーの定理（Euler's theorem）　数学法則．生産関数が規模に関して収穫一定で，各生産要素がそれぞれの限界生産力を報酬として支払われた場合に，経済学上の利潤

318　マクロ経済学の基本用語

がゼロであることを示すのに使われる．

オークンの法則（Okun's law）　　失業と実質 GDP との間の負の相関関係．アメリカでは，失業率の 1 ％の低下は実質 GDP の約 2 ％の増大を伴うとされている．

カ 行

会計上の利潤（accounting profit）　　企業の売上のなかで，資本を除くすべての生産要素への支払いがすんだ後に，企業の所有者の手元に残っている金額（→経済学上の利潤，利潤）．

外生変数（exogenous variable）　　モデルが所与として扱う変数．モデルの解とは独立に値が決まっている変数（→内生変数）．

外部ラグ（outside lag）　　政策の実施から経済に効果が及ぶまでにかかる時間（→内部ラグ）．

開放経済（open economy）　　財や資本の国際的取引が自由に行えるような経済（→閉鎖経済）．

拡張政策（expansionary policy）　　総需要，実質所得，雇用を増加させる政策（→引締め政策）．

確率変数（random variable）　　偶然によってその値が決まる変数．

貸付資金（loanable funds）　　資本蓄積をファイナンスするのに利用できる資金のフロー．

可処分所得（disposable income）　　所得から税金を差し引いた残額．

価値貯蔵手段（store of value）　　現在から将来へと購買力を移転するための手段．貨幣の機能の 1 つ（→交換手段，計算単位）．

株式（stock）　　企業の所有権を示す株式．

株式市場（stock market）　　企業の株式が売買される市場．

貨幣（money）　　交換・取引に使われる資産のストック（→商品貨幣，不換紙幣）．

貨幣需要関数（money demand function）　　実質貨幣残高の需要量を決定する要因を示す関数．
例：$(M/P)^d = L(i, Y)$

貨幣乗数（money multiplier）　　マネタリーベースが 1 単位増加したときに，マネーサプライがどれだけ増加するかを表す比率．信用乗数とも呼ばれる．

貨幣数量説（quantity theory of money）　　貨幣量の変化が名目支出の変化を引き起こすことを強調する仮説．

貨幣の所得流通速度（income velocity of money）　　マネーサプライに対する（GDP で測った）国民所得の割合．

貨幣の中立性（neutrality of money, monetary neutrality）　　マネーサプライの変化が実質諸変数に影響を与えないこと（→古典派の二分法）．

貨幣の取引流通速度（transactions velocity of money）　　マネーサプライに対する名目取引総額の割合．

貨幣の流通速度（velocity of money）　　名目総支出額のマネーサプライに対する比率．貨幣が取引に使われて保有者が替わる回数．

貨幣発行収入（seigniorage）　　貨幣発行特権．貨幣発行によって政府が得る収入．インフレ税とも呼ばれる．

マクロ経済学の基本用語　　319

借入制約（borrowing constraint）　　金融機関からの借入額の上限．借りる人にとっては，自分の将来の所得を前もって今日使ってしまう選択の範囲を制限する．流動性制約とも呼ばれる．

カレンシーボード（currency board）　　固定相場制の1つで，中央銀行がその国の通貨の全額をある他の国の通貨で裏づけする制度．

為替レート（exchange rate）　　ある国が世界市場で取引・交換を行う際のレート（→名目為替レート，実質為替レート）．

為替レートの切上げ（revaluation）　　固定為替レート制の下で，中央銀行が自国通貨の価値を引き上げること（→為替レートの切下げ）．

為替レートの切下げ（devaluation）　　固定為替レート制の下で，中央銀行が自国通貨の価値を引き下げること（→為替レートの切上げ）．

為替レートの減価（depreciation）　　外国為替市場において，他の通貨に対してある国の通貨の価値が低下すること（→為替レートの増価）．

為替レートの増価（appreciation）　　外国為替市場において，他の通貨に対してある国の通貨の価値が上昇すること（→為替レートの減価）．

関税（tariff）　　輸入品に課される税．

完全雇用財政赤字（full-employment budget deficit）　　→景気調整財政赤字

既決変数（predetermined variable）　　前期にその値が固定された変数．

危険回避（risk aversion）　　不確実性を好まないこと．

犠牲率（sacrifice ratio）　　インフレ率を1％低下させるために，実質GDPを何％減少させなければならないかを示す比率．

季節調整（seasonal adjustment）　　経済諸変数の変動のなかから，季節変化に伴う規則的な変動部分を取り除くこと．

帰属価値（imputed value）　　市場で売買されていないために市場価格が存在しないような財・サービスに対して，推定された価値．

規模に関して収穫一定（constant returns to scale）　　生産関数の1つの型．すべての生産要素を同じ比率で増加させると，生産量も同じ比率で増加する性質．

逆選択（adverse selection）　　人々自身の選択によって好ましくない選別結果にたどり着くこと．たとえば，効率賃金仮説では，次のような逆選択が生じる．賃金引下げを実施すると質の高い労働者は会社をやめ，質の低い労働者のみがその企業に残ってしまう．

供給ショック（supply shocks）　　総供給曲線をシフトさせる働きを持つ外生的な出来事．

競争（competition）　　非常に多くの個人や企業がおり，いずれの行動も市場価格に影響を与えない状態．

競争的企業（competitive firm）　　市場の大きさに比べて小さい存在であり，市場価格にほとんど影響を与えない企業．

均衡（equilibrium）　　対抗する諸力がバランスしている状態．たとえば，市場における需要と供給のバランス．

銀行資本（bank capital）　　銀行のオーナーが銀行に投下する金融資源．

均衡予算（balanced budget）　　歳入と歳出が等しい政府予算．

均斉成長（balanced growth）　　1人当たり所得，1人当たり資本，実質賃金のような多くの経済変数がすべて同一の率で成長している状態．

金本位制（gold standard）　金〈きん〉が貨幣の役割を果たすか，すべての貨幣が固定レートで金に兌換可能であるような貨幣制度.

金融危機（financial crisis）　金融システムにおける大きな混乱であり，経済における貯蓄主体と借入・投資主体との間を仲介する能力を低下させてしまう.

金融市場（financial markets）　債券市場や株式市場のように，貯蓄者が借り手向けに資金を直接的に提供することができる市場.

金融システム（financial system）　貯蓄をしようと思う者と借入をしようと思う者との間の資金融通を助ける機関群の総称.

金融政策（monetary policy）　マネーサプライに関する中央銀行の意思決定.

金融政策の波及経路（monetary transmission mechanism）　マネーサプライの変化が家計および企業の財・サービスへの支出行動に影響する因果関係の連鎖過程.

金融仲介（financial intermediation）　将来の消費のために現在の所得の一部を貯蓄したい個人から，将来の生産のために現在借金をして投資財を購入したい個人・企業へ資金を融通する過程.

金融仲介機関（financial intermediaries）　銀行などのように，貯蓄者と借り手のマッチングを容易にする機関.

靴底コスト（shoeleather cost）　保有する実質貨幣残高を減らすことに伴うインフレーションのコスト．預金引出しのためにより頻繁に銀行へ行かなければならなくなり，不便だし，靴底もすり減るとのしゃれで命名された.

クラウディング・アウト（crowding out）　拡張的財政政策によって利子率が上昇するために，投資が減少すること.

景気後退（recession）　実質所得が持続的に減少している局面.

景気循環（business cycle）　生産・所得・雇用の経済全体レベルでの変動.

景気調整財政赤字（cyclically adjusted budget deficit）　景気変動が政府購入や税収に及ぼす影響を取り除いたときの財政赤字．生産水準や雇用が自然率水準にあるとして計測した財政赤字をいう．完全雇用財政赤字ともいう.

経済学上の利潤（economic profit）　すべての生産要素への報酬支払いがすんだ後で，企業の所有者に残されている収入額（→会計上の利潤，利潤）.

計算単位（unit of account）　諸価格や会計帳簿が記録されるときの尺度．貨幣の機能の1つ（→交換手段，価値貯蔵手段）.

ケインジアンの交差図（Keynesian cross）　ケインズの『一般理論』の考え方に基づいた所得決定の簡単なモデル．支出の変化が総所得に乗数倍の効果をもたらすことを示す.

ケインジアン・モデル（Keynesian model）　ケインズの『一般理論』の考え方から導出されたモデル．賃金・価格が市場を清算するようには調節されず，総需要が経済の生産・雇用水準を決定するという仮定に基づいたモデル（→古典派モデル）.

限界消費性向（MPC, marginal propensity to consume）　可処分所得が1単位増加したときに，消費が何単位増加するかを示す値.

限界生産力逓減（diminishing marginal product）　生産関数の性質．他の生産要素の投入量を不変に保ったまま，1つの生産要素の投入量のみを増加させたときに，その生産要素の限界生産力が低下していくこと.

減価償却（depreciation）　時間の経過や使用によって，資本ストックが摩耗し減少す

ること．資本減耗ともいう．

現金通貨（currency）　現在発行されている紙幣・硬貨の総計．

現金・預金比率（currency-deposit ratio）　人々が保有しようとする現金通貨と銀行に預ける要求払い預金との比率．

公開市場操作（open-market operation）　マネーサプライを増減させるために，中央銀行が債券（主に国債）を売買すること．

交換手段（medium of exchange）　財・サービスの交換において広く用いられ，受容される財貨．貨幣の機能の1つ（→価値貯蔵手段，計算単位）．

恒常所得（permanent income）　将来にわたって実現し続けると人々が考える所得．所得の正常水準（→変動所得）．

恒常所得仮説（permanent-income hypothesis）　消費理論の1つ．人々は恒常所得に基づいて消費水準を決定し，所得の一時的な変動に直面すると，貯蓄や借入を通じて調整し，消費水準を維持すると考える仮説．

構造的失業（structural unemployment）　賃金の硬直性や職の割当てによる失業（→摩擦的失業）．

硬直価格モデル（sticky-price model）　総供給関数のモデルの1つであり，財・サービス価格の緩慢な調整を重視するもの．

硬直的価格（sticky prices）　調整が緩慢な諸価格のこと．需要と供給の不均衡が生じうる（→伸縮的価格）．

公定歩合（discount rate）　中央銀行が民間銀行へ貸出を行うときの利子率．割引率ともいう．

公的貯蓄（public saving）　政府の収入から政府の支出を差し引いた残額．財政黒字．

行動経済学（behavioral economics）　消費者は合理的ではない複雑な行動をとると考え，心理学を取り入れた経済学の一分野．

購買力平価（説）（PPP, purchasing-power parity）　あらゆる国において財の価格は等しくなければならないとする考え方．この説に従えば，名目為替レートは各国間の物価水準の相違を反映していることになる．

効用（utility）　家計の満足の尺度．

効率市場仮説（efficient markets hypothesis）　資産価格は資産の価値についてのすべての利用可能な公開情報を反映するという理論．

効率賃金仮説（efficiency-wage theories）　実質賃金率の硬直性と失業を説明する仮説．企業は実質賃金率を均衡水準よりも高く維持することによって労働生産性を高め，利潤を上げることができるという考え方．

合理的期待（rational expectation）　将来を予測するにあたって，人々が利用可能なあらゆる情報（政策の現状と見通しに関する情報をも含む）を，最適に使うと想定するアプローチ（→適応的期待）．

国際金融のトリレンマ（impossible trinity）　1つの国が，自由な資本移動，固定相場制，独立した金融政策のすべてを同時に実現することはできないという事実．3目標同時達成の不可能性ともいう．

国内総生産（GDP, gross domestic product）　一国の領土内で稼得された所得総額であり，外国人所有の生産要素が（その領土内で）稼得した所得をも含む．一国の領土内で生産された財・サービスへの支出総額でもある．

322 マクロ経済学の基本用語

国民所得勘定（national income accounting） GDP および多くの関連統計の計測を行う会計体系.

国民所得勘定の恒等式（national income accounts identity） GDP が消費，投資，政府購入，純輸出の合計に等しいことを示す方程式.

国民総生産（GNP, gross national product） 一国の全国民の所得総額であり，海外で使用された（その国民所有の）生産要素の所得をも含む. 国民の財・サービスの産出に対する支出総額でもある.

国民貯蓄（national saving） 国民所得から消費と政府購入を差し引いた残額. 民間貯蓄と公的貯蓄の合計.

個人消費支出デフレーター（PCE deflator） → PCE デフレーター

コストプッシュ・インフレーション（cost-push inflation） 総供給ショックに起因するインフレーション（→ディマンドプル・インフレーション）.

固定為替レート，固定（為替）相場（fixed exchange rate） 中央銀行が一定水準での維持を意図している為替レート. その実現のためには，その水準における自国通貨と外国通貨との売買を中央銀行が継続する意志が必要である（→変動為替レート）.

古典派の二分法（classical dichotomy） 古典派モデルにおける実質諸変数と名目諸変数との間の理論的な分離. 名目諸変数は実質諸変数に影響を与えないという考え方（→貨幣の中立性）.

古典派モデル（classical model） 古典派またはケインズ以前の経済学の考え方に基づく経済モデル. 賃金や価格が市場均衡を達成するように調整され，また金融政策は実質諸変数に影響を与えないという仮定に基づいている（→ケインジアン・モデル）.

コブ＝ダグラス生産関数（Cobb-Douglas production function） 次式で表される生産関数である.
$$F(K, L) = AK^\alpha L^{1-\alpha}$$
K は資本，L は労働を表し，A と α はパラメーターである.

サ 行

債券（bond） 企業・政府など発行者の利子付き負債を表す証書.

最後の貸し手（lender of last resort） 流動性危機の最中にある金融機関に対して貸出を行うという中央銀行の役割のこと.

財政赤字（budget deficit） 政府収入額が支出額よりも少なく，不足している状態.

財政黒字（budget surplus） 政府収入額が支出額よりも多く，超過している状態.

財政政策（fiscal policy） 政府の支出と課税水準に関する選択.

裁定（arbitrage） 鞘とり. 2つの市場の間で，財の価格差がある場合に，その財を安価な市場で購入して，もう一方の市場でより高い価格で販売することによって利益を得ようとする行動のこと.

最適化（optimize） 一定の制約の下で可能な最善の結果を達成すること.

サブプライムローンの借り手（subprime borrower） 所得と資産が少なく，したがって債務不履行の危険の高い借り手.

3目標同時達成の不可能性（impossible trinity） →国際金融のトリレンマ

時間非整合性（time inconsistency） 政策立案者が民間主体の予想に一定の影響を与え

るような政策を予告しておきながら，民間の予想が形成され，その予想に基づいた行動が実施された後に，予告とは異なる政策を実施すること.

時間非整合的な選好（time-inconsistent preferences）　消費者の目的が時間の経過につれて変化し，それにより，過去に作成した計画に従わなくなる可能性.

資金調達制約（financing constraint）　資本ストックの購入にあたって，借入等の諸手段を通して，企業が利用できる資金の上限.

自己資本比率規制（capital requirement）　→資本要件

事後的実質利子率（*ex post* real interest rate）　実現された実質利子率. 名目利子率から現実のインフレ率を引いた差（→事前的実質利子率）.

市場清算（market-clearing），**市場清算モデル**（market-clearing model）　需要と供給が均衡するように諸価格が自由に調整されるという仮定，およびそう仮定するモデル.

自然失業率（natural rate of unemployment）　定常状態における失業率. 長期において経済が回帰していく失業率.

事前的実質利子率（*ex ante* real interest rate）　貸借が発生したときに予想される実質利子率. 名目利子率から期待インフレ率を引いた差（→事後的実質利子率）.

自然率仮説（natural-rate hypothesis）　生産，雇用，失業に総需要の変動が影響を与えるのは短期においてのみであり，それらは長期的には古典派モデルの均衡点へ戻ると考える仮説.

失業保険（unemployment insurance）　失業者が，失業後一定期間にわたって給付を受けることができる政府運営の社会保険制度.

失業率（unemployment rate）　労働力人口に占める失業者の割合.

実質（real）　インフレーションの影響を除去するために，基準時点の価格で測った値（→名目）.

実質貨幣残高（real money balances）　どれだけの財・サービスを購入できるかで表した貨幣残高. 名目貨幣残高を物価水準で割った値（M/P）.

実質為替レート（real exchange rate）　一国の財が他国の財と交換される比率（→為替レート，名目為替レート）.

実質 GDP（real GDP）　ある年に生産された財・サービスの価値を固定された価格で測った GDP.

実質資本コスト（real cost of capital）　物価水準で調整された資本コスト.

実質賃金（real wage）　金額単位ではなく生産物単位で測られた労働への報酬.

実質変数（real variables）　量や相対価格など，物理的単位で測られる変数. 実質 GDP, 実質賃金，実質利子率などがある.

実質利子率（real interest rate）　インフレ調整済みの貯蓄収益率または借入コスト（→名目利子率）.

GDP デフレーター（GDP deflator）　名目 GDP の実質 GDP に対する比率. 一般物価水準の尺度であり，現在生産されている財のバスケットの価格を，同じバスケットの基準年における価格と比較した指数.

自動安定化装置（automatic stabilizer）　裁量的な変更を伴わずに，景気変動を弱める政策. たとえば，所得が減少したときに自動的に税額が減少するような所得税制.

CPI（consumer price index）　→消費者物価指数（CPI）

資本（capital）

1. 生産に用いられる設備・施設等のストック.
2. 設備・施設の蓄積を賄うための資金.

資本の黄金律水準（Golden Rule level of capital） ソローの成長モデルにおいて，1人当たりの消費量（技術進歩を考慮した場合は有効労働単位当たりの消費量）を最大にする1人当たりの資本ストック（技術進歩を考慮した場合は有効労働単位当たりの資本ストック）の定常値のこと.

資本コスト（cost of capital） 資本1単位を1期間保有することで失われる機会費用. 利子，摩耗，資本価格の変化によるキャピタルゲイン（キャピタルロス）を含む.

資本の限界生産力（MPK, marginal product of capital） 資本投入量を1単位だけ追加したときに得られる生産量の増分.

資本のレンタル料（rental price of capital） 資本を1単位借用するために支払わなければならない代価.

資本要件（capital requirement） 規制当局によって義務づけられた銀行の自己資本の最低額. 自己資本比率規制とも呼ばれる.

資本予算（capital budgeting） 財政の負債だけでなく資産をも測定する会計方法.

シャドーバンク（shadow banks） 銀行のように金融仲介機能を持っているが，伝統的な銀行とは違って，（預金保険で元本保証された）預金を受け入れていない金融機関のこと.

就業意欲喪失労働者（discouraged workers） 就職するのが困難であると判断したために，労働市場から撤退した人々.

収束（convergence） 初期の所得水準が異なる経済が，時間の経過とともにより近い所得水準になる傾向.

受容型の政策（accommodating policy） ショックの影響を受け入れることによってそのショックが破壊的なものとなることを防ぐ政策. たとえば，不利な供給ショックに対して，総需要を拡大することにより，ショックの物価への影響は受容せざるをえないことになるが，生産は自然率に維持しようとする政策.

需要ショック（demand shocks） 総需要曲線をシフトさせる働きを持つ外生的な出来事.

循環的失業（cyclical unemployment） 短期的な景気変動に伴う失業. 現実の失業率の自然失業率からの乖離.

純資本流出（net capital outflow） 海外に投資された資金フローの純額. 国内貯蓄から国内投資を引いた差額. 対外純投資ともいう.

順循環的（procyclical） 景気循環の諸局面において，生産，所得，雇用と同じ方向へ変動する性質. 景気後退期に低下し，景気回復期に上昇する性質（→非循環的，反循環的）.

純投資（net investment） 投資から減耗資本の置換えを差し引いた残額. 資本ストックの変化分にあたる.

準備（reserves） 銀行が受け入れた預金のなかで，貸出等に運用しない残額.

準備・預金比率（reserve-deposit ratio） 銀行が要求払い預金のうち準備として積む比率. 預金準備率とも呼ばれる.

準備預金付利（interest on reserves） 銀行が連邦準備に預け金として準備を保有するとき，その準備金に利子を支払うという連邦準備の政策.

マクロ経済学の基本用語　　325

純輸出（net exports）　　輸出から輸入を差し引いたもの.

条件付収束（conditional convergence）　　初期の所得水準は異なるが，類似した経済政策や制度を持つ諸経済が，時間の経過とともにより近い所得水準になる傾向.

小国開放経済（small open economy）　　開放経済のなかで，世界金融市場で決定された利子率を所与とみなすことができるような経済. 小国であるから，その対外的な貸借は世界の金融市場へ有意な影響を与えるにはいたらず，とくに利子率を変動させることはないと想定している（→大国開放経済）.

乗数（multiplier）　　→政府購入乗数，貨幣乗数，租税乗数

消費（consumption）　　消費者が購入する財およびサービス.

消費関数（consumption function）　　消費額の決定要因を示す関係式. たとえば，消費と可処分所得との関係は次式で表される.
$$C=C(Y-T).$$

消費者物価指数（CPI, consumer price index）　　一般物価水準の尺度の1つであり，一群の消費財から構成されるバスケットの価格を，基準年における同一バスケットの価格と比較した指数.

商品貨幣（commodity money）　　そのもの自体に本来の有用性があり，貨幣として用いられなくても価値のある貨幣（→不換紙幣，貨幣）.

ショック（shock）　　総需要曲線や総供給曲線といった経済の諸関係において生じる外生的な変化.

伸縮的価格（flexible prices）　　需要と供給が均衡するように素早く調整される価格（→硬直的価格）.

人的資本（human capital）　　教育のような，人間への投資の蓄積.

信用収縮（credit crunch）　　金融機関の状況が変化して，潜在的借り手が貸付を受けにくくなること.

（貨幣）数量方程式（quantity equation）　　マネーサプライと貨幣の流通速度との積は，名目支出総額に等しくなるという恒等式（$MV=PY$）. 流通速度が安定的であると仮定すると，名目支出総額の決定を説明する式となり，貨幣数量説を表す.

スタグフレーション（stagflation）　　生産水準の低下と物価上昇とが並存する状態. 停滞（stagnation）とインフレーション（inflation）との合成語.

ストック（stock）　　ある時点における数量として測定される変数（→フロー）.

生産関数（production function）　　生産諸要素の投入量が財・サービスの生産量の関係を決めることを表す数学的な関係式.
例：$Y=F(K,L)$

生産要素（factor of production）　　労働や資本のように，財・サービスを生産するのに使用される投入物.

政治的景気循環（political business cycle）　　選挙における勢力拡張を目指すために，経済政策が左右されて，生産・雇用の変動が生じること.

成長会計（growth accounting）　　成長の源泉を分解する実証的な方法であり，技術進歩の速度を測定することを目的とする.

政府購入（government purchases）　　政府による財・サービスの購入. 財政支出から移転支払を除いた残額（→移転支払）.

政府購入乗数（government-purchases multiplier）　　政府購入が1単位変化したときに

326　マクロ経済学の基本用語

総所得がどれだけ変化するかを示す〔訳者注：通常は「財政支出乗数」という用語が使われるが，本テキストにおいてマンキューは，財政支出に関して，政府購入と移転支払とを厳密に区別して，この言葉を使っている〕.

世界利子率（world interest rate）　　世界金融市場で決定される利子率.

先行指標（leading indicators）　　経済全体の生産が変動する以前に変化するので，経済変動の方向を前もって示すような諸変数〔訳者注：複数の指標を総合して指数化すると先行指標指数になる〕.

先行指標指数（index of leading indicators）　　→先行指標

全要素生産性（total factor productivity）　　技術水準の尺度の1つ. 諸投入要素をそれぞれの分配率をウエイトとして組み合わせて1つの合成投入財としたときの，その合成投入財1単位当たりの産出量（→ソローの残差）.

総供給（*AS*, aggregate supply）　　物価水準と企業の総供給量との間の正の関係.

総需要（*AD*, aggregate demand）　　物価水準と総需要量との間の負の関係であり，財市場と貨幣市場の相互作用（同時均衡）から導かれる.

創造的破壊（creative destruction）　　企業者がイノベーションを導入することで一部の既存生産者は不利益を被るが，全体的な経済成長は促進される過程.

租税乗数（tax multiplier）　　税金の変化に対して経済全体の所得がどれだけ変化するかを表した比率.

租税の平準化（tax smoothing）　　政府支出が一時的に多いときや所得が一時的に少ないときに財政赤字を出し，税率を長期的に安定させることを目的とした財政政策.

ソローの残差（Solow residual）　　全要素生産性の成長率. 生産の成長率から投入の成長率（各投入要素成長率を分配率でウエイト付けした加重平均値）を引いた差として計算される（→全要素生産性）.

ソローの成長モデル（Solow growth model）　　貯蓄，人口成長，技術進歩が生活水準やその向上をどのように決定するかを示すモデル.

タ　行

対外純投資（net foreign investment）　　→純資本流出

大国開放経済（large open economy）　　自国利子率を左右できるほど大きな開放経済. 規模が大きいために，世界市場（とくに世界利子率）への影響力を持つような経済（→小国開放経済）.

貸借対照表（balance sheet）　　資産と負債を示した会計表.

弾力性（elasticity）　　ある変数が，他の変数の1％の変化に反応して何パーセント変化するかを示す.

地下経済（underground economy）　　非合法であるか，脱税のために隠れて行われる経済取引.

中央銀行（central bank）　　国内や地域内で金融政策の実施に責任を持つ機関. アメリカの連邦準備（Fed）や日本の日本銀行など.

仲介（intermediation）　　→金融仲介

超過準備（excess reserves）　　民間銀行が，法定準備制度によって要求されている以上に保有している準備.

マクロ経済学の基本用語　　327

貯蓄（saving）　→国民貯蓄，民間貯蓄，公的貯蓄

賃金（wage）　1単位の労働に対して支払われる報酬．

賃金の硬直性（wage rigidity）　労働の需給均衡を実現するようには賃金が調整されないこと．

通貨同盟（monetary union）　共通の通貨を用いて共通の金融政策をとることに合意した経済のグループ．

定常状態（steady state）　経済モデルの中核をなす諸変数が不変である状態．

ディスインフレーション（disinflation）　インフレーションの沈静化あるいはインフレ率の低下（→デフレーション，インフレーション）．

ディマンドプル・インフレーション（demand-pull inflation）　総需要ショックに起因するインフレーション（→コストプッシュ・インフレーション）．

テイラー原理（Taylor principle）　中央銀行は，インフレーションの上昇に対して，名目利子率をそれより大きく引き上げるように反応すべきであるという命題．

テイラー・ルール（Taylor rule）　金融政策の1つのルールであり，中央銀行は利子率を，インフレーションと，産出量の自然水準からの乖離幅との関数として設定するというもの．

適応的期待（adaptive expectation）　人々が何らかの変数に関する予想を立てるときには，その変数の最近の観察値を基礎とすると仮定するアプローチ（→合理的期待）．

デット（負債）・ファイナンス（debt finance）　債券市場での債券発行などのように，借入によってビジネスに必要な資金を調達する手段．

デフレーション（deflation）　一般物価水準の低下（→ディスインフレーション，インフレーション）．

デフレーター（deflator）　→ GDP デフレーター，PCE デフレーター

動学的 *AD-AS* モデル（dynamic model of aggregate demand and aggregate supply）　経済環境や金融政策の変化に対して，産出量やインフレ率が時間の経過とともにどのように変動するかをみるモデル．動学的総供給曲線と動学的総需要曲線からなる．

動学的総供給曲線（*DAS*, dynamic aggregate supply curve）　インフレ率と産出量との右上がりの関係を表す．フィリップス曲線と期待インフレ率から導かれる．

動学的総需要曲線（*DAD*, dynamic aggregate demand curve）　インフレ率と産出量との関係で通常右下がりとなる．財・サービスの需要とフィッシャー方程式および金融政策ルールから導かれる．

投機攻撃（speculative attack）　投資家の認識の変化によってしばしば起こる，固定為替相場を維持できなくするような一国通貨の大量の売り．

投機的バブル（speculative bubble）　資産価格がそのファンダメンタル価値以上に上昇してしまうこと．

投資（investment）　個人や企業が購入する財のなかで，資本ストックの増加となる部分．

投資信託（mutual fund）　株式や債券の分散化されたポートフォリオを持つ金融機関．

投資税額控除（investment tax credit）　企業が新しい資本財を購入すれば税金を減額するという，法人所得税の優遇措置．

投資の *q* 理論（*q* theory of investment）　資本財への支出は，資本の市場価値の置換費用に対する比率（トービンの *q*）に依存して決定されるという仮説．

328 マクロ経済学の基本用語

投資の新古典派モデル（neoclassical model of investment）　投資行動を説明する理論の1つ．投資は資本の限界生産力と資本コストとの乖離に依存すると考える．

トービンの q（Tobin's q）　資本（ストック）の市場価値の置換費用に対する比率．

ドル化（dollarization）　ある国が米ドルを通貨として採用すること．

ナ　行

内生的成長理論（endogenous growth theory）　技術進歩率を内生的に説明しようとする成長理論．

内生変数（endogenous variable）　モデルによって説明される変数．モデルの解によって値が決定される変数（→外生変数）．

内部ラグ（inside lag）　何らかのショックが経済を襲ってから，そのショックに対応する政策が実施されるまでの時間（→外部ラグ）．

ハ　行

ハイパーインフレーション（hyperinflation）　極端に高率のインフレーション．1カ月当たり50%超のインフレーションが典型例．

ハイパワードマネー（high-powered money）　現金通貨と銀行準備の合計．マネタリーベースとも呼ばれる．

パーシェ（価格）指数（Paasche price index）　可変的な財の組合せ（バスケット）に基づいて価格水準を測定する指数（→ラスパイレス（価格）指数）．

反循環的（counter cyclical）　景気循環において生産，所得，雇用などと逆の動きを示す性質．景気後退期に上昇し回復期に低下する性質（→非循環的，順循環的）．

引締め政策（contractionary policy）　総需要や実質所得，雇用を減少させる政策（→拡張政策）．

ピグー効果（Pigou effect）　一般物価水準が低下したときに，実質貨幣残高が増大し，消費者の富も増大するので，消費者の支出が増大すること．

PCE デフレーター（PCE deflator）　名目個人消費の実質個人消費に対する比率として算出される．現在の消費バスケットの購入費用を基準年の消費バスケットの購入費用に比べており，物価水準全般の尺度である．個人消費支出デフレーターともいう．

非循環的（acyclical）　経済全体の景気変動方向と規則的な関係を持たない変動を示す性質（→反循環的，順循環的）．

非対称情報（asymmetric information）　経済取引の一方がもう一方に比べて，関連情報をよりよく知っている状況．

必要準備（reserve requirements）　銀行準備の預金に対する比率の下限を定めた規制．中央銀行が定めて銀行に課している．法定準備制度とも呼ばれる．

100%準備制度（100-percent-reserve banking）　民間銀行が預金全額を準備として保有する制度（→部分準備制度）．

ファイヤセール（投げ売り）（fire sale）　金融危機の最中に，金融機関が保有資産の早期売却に迫られる状況．それらの資産価格の大きな下落をもたらす．

フィッシャー効果（Fisher effect）　1対1の割合で，期待インフレ率が名目利子率を

マクロ経済学の基本用語　　329

引き上げる効果.

フィッシャー方程式（Fisher equation）　　名目利子率が実質利子率と期待インフレ率の和であることを示す方程式.
$i = r + E\pi$.

フィリップス曲線（Phillips curve）　　失業とインフレーションとの間に観察される負の関係. 最近の定式化では，インフレーション，循環的失業，インフレ期待，供給ショック間の関係式となっており，短期総供給曲線から導出される.

フェデラル・ファンド・レート（FF金利）（Federal funds rate）　　銀行が他の銀行に貸付を行うときの翌日物金利.

フォワードガイダンス（forward guidance）　　中央銀行の政策の1つであり，将来の金融行動をアナウンスして長期の利子率に影響を与えることを目的とするもの.

付加価値（value added）　　企業の生産額から中間財の購入額を差し引いた残額.

不換紙幣（fiat money）　　本源的な価値を持たないにもかかわらず，貨幣として使用されているというだけの理由で価値があるような貨幣（→商品貨幣，貨幣）.

不完全情報モデル（imperfect-information model）　　総供給モデルの1つ. 個人はすべての財・サービスの価格を観察することができないために，一般物価水準をつねに正しく把握することはできないという側面を強調するもの.

不況（depression）　　非常に強い景気後退.

負債（デット）デフレーション理論（debt-deflation theory）　　予期しない物価水準の低下によって，借り手から貸し手への実質的な富の移転が生じて，経済全体の総支出の減退を招くという仮説.

部分準備制度（fractional-reserve banking）　　民間銀行が預金の一部分のみしか準備として保有・維持しない制度（→100％準備制度）.

部門間シフト（sectoral shift）　　産業間や地域間で需要の構成が変化すること.

フロー（flow）　　単位時間当たりで測られた変数（→ストック）.

分散投資（diversification）　　収益に関して不完全にしか相関していない資産を保有することでリスクを低下させること.

分配率（factor share）　　総所得のなかで各生産要素に支払われた報酬の割合.

平均消費性向（*APC*, average propensity to consume）　　消費の所得に対する比率（C/Y）.

閉鎖経済（closed economy）　　国際貿易に参加していない経済（→開放経済）.

変動為替レート，変動（為替）相場（floating exchange rate）　　中央銀行が変動を容認しているので，経済状況や経済政策の変化に対応して変化する為替レート（→固定為替レート）.

変動所得（transitory income）　　所得のなかで将来も継続して得られるとは考えられない部分. 現在の実現した所得から正常な所得を差し引いた残額（→恒常所得）.

貿易赤字（trade deficit）　　輸入が輸出を上回る額.

貿易均衡（balanced trade）　　輸出額と輸入額が等しい状態. すなわち，純輸出がゼロの状態.

貿易黒字（trade surplus）　　輸出が輸入を上回る額.

貿易収支（trade balance）　　輸出売上額から輸入支払額を差し引いたもの.

法人所得税（corporate income tax）　　法人企業の会計上の利潤に課せられる税.

330 マクロ経済学の基本用語

法定準備制度（reserve requirements）　→必要準備

マ　行

マクロ経済学（macroeconomics）　経済を全体として研究する分野（→ミクロ経済学）.

マクロ計量経済モデル（macroeconometric model）　定性的な分析にとどまらず，データや統計的手法を用いて，マクロ経済を数量的に説明しようとするモデル.

マクロ・プルーデンス規制（macroprudential regulation）　金融システム全体のリスクに焦点を当てる金融機関規制.

摩擦的失業（frictional unemployment）　失業の一種で，労働者が自分の技能や嗜好に最も適した職を探すのに時間がかかることに起因するもの（→構造的失業）.

マネーサプライ（money supply）　利用可能な貨幣量のことを指す．通常，中央銀行および銀行システムによって決定される.

マネタリズム（monetarism）　マネーサプライの変化が経済変動の主要因であり，安定的なマネーサプライが経済安定を導くと主張する学派.

マネタリーベース（monetary base）　現金通貨と銀行準備の合計．ハイパワードマネーとも呼ばれる.

マンデル＝フレミング・モデル（Mundell-Fleming model）　小国開放経済に適合する *IS-LM* モデル.

ミクロ経済学（microeconomics）　個々の市場や意思決定者を研究する分野（→マクロ経済学）.

ミクロ・プルーデンス規制（microprudential regulation）　個々の金融機関のリスクに焦点を当てる金融機関規制.

民間貯蓄（private saving）　可処分所得から消費を差し引いた額.

名目（nominal）　現在の通貨価値で測った値．インフレーションに関する調整を行っていない値（→実質）.

名目為替レート（nominal exchange rate）　一国の通貨と他国通貨との交換比率（→為替レート，実質為替レート）.

名目 GDP（nominal GDP）　ある年に生産された財・サービスの価値を現在の価格で測った GDP.

名目変数（nominal variables）　貨幣を単位として測られる変数．名目 GDP，名目賃金，名目利子率などがある.

名目利子率（nominal interest rate）　インフレーションに関する調整を行っていない，貯蓄収益率または借入コスト（→実質利子率）.

メニュー・コスト（menu cost）　価格変更に伴う費用.

モデル（model）　現実を単純化して表したもので，しばしば図表や数式を用いて，諸変数がどのように影響し合うかを示す.

モラルハザード（moral hazard）　行動が完全には監視できない状況において，不正直な行動がとられる可能性．たとえば，効率賃金仮説においては，低賃金労働者が職務を怠け，みつかって解雇される危険を冒す可能性がある.

マクロ経済学の基本用語　　331

ヤ　行

有効労働者数（effective number of workers）　　労働者数と個々の労働者の効率性との両方を考慮に入れた労働力の尺度.

輸出（exports）　　外国に販売した財・サービス.

輸入（imports）　　外国から購入した財・サービス.

輸入割当（import quota）　　特定の財の輸入量について，法律で定めた上限.

要求払い預金（demand deposits）　　銀行に預けてある資産のうち，小切手勘定（当座預金）のように取引を実行するために即時に利用できるもの.

要素価格（factor price）　　生産要素1単位当たりに支払われる報酬.

預金準備率（reserve-deposit ratio）　　→準備・預金比率

欲求の二重の一致（double coincidence of wants）　　2人の個人間で相互に相手の欲しい物をちょうど保有しているために，交換が可能な状況.

ラ　行

ライフサイクル仮説（life-cycle hypothesis）　　消費理論の1つ. 人生の諸局面のなかで，高所得局面（たとえば壮年期）から低所得局面（たとえば引退後）への資源移転手段として，貯蓄や借入の役割を重視する仮説.

ラスパイレス（価格）指数（Laspeyres price index）　　固定バスケットに基づいた価格水準の尺度（→パーシェ（価格）指数）.

ランダムウォーク（random walk）　　酔歩. 経時的な変化が予測不能であるような変数の経路.

リアル・ビジネス・サイクル理論（real business cycle theory）　　景気循環は，（技術変化のような）実質的な要因の変化によって説明でき，（マネーサプライのような）名目的な変数の影響は無視できると主張する理論.

リカードの等価命題（Ricardian equivalence）　　消費者には計画性があり，現在の政府負債が将来の税金を意味することを完全に予測しているので，現在借入をしてその負債を将来の増税で返済する政策は，税金を現在増やす政策とまったく同じ効果しか持たないと主張する仮説.

利潤（profit）　　企業所有者の所得. 企業の売上から企業の費用を差し引いた残額（→会計上の利潤，経済学上の利潤）.

利子率（interest rate）　　現在と将来の間で資源が移転されるときの市場価格. 貯蓄の収益率であり，借入のコストでもある.

流動性危機（liquidity crisis）　　健全な銀行が預金者の引出し要求を満たすだけの資金を持っていない状態をいう.

流動性選好理論（theory of liquidity preference）　　ケインズの『一般理論』に基づいた利子率の簡略な理論. 利子率は実質貨幣残高の需要と供給が均衡するように調整されると考える仮説.

流動性の罠（liquidity trap）　　名目利子率がゼロの下限にまで下落してしまい，経済をいっそう刺激することへの金融政策の能力を制限している状態.

流動的（liquid）　　（売却等によって）交換手段（たとえば貨幣）への転換が容易である

こと．取引や支払いへの使用が容易であること．

量的緩和（quantitative easing）　中央銀行の政策の1つであり，長期利子率を低下させることを目的として，長期債券を購入することによって貨幣供給を増加させること．

履歴現象（hysteresis）　過去の歴史が（たとえば，自然失業率などに）持続的な影響を及ぼすこと．

ルーカス批判（Lucas critique）　伝統的な政策分析は，政策の変更が人々の期待に影響を及ぼし，その行動を変化させる点に十分な考慮を払っていない，とする批判．

レバレッジ（leverage）　投資目的で自己資金に加えて借入金を用いること．

連邦準備（Federal Reserve, Fed）　アメリカの中央銀行（日本の場合は日本銀行（Bank of Japan））．

労働市場参加率（labor-force participation rate）　労働可能な人口に占める労働力の割合．

労働増大的技術進歩（labor-augmenting technological progress）　労働の効率性を高めるような生産技術の進歩．

労働の限界生産力（MPL, marginal product of labor）　労働投入量を1単位だけ追加したときに得られる生産量の増分．

労働の効率性（efficiency of labor）　ソローの成長モデルにおいて，労働者の健康，教育，技能，知識を測る変数．

労働保蔵（labor hoarding）　自己の生産物への需要水準が低いときに，対応する生産水準では不必要な労働者を企業が雇用し続けて，需要回復時に備える行為．

労働力（labor force）　就労しているか，職探しをしている人々．

ワ　行

割当（quota）　→輸入割当

割引率（discount rate）　→公定歩合

マクロ経済学の基本英語

【a】

accommodating policy →受容型の政策
accounting profit →会計上の利潤
acyclical →非循環的
AD →総需要
adaptive expectation →適応的期待
adverse selection →逆選択
aggregate demand(AD) →総需要
aggregate supply(AS) →総供給
animal spirits →アニマル・スピリッツ
APC →平均消費性向
appreciation →為替レートの増価
arbitrage →裁定
AS →総供給
asymmetric information →非対称情報
automatic stabilizer →自動安定化装置
average propensity to consume(APC)
→平均消費性向

【b】

balance sheet →貸借対照表
balanced budget →均衡予算
balanced growth →均斉成長
balanced trade →貿易均衡
bank capital →銀行資本
behavioral economics →行動経済学
bond →債券
borrowing constraint →借入制約
budget deficit →財政赤字
budget surplus →財政黒字
business cycle →景気循環

【c】

capital →資本
capital budgeting →資本予算
capital requirement →資本要件，自己資

本比率規制
central bank →中央銀行
classical dichotomy →古典派の二分法
classical model →古典派モデル
closed economy →閉鎖経済
Cobb-Douglas production function →コ
ブ＝ダグラス生産関数
commodity money →商品貨幣
competition →競争
competitive firm →競争的企業
conditional convergence →条件付収束
constant returns to scale →規模に関して
収穫一定
consumer price index(CPI) →消費者物
価指数
consumption →消費
consumption function →消費関数
contractionary policy →引締め政策
convergence →収束
corporate income tax →法人所得税
cost of capital →資本コスト
cost-push inflation →コストプッシュ・
インフレーション
counter cyclical →反循環的
CPI →消費者物価指数
creative destruction →創造的破壊
credit crunch →信用収縮
crowding out →クラウディング・アウト
currency →現金通貨
currency board →カレンシーボード
currency-deposit ratio →現金・預金比率
cyclical unemployment →循環的失業
cyclically adjusted budget deficit →景気
調整財政赤字

【d】

DAD →動学的総需要曲線

334　マクロ経済学の基本英語

DAS　→動学的総供給曲線

debt-deflation theory　→負債（デット）デフレーション理論

debt finance　→デット（負債）・ファイナンス

deflation　→デフレーション

deflator　→デフレーター

demand deposits　→要求払い預金

demand-pull inflation　→ディマンドプル・インフレーション

demand shocks　→需要ショック

depreciation　→為替レートの減価

depreciation　→減価償却

depression　→不況

devaluation　→為替レートの切下げ

diminishing marginal product　→限界生産力逓減

discount rate　→公定歩合，割引率

discouraged workers　→就業意欲喪失労働者

disinflation　→ディスインフレーション

disposable income　→可処分所得

diversification　→分散投資

dollarization　→ドル化

double coincidence of wants　→欲求の二重の一致

dynamic aggregate demand curve　→動学的総需要曲線

dynamic aggregate supply curve　→動学的総供給曲線

dynamic model of aggregate demand and aggregate supply　→動学的 *AD-AS* モデル

【e】

economic profit　→経済学上の利潤

effective number of workers　→有効労働者数

efficiency of labor　→労働の効率性

efficiency-wage theories　→効率賃金仮説

efficient markets hypothesis　→効率市場仮説

elasticity　→弾力性

endogenous growth theory　→内生的成長理論

endogenous variable　→内生変数

equilibrium　→均衡

equity finance　→エクイティ（株式）・ファイナンス

Euler's theorem　→オイラーの定理

ex ante real interest rate　→事前的実質利子率

ex post real interest rate　→事後的実質利子率

excess reserves　→超過準備

exchange rate　→為替レート

exogenous variable　→外生変数

expansionary policy　→拡張政策

exports　→輸出

【f】

factor of production　→生産要素

factor price　→要素価格

factor share　→分配率

Federal funds rate　→フェデラル・ファンド・レート，FF 金利

Federal Reserve (Fed)　→連邦準備

fiat money　→不換紙幣

financial crisis　→金融危機

financial intermediaries　→金融仲介機関

financial intermediation　→金融仲介

financial markets　→金融市場

financial system　→金融システム

financing constraint　→資金調達制約

fire sale　→ファイヤセール（投げ売り）

fiscal policy　→財政政策

Fisher effect　→フィッシャー効果

Fisher equation　→フィッシャー方程式

fixed exchange rate　→固定為替レート，固定（為替）相場

flexible prices　→伸縮的価格

floating exchange rate　→変動為替レート，変動（為替）相場

マクロ経済学の基本英語　335

flow　→フロー

forward guidance　→フォワードガイダンス

fractional-reserve banking　→部分準備制度

frictional unemployment　→摩擦的失業

full-employment budget deficit　→完全雇用財政赤字

【g】

GDP　→国内総生産

GDP deflator　→ GDP デフレーター

general equilibrium　→一般均衡

GNP　→国民総生産

gold standard　→金本位制

Golden Rule level of capital　→資本の黄金律水準

government purchases　→政府購入

government-purchases multiplier　→政府購入乗数

gross domestic product（GDP）　→国内総生産

gross national product（GNP）　→国民総生産

growth accounting　→成長会計

【h】

high-powered money　→ハイパワードマネー

human capital　→人的資本

hyperinflation　→ハイパーインフレーション

hysteresis　→履歴現象

【i】

imperfect-information model　→不完全情報モデル

import quota　→輸入割当

imports　→輸入

impossible trinity　→国際金融のトリレンマ，3目標同時達成の不可能性

imputed value　→帰属価値

income velocity of money　→貨幣の所得流通速度

index of leading indicators　→先行指標指数

inflation　→インフレーション

inflation rate　→インフレ率

inflation targeting　→インフレ・ターゲティング

inflation tax　→インフレ税

inside lag　→内部ラグ

insiders　→インサイダー

interest on reserves　→準備預金付利

interest rate　→利子率

intermediation　→仲介

investment　→投資

investment tax credit　→投資税額控除

IS curve　→ IS 曲線

IS-LM model　→ IS-LM モデル

【k】

Keynesian cross　→ケインジアンの交差図

Keynesian model　→ケインジアン・モデル

【l】

labor-augmenting technological progress　→労働増大的技術進歩

labor force　→労働力

labor-force participation rate　→労働市場参加率

labor hoarding　→労働保蔵

large open economy　→大国開放経済

Laspeyres price index　→ラスパイレス（価格）指数

leading indicators　→先行指標

lender of last resort　→最後の貸し手

leverage　→レバレッジ

life-cycle hypothesis　→ライフサイクル仮説

liquid　→流動的

liquidity crisis　→流動性危機

336 マクロ経済学の基本英語

liquidity trap →流動性の罠
LM curve → *LM* 曲線
loanable funds →貸付資金
Lucas critique →ルーカス批判

【m】

M1 → M1
M2 → M2
macroeconometric model →マクロ計量経済モデル
macroeconomics →マクロ経済学
macroprudential regulation →マクロ・プルーデンス規制
marginal product of capital (*MPK*) →資本の限界生産力
marginal product of labor (*MPL*) →労働の限界生産力
marginal propensity to consume (*MPC*) →限界消費性向
market-clearing →市場清算
market-clearing model →市場清算モデル
medium of exchange →交換手段
menu cost →メニュー・コスト
microeconomics →ミクロ経済学
microprudential regulation →ミクロ・プルーデンス規制
model →モデル
monetarism →マネタリズム
monetary base →マネタリーベース
monetary neutrality →貨幣の中立性
monetary policy →金融政策
monetary transmission mechanism →金融政策の波及経路
monetary union →通貨同盟
money →貨幣
money demand function →貨幣需要関数
money multiplier →貨幣乗数
money supply →マネーサプライ
moral hazard →モラルハザード
MPC →限界消費性向
MPK →資本の限界生産力
MPL →労働の限界生産力

multiplier →乗数
Mundell–Fleming model →マンデル＝フレミング・モデル
mutual fund →投資信託

【n】

NAIRU →インフレ非加速的失業率
national income accounting →国民所得勘定
national income accounts identity →国民所得勘定の恒等式
national saving →国民貯蓄
natural rate of unemployment →自然失業率
natural-rate hypothesis →自然率仮説
neoclassical model of investment →投資の新古典派モデル
net capital outflow →純資本流出
net exports →純輸出
net foreign investment →対外純投資
net investment →純投資
neutrality of money →貨幣の中立性
nominal →名目
nominal exchange rate →名目為替レート
nominal GDP →名目 GDP
nominal interest rate →名目利子率
nominal variables →名目変数
non-accelerating inflation rate of unemployment (NAIRU) →インフレ非加速的失業率

【o】

Okun's law →オークンの法則
100-percent-reserve banking → 100% 準備制度
open economy →開放経済
open-market operation →公開市場操作
optimize →最適化
outside lag →外部ラグ
outsiders →アウトサイダー

マクロ経済学の基本英語　337

【p】

Paasche price index　→パーシェ（価格）指数

PCE deflator　→ PCE デフレーター，個人消費支出デフレーター

permanent income　→恒常所得

permanent-income hypothesis　→恒常所得仮説

Phillips curve　→フィリップス曲線

Pigou effect　→ピグー効果

political business cycle　→政治的景気循環

PPP　→購買力平価（説）

predetermined variable　→既決変数

private saving　→民間貯蓄

procyclical　→順循環的

production function　→生産関数

profit　→利潤

public saving　→公的貯蓄

purchasing-power parity（PPP）　→購買力平価（説）

【q】

q theory of investment　→投資の q 理論

quantitative easing　→量的緩和

quantity equation　→（貨幣）数量方程式

quantity theory of money　→貨幣数量説

quota　→割当

【r】

random variable　→確率変数

random walk　→ランダムウォーク

rational expectation　→合理的期待

real　→実質

real business cycle theory　→リアル・ビジネス・サイクル理論

real cost of capital　→実質資本コスト

real exchange rate　→実質為替レート

real GDP　→実質 GDP

real interest rate　→実質利子率

real money balances　→実質貨幣残高

real variables　→実質変数

real wage　→実質賃金

recession　→景気後退

rental price of capital　→資本のレンタル料

reserve-deposit ratio　→準備・預金比率，預金準備率

reserve requirements　→必要準備，法定準備制度

reserves　→準備

revaluation　→為替レートの切上げ

Ricardian equivalence　→リカードの等価命題

risk aversion　→危険回避

【s】

sacrifice ratio　→犠牲率

saving　→貯蓄

seasonal adjustment　→季節調整

sectoral shift　→部門間シフト

seigniorage　→貨幣発行収入

shadow banks　→シャドーバンク

shock　→ショック

shoeleather cost　→靴底コスト

small open economy　→小国開放経済

Solow growth model　→ソローの成長モデル

Solow residual　→ソローの残差

speculative attack　→投機攻撃

speculative bubble　→投機的バブル

stabilization policy　→安定化政策

stagflation　→スタグフレーション

steady state　→定常状態

sticky prices　→硬直的価格

sticky-price model　→硬直価格モデル

stock　→株式

stock　→ストック

stock market　→株式市場

store of value　→価値貯蔵手段

structural unemployment　→構造的失業

subprime borrower　→サブプライムローンの借り手

supply shocks →供給ショック

【t】

tariff →関税
tax multiplier →租税乗数
tax smoothing →租税の平準化
Taylor principle →テイラー原理
Taylor rule →テイラー・ルール
theory of liquidity preference →流動性選好理論
time inconsistency →時間非整合性
time-inconsistent preferences →時間非整合的な選好
Tobin's q →トービンの q
total factor productivity →全要素生産性
trade balance →貿易収支
trade deficit →貿易赤字
trade surplus →貿易黒字
transactions velocity of money →貨幣の取引流通速度
transfer payments →移転支払
transitory income →変動所得

【u】

underground economy →地下経済
unemployment insurance →失業保険
unemployment rate →失業率
unit of account →計算単位
utility →効用

【v】

value added →付加価値
velocity of money →貨幣の流通速度

【w】

wage →賃金
wage rigidity →賃金の硬直性
world interest rate →世界利子率

索 引

＊太字はキーワードとしてとりあげたページを指す．

A to Z

AD → 総需要
AI → 人工知能
APC → 平均消費性向
AS → 総供給
CARES 法 → コロナウイルス支援・救済・経済保障
COLA → 物価スライド条項
CP → 短期社債
CPI → 消費者物価指数
ECB → ヨーロッパ中央銀行
FDIC → 連邦預金保険公社
FF 金利 → フェデラル・ファンド・レート
FOMC → 連邦公開市場委員会
GDP → 国内総生産
　実質—— Ⅰ 6, 36-37, 299, 301, 306, Ⅱ 304
　1 人当たり—— Ⅰ 43
　名目—— Ⅰ **36**
　——ギャップ Ⅱ 114
　——デフレーター Ⅰ 38, 50
　——のインプリシット価格デフレーター Ⅰ 38
　——の長期の決定要因 Ⅱ 304
GNP → 国民総生産
IMF → 国際通貨基金
IRA（個人退職口座） Ⅱ 84
IS-LM モデル Ⅰ 319, **346**, 372, Ⅱ 219
　短期の—— Ⅰ 394-396
　長期の—— Ⅰ 394-396
　——におけるショック Ⅰ 386-387
IS 曲線 Ⅰ 346-347, 361-365, 372
　——のシフト Ⅰ 364
　——の導出 Ⅰ 362
　——へのショック Ⅰ 387, 397
IS 方程式 Ⅰ 395
k% ルール Ⅱ 171
LM 曲線 Ⅰ **346**, 365, 369-372

　——のシフト Ⅰ 371
　——へのショック Ⅰ 387, 399
LM 方程式 Ⅰ 395
LRAS → 長期総供給曲線
M1 Ⅰ 132
M2 Ⅰ 132
MBS → 住宅ローン担保証券
MMMF → 短期金融市場投資信託
MPC → 限界消費性向
MPK → 資本の限界生産力
MPL → 労働の限界生産力
NAFTA → 北米自由貿易協定
NAIRU → インフレ非加速的失業率
NINJA ローン Ⅱ 238
NNP → 国民純生産
OJT（オン・ザ・ジョブ・トレーニング） → 職業訓練
OPEC → 石油輸出国機構
PCE デフレーター（個人消費支出デフレーター） Ⅱ **51**
PPI → 生産者物価指数
PPP → 購買力平価
SEC → 証券取引委員会
SRAS → 短期総供給曲線
TAF → 期日物入札型貸出
TED スプレッド Ⅱ 235-236

ア 行

アイディアの枯渇 Ⅱ 77
アインシュタイン，アルバート（Einstein, Albert） Ⅰ 3
アウトサイダー Ⅰ **273**, 503
アカウンタビリティ（説明責任） Ⅱ 173
アカロフ，ジョージ（Akerlof, George A.） Ⅰ 20, 475
アギオン，フィリップ（Aghion, Philippe） Ⅱ 55
悪循環 Ⅱ 236
アジア金融危機 Ⅰ 447
アセモグル，ダロン（Acemoglu, Daron）

340　索　引

Ⅱ92
アニマル・スピリッツ　　Ⅰ **387**, Ⅱ 108,
229
アフリカ系アメリカ人　　Ⅰ 281
アメリカ
——独立戦争　　Ⅰ 167
——と中国の貿易　　Ⅰ 118-119
——における成長会計　　Ⅱ 75
アメリカ経済
——のインフレ率　　Ⅰ 7, 9
——の失業率　　Ⅰ 7, 10
——の1人当たり GDP　　Ⅰ 6-7
——の歴史的パフォーマンス　　Ⅰ 6
アレシナ，アルベルト（Alesina, Alberto）
Ⅰ 289
安定化　　Ⅰ 300, Ⅱ 208
経済——　　Ⅰ 315, Ⅱ 154, 309
——政策　　Ⅰ **326**
安定化効果
デフレーションの——　　Ⅰ 400
暗黙の契約　　Ⅰ 313
遺産　　Ⅱ 204
異世代間の厚生のトレードオフ　　Ⅱ 26
一時帰休（レイオフ）　　Ⅰ 55, 266
一物一価の法則　　Ⅰ 234
一般均衡　　Ⅱ 146
——モデル　　Ⅰ 105
一般物価水準　　Ⅰ 315
移転支払　　Ⅰ 41, 95
イノベーション　　Ⅱ 53-54
医療費負担適正化法（オバマケア）
Ⅱ 191
インサイダー　　Ⅰ **273**, 503
インセンティブ　　Ⅱ 198
——効果　　Ⅰ 356
インデクセーション（物価スライド制）
Ⅰ 181
インド
——と中国における資本と労働のミスア
ロケーション　　Ⅱ 89
——の成長　　Ⅱ 63
インパルス反応関数　　Ⅱ 129
インフレ　→　インフレーション
——修正　　Ⅱ 192
——・スパイラル　　Ⅱ 142, 145

——税　　Ⅰ 156, 166, 178
——・ターゲティング　　Ⅱ 171
——調整　　Ⅰ 97, 179
——非加速的失業率（NAIRU）
Ⅰ **489**
インフレーション（インフレ）　　Ⅰ 48,
155, 330, 489, Ⅱ 114, 305
慣性——　　Ⅰ 489
コア——　　Ⅰ 49
コストプッシュ・——　　Ⅰ **490**
ディス——　　Ⅰ 497, 500
ディマンドプル・——　　Ⅰ **490**
ハイパー——　　Ⅰ **155**, 184, 186, Ⅱ 210,
305
予想外の——　　Ⅰ 180
予想可能な——　　Ⅰ 178
——と失業のトレードオフ　　Ⅱ 181,
306
——と名目為替レート　　Ⅰ 232
——の社会的コスト　　Ⅰ 175
——の費用　　Ⅱ 311
インフレ率　　Ⅰ **6**, 48, 155
アメリカ経済の——　　Ⅰ 7, 9
期待——　　Ⅰ 402, Ⅱ 108
日本経済の——　　Ⅰ 9
目標——　　Ⅰ 409, 493, Ⅱ 112, 133
——を引き下げるコスト　　Ⅱ 312
インフレ連動　　Ⅰ 96
——債　　Ⅰ 181
ヴァン・リーネン，ジョン（Van Reenen,
John）　　Ⅱ 68-69
ウィクセル，クヌート（Wicksell, Knut）
Ⅱ 211
ウィルシャー5000　　Ⅱ 291
ウェーバー，マックス（Weber, Max）
Ⅱ 93
ヴェルドゥ，フランソワ（Velde, François
R.）　　Ⅰ 325
ウォール街　　Ⅱ 219
エクイティ
オーナーの——　　Ⅰ 137
——（株式）・ファイナンス　　Ⅱ **221**
エコノミスト　　Ⅰ 308
オイラーの定理　　Ⅰ **83**
オイルショック

第 1 次―― Ⅰ 331
第 2 次―― Ⅰ 332
日本の―― Ⅰ 332
黄金律
　――定常状態　Ⅱ 21-23
　――定常状態への移行　Ⅱ 23
　――の条件　Ⅱ 20
黄金律水準　Ⅱ 18,25
　資本蓄積の――　Ⅱ 47
　資本の――　Ⅱ 18-19
大きすぎて潰せない　Ⅱ 243
置換率　Ⅰ 265,286
オークン, アーサー（Okun, Arthur M.）
　Ⅰ 306
　――の法則　Ⅰ 304,306-308,487,501,
　Ⅱ 110
汚職　Ⅰ 190
オースティン, ジェイン（Austen, Jane）
　Ⅰ 71
オズの魔法使い　Ⅰ 182
オーナーのエクイティ　Ⅰ 137
オーバーナイト・ローン　→　翌日物貸出
オバマ, バラク（大統領）（Obama,
　Barack）　Ⅰ 5,358-359,407,423,
　Ⅱ 190,288
　――ケア　→　医療費負担適正化法
　――・プラン　Ⅰ 358
オン・ザ・ジョブ・トレーニング（OJT）
　→　職業訓練

カ　行

会計上の利潤　Ⅰ 84
外国為替市場　Ⅰ 249
外国の財政政策　Ⅰ 211,225
外生的技術進歩　Ⅱ 48
外生変数　Ⅰ 11,14
買い手独占力　Ⅰ 116
外部性
　技術的――　Ⅱ 86
外部ラグ　Ⅱ 156
開放経済　Ⅰ 91
　小国――　Ⅰ 207
　大国――　Ⅰ 238,246,251
価格
　基準年――　Ⅰ 37

均衡――　Ⅰ 13-14
硬直的――　Ⅰ 311
伸縮的――　Ⅰ 311
要素――　Ⅰ 76,84
　――ショック　Ⅰ 328
　――の硬直性　Ⅰ 17,312
　――の伸縮性　Ⅰ 17
価格調整
　――のコスト　Ⅰ 313
　――の頻度　Ⅰ 312
価格統制　Ⅰ 190
格差
　所得――　Ⅰ 114, Ⅱ 3,67
　利子率――　Ⅰ 442
　――拡大　Ⅰ 114
学習過程　Ⅱ 86
拡張的な金融政策　Ⅰ 389
格付会社　Ⅱ 238
確率変数　Ⅱ 108
家計調査　Ⅰ 55
貸出審査基準　Ⅱ 231
貸付資金　Ⅰ 98,100, Ⅱ 219
　――市場　Ⅰ 249
過小な資本　Ⅱ 25
過剰な資本　Ⅱ 23
可処分所得　Ⅰ 92,354
　個人――　Ⅰ 47
カーター, ジミー（大統領）（Carter, Jim-
　my）　Ⅰ 5
価値貯蔵手段　Ⅰ 122,186
カッツ, ローレンス（Katz, Lawrence F.）
　Ⅰ 117-118
ガートラー, マーク（Gertler, Mark）
　Ⅱ 144-145
株価指数　Ⅰ 309
株式　Ⅱ 221,289
　――ファイナンス　→　エクイティ・フ
　ァイナンス
株式市場　Ⅱ 289-290
　――の落込み　Ⅰ 389
　――の不安定性（ボラティリティ）
　Ⅰ 406
貨幣　Ⅰ 122,156
　商品――　Ⅰ 124,167
　――の所得流通速度　Ⅰ 159

342　索　引

──の中立性　I **192**,311,II 118
──の取引流通速度　I **158**
──の流通速度　I 316
──量　I 156
貨幣仮説　I 399
──の問題点　I 399
貨幣供給　→　マネーサプライ
貨幣残高
　実質──　I **159**,316,399,401
貨幣市場　I 365,367
貨幣需要　I 367,369
──関数　I **159**,172,369
貨幣乗数　I **140**,143,146
貨幣数量説　I 157,**161**,172,315
貨幣発行収入　I **166**,187
貨幣発行特権　I 166
可変バスケット　I 50
下方スパイラル　II 237
カーライル，トーマス（Carlyle, Thomas）
　I 259
ガリ，ジョルディ（Galí, Jordi）　II 144-
　145
借入制約　II 203,**272**
カーリン，ジョージ（Carlin, George）
　II 185
カルテル　I 331
　国際的石油──　I 329
カレンシーボード　I **453**
為替レート　I 220
　実質──　I **221**-230
　名目──　I **220**,231-232
　──の切上げ　I **439**
　──の切下げ　I **439**
　──の下落　I 221
　──の上昇　I 221
関税　I **227**,230,434
　──制度　II 87
間接金融　II 222
完全雇用財政赤字　→　景気調整財政赤字
完全雇用生産量　I 321
完全な資本移動　I 207
カントリーリスク　I 444
機会主義　II 166
機会費用　I 173,365
危機の予防策　II 244

企業
　競争的──　I **77**
　──固定投資　I 41,II 280
起業家　II 220
既決変数　II **116**
危険回避的　I 181,II **223**
期日物入札型貸出（TAF）　I 142
技術進歩　I 117,162,308,II 4,42,47,73,
　93,308
　外生的──　II 48
　技能偏向的な──　I 117
　公共政策と──　II 94
　人口と──　II 42
　ソロー・モデルにおける──　II 43
　労働増大的──　II 45
　──とソローの成長モデル　II 46
　──の決定要因　II 94
　──の効果　II 46
　──の尺度　II 74
　──を伴う定常状態　II 45
技術的外部性　II 86
技術的ショック　II 78
基準年価格　I 37
規制監督システム　II 247
規制機関　II 238
犠牲率　I **497**,500,II 161
季節調整　I 47
帰属価値　I 35
期待
　合理的──　I **498**,II 111,273
　消費者の──　I 310
　適応的──　I **489**,II 111
　──インフレ率　I 402,II 108
　──デフレーション　I 402
技能偏向的な技術進歩　I 117
技能労働　I 118
　──者　II 116-117,119,285
厳しい財政制約　II 211
規模に関して収穫一定　I 74,86,II 5
逆選択　I **274**,II **225**
キャッシュ・マネジメント　→　現金管理
キャッチアップ　II 15
キャピタルゲイン　I 179
求職　I 55
求人　I 305

索　引　343

9.11テロ事件　Ⅱ190
給与（支払）税　Ⅰ265
供給関数　Ⅰ12
供給曲線　Ⅰ13
供給ショック　Ⅰ**326**,488,Ⅱ110,126-128,136
　　不利な——　Ⅰ329
　　有利な——　Ⅰ329
競争的企業　Ⅰ**77**
競争の欠如　Ⅱ69
協調の失敗　Ⅰ313-314
共通通貨　Ⅰ452
切上げ
　　為替レートの——　Ⅰ**439**
切下げ
　　為替レートの——　Ⅰ**439**
金銀複本位制　Ⅰ182
均衡
　　長期——　Ⅰ394,Ⅱ11,118,226
　　貿易——　Ⅰ**203**
　　——価格　Ⅰ13-14
　　——所得　Ⅰ350-351
　　——数量　Ⅰ14
　　——の変化　Ⅰ15
　　——予算　Ⅰ**95**,Ⅱ167
　　——利子率　Ⅰ98,100,102-103
銀行
　　商業——　Ⅱ221
　　投資——　Ⅱ238
　　——資産　Ⅱ232
　　——資本　Ⅰ**136**,Ⅱ232
　　——の倒産　Ⅰ398
　　——破綻　Ⅱ233
　　——預金　Ⅰ168
均衡財政　Ⅱ208
　　——ルール　Ⅱ211
近視眼性　Ⅱ202
均斉成長　Ⅱ**64**
金本位制　Ⅰ**124**,182
金融
　　間接——　Ⅱ222
　　直接——　Ⅱ221
　　——規制　Ⅱ310
　　——市場　Ⅰ98,Ⅱ**221**
　　——引締め政策　Ⅰ368

金融機関
　　——の規模制限　Ⅱ246
　　——の破綻　Ⅱ232
金融危機　Ⅰ404,Ⅱ**231**,251
　　アジア——　Ⅰ447
　　国際——　Ⅰ445,447
　　2008〜2009年の——　Ⅱ140,234,237,310
　　メキシコの——　Ⅰ445
金融システム　Ⅱ219-**220**
　　——救済　Ⅰ407
金融政策　Ⅰ121,**128**,157,186,300,370,372,431,438,470,Ⅱ108,153,168,309
　　拡張的な——　Ⅰ389
　　非伝統的——　Ⅰ407,409
　　——・財政政策と総需要曲線のシフト　Ⅰ393
　　——と財政政策の相互作用　Ⅰ384
　　——と名目利子率の関係　Ⅰ369
　　——のデザイン　Ⅱ136
　　——の波及経路　Ⅰ**384**
　　——ルール　Ⅱ112,128-129
金融仲介　Ⅰ136
　　——機関　Ⅱ**221**
金利スプレッド　Ⅱ235
勤労所得税額控除　Ⅰ272
クズネッツ，サイモン（Kuznets, Simon）　Ⅱ261,267
靴底コスト　Ⅰ**178**
国の諸制度の質　Ⅱ68
クラウディング・アウト　Ⅰ**101**,382,Ⅱ84,197,208
クラーク，ジョン・ベーツ（Clark, John Bates）　Ⅰ299
グラスリー，チャールズ（Grassley, Charles）　Ⅰ268
クラリダ，リチャード（Clarida, Richard）　Ⅱ144-145
グリーンスパン，アラン（Greenspan, Alan）　Ⅱ209
グリーン・テクノロジー　Ⅱ88
クリントン，ビル（大統領）（Clinton, Bill）　Ⅰ5,217,Ⅱ189,288
クルーグマン，ポール（Krugman, Paul R.）　Ⅰ280,358

グレーサー，エドワード（Glaeser, Edward）　Ⅰ289
クレジットカード　Ⅰ130,327
クレジット・クランチ　→　信用収縮
クレジット・デフォルト・スワップ　Ⅱ243
クレノウ，ピーター・J（Klenow, Peter J.）　Ⅱ89
クレマー，マイケル（Kremer, Michael）　Ⅱ42-43
クローニー資本主義　Ⅰ337,448-449
グローバル化　Ⅰ118
グローバル・サプライチェーン　Ⅰ118
経営の仕方　Ⅱ68
経営の重要性　Ⅱ68
計画支出　Ⅰ348-349
計画投資　Ⅰ348
景気
　——の先行指標　Ⅰ308
　——変動　Ⅰ299
景気後退　Ⅰ7,299,Ⅱ234
　2008～2009年の——　Ⅱ159
景気循環　Ⅰ300,Ⅱ153,195
　政治的——　Ⅱ166
　——の谷　Ⅰ302
　——の山　Ⅰ302
景気調整財政赤字（完全雇用財政赤字）　Ⅱ195-196
経験料率制度
　100％——　Ⅰ266
　部分——　Ⅰ266
経済
　開放——　Ⅰ91
　地下——　Ⅰ36,190,289
　閉鎖——　Ⅰ91
　——の長期的変動　Ⅰ315
　——の投資配分　Ⅱ84
　——予測　Ⅱ157
経済安定化　Ⅰ315,Ⅱ154,309
　——の便益　Ⅱ309
経済学上の利潤　Ⅰ83
経済活動の短期的変動　Ⅰ372
経済産業省　→　通商産業省
経済実績の国際格差　Ⅱ15
経済成長　Ⅱ3

持続的な——　Ⅱ36,47
　自由貿易と——　Ⅱ95
　長期の——　Ⅱ97
　——における制度の役割　Ⅱ91
　——の源泉　Ⅱ70
経済的不平等　Ⅰ285
計算単位　Ⅰ122,186
計上されない債務　Ⅱ194
ゲイツ，ビル（Gates, Bill）　Ⅰ205
ケインジアン
　——の交差図　Ⅰ347-348,350,425-426
　——・モデル　Ⅰ358
ケインジアンのアプローチ　Ⅰ395-396
　国民所得決定に関する——　Ⅰ395
ケインズ，ジョン・メイナード（Keynes, John Maynard）　Ⅰ155-156,345,Ⅱ229,257-263,275,279,303
欠勤率　Ⅰ276
ケネディ，ジョン・F（大統領）（Kennedy, John F.）　Ⅰ355,Ⅱ219,237
減価　Ⅰ221
限界消費性向（MPC）　Ⅰ92,349,353,Ⅱ258
限界生産力　Ⅰ84
　公共資本の——　Ⅱ87
　資本の——（MPK）　Ⅰ82,86,218,Ⅱ6,20,23,85,88
　労働の——（MPL）　Ⅰ78-79,86,89,Ⅱ88
　——逓減　Ⅰ79
減価償却　Ⅰ45,Ⅱ8-10,283
　——率　Ⅱ8-9,20
研究
　——の私的収益　Ⅱ52
　——の社会的収益　Ⅱ52-53
研究開発　Ⅱ52
兼業　Ⅰ60
現金管理（キャッシュ・マネジメント）　Ⅰ185
現金通貨　Ⅰ129
現金・預金比率　Ⅰ139
現実支出　Ⅰ348-349
減税　Ⅰ355,357-358
　レーガン——　Ⅱ207

――および雇用法令　　I 357
建築許可件数　　I 309
原油価格　　I 331
原油供給　　I 331
コア・インフレーション　　I 49
交易条件　　I 221
公開市場操作　　I **128**,141,390
効果ラグ　　II 155
交換手段　　I **123**,186
高給策　　I 276
公共財　　II 52
公共サービス　　I 35
公共資本　　II 85-86
　　――の限界生産力　　II 87
公共政策　　II 64,84,304
　　――と技術進歩　　II 94
工業生産　　I 408
恒常所得　　II **268**
　　――仮説　　II **267**,272-273
交渉力（バーゲニング・パワー）　　I 273
構造的失業　　I **270**
硬直価格モデル　　I **477**,482
硬直性
　　価格の――　　I 17,312
　　賃金の――　　I **269**
　　物価の――　　I 17
硬直的　　I **17**,156
　　――価格　　I 311
公定歩合　　I **142**
公的資金の注入　　II 242-244
公的信用　　II 170
公的貯蓄　　I 73,**99**,II 83
公的負債　　II 170
行動経済学　　II **276**
恒等式　　I 41,158
　　国民所得勘定の――　　I 41,91,202-203,II 7
行動に関する隠された情報　　II 225
購買力　　I 159
購買力平価（PPP）　　I **234**-238
　　――の理論　　I 235
効用　　I 18
効率市場仮説　　II **228**
効率賃金仮説　　I **274**
合理的期待　　I **498**,II 111,273

――（予想）学派　　II 161
――理論　　II **499**
高齢化　　I 59
国際金本位制　　I 437
国際金融危機　　I 445,447
国際金融のトリレンマ（3目標同時達成の不可能性）　　I **454**
国際通貨基金（IMF）　　I 447,449
国際的石油カルテル　　I 329
国際貿易　　I 118
黒死病　　→　ペスト
国内総生産（GDP）　　I **28**,71,301,348,II 3
国富論　　II 95
国民純生産（NNP）　　I 45
国民所得　　I 45,75,83
国民所得勘定　　I **29**
　　――の恒等式　　I **41**,91,202-203,II 7
国民所得決定に関するケインジアンのアプローチ　　I 395
国民所得決定に関する古典派のアプローチ　　I 395
国民総生産（GNP）　　I **45**
国民貯蓄　　I **99**,II 83
個人可処分所得　　I 47
個人消費支出デフレーター　　→　PCEデフレーター
個人所得　　I 46
個人退職口座　　→　IRA
コスト
　　価格調整の――　　I 313
　　靴底――　　I **178**
　　メニュー・――　　I **178**
コストプッシュ・インフレーション　　I **490**
固定ウエイト　　I 50
固定（為替）相場　　I **434**
　　――制　　I 449
固定資本減耗　　I 45
固定バスケット　　I 50
古典派　　I 311
　　――の二分法　　I **191**,311,321,II 118,305
　　――モデル　　I 21,97,314
　　――理論　　I 345-346

346　索　引

古典派のアプローチ　Ⅰ395
　国民所得決定に関する──　Ⅰ395
コブ，チャールズ（Cobb, Charles）
　Ⅰ85
　──＝ダグラス生産関数　Ⅰ85-86,
　218, Ⅱ11, 38, 281
個別リスク　Ⅱ224
雇用
　──なき回復　Ⅰ60
　──法　Ⅱ154
　──補助金　Ⅰ286
　──・利子および貨幣の一般理論
　Ⅰ345, Ⅱ258
雇用者所得　Ⅰ45
ゴールディン，クラウディア（Goldin,
　Claudia）　Ⅰ117-118
コロシオ，ルイス・ドナルド（Colosio,
　Luis Donaldo）　Ⅰ446
コロナウイルス支援・救済・経済保障
　（CARES 法）　Ⅰ336, 338, Ⅱ156
婚姻率　Ⅰ119

サ　行

債券　Ⅱ**221**
債権者　Ⅱ221
在庫　Ⅰ33, 348, 350-351
　──投資　Ⅰ41
最後の貸し手　Ⅰ142, 148, 337, Ⅱ**241**-
　242
　──機能　Ⅱ238
財産権　Ⅱ92
財市場　Ⅰ347
最終財・サービス　Ⅰ32
財政赤字　Ⅰ**73**, 95, Ⅱ83, 313
　景気調整──（完全雇用財政赤字）
　Ⅱ**195**-196
　政府の──　Ⅱ312
　戦争のための──　Ⅱ187
財政改革　Ⅰ187, 189
財政黒字　Ⅰ**73**, 95, Ⅱ84
財政政策　Ⅰ95, 101, 186, 210, 300, 349,
　352, 354, 372, 429, 438, 469, Ⅱ108, 153,
　309
　外国の──　Ⅰ211, 225
　最適な──　Ⅱ208

　自国の──　Ⅰ225
　──の失敗　Ⅰ404
財政制約
　厳しい──　Ⅱ211
財政の黒字化　Ⅱ189
財政問題　Ⅰ189
裁定　Ⅰ**234**
最低賃金　Ⅰ259
　──法　Ⅰ270
最適化　Ⅰ**18**
最適な財政政策　Ⅱ208
債務
　計上されない──　Ⅱ194
　条件付──　Ⅱ195
　──超過　Ⅰ138, Ⅱ232
債務不履行　→　デフォルト
　住宅ローンの──　Ⅰ405
裁量　Ⅱ165
　制約された──　Ⅱ172
搾取的制度　Ⅱ92
サージェント，トマス（Sargent, Thomas
　J.）　Ⅰ498
差し押さえ　Ⅱ232-233
サセルドーテ，ブルース（Sacerdote,
　Bruce）　Ⅰ289
サックス，ジェフリー（Sachs, Jeffrey）
　Ⅱ96
サービス　Ⅰ41
サブサハラ・アフリカの成長　Ⅱ63
サブプライムローンの借り手　Ⅰ**405**,
　Ⅱ231
サプライサイダー　Ⅰ356-357, Ⅱ198
サムエルソン，ポール（Samuelson, Paul）
　Ⅰ21, 379, Ⅱ290
産業政策　Ⅱ86-87
産出の成長とソローの残差　Ⅱ79
参入　Ⅰ281
3 目標同時達成の不可能性　→　国際金融
　のトリレンマ
シアトルの最低賃金の引上げ　Ⅰ271
シェ，チャン-タイ（Hsieh, Chang-Tai）
　Ⅱ89
自営業　Ⅰ60
自営業主所得　Ⅰ46
自家消費　Ⅰ36

時間非整合性　Ⅱ167
時間非整合的な選好　Ⅱ276
事業所調査　Ⅰ59
資金調達制約　Ⅱ293
自己運用業務　Ⅱ247
自国の財政政策　Ⅰ225
事後的実質利子率　Ⅰ171，Ⅱ109
資産価格高騰（ブーム）と暴落（バスト）
　Ⅱ231
支出　Ⅰ28
　計画——　Ⅰ348-349
　現実——　Ⅰ348-349
　総——　Ⅰ301
支出仮説　Ⅰ397-398
市場支配力　Ⅰ116
市場清算　Ⅰ17
　——モデル　Ⅰ17
システマティック・リスク　Ⅱ224
自然産出量　→　自然率生産量
自然失業率　Ⅰ260-263，496，Ⅱ306-308
事前的実質利子率　Ⅰ171，402，Ⅱ109
自然利子率　Ⅱ108，114
　——の低下　Ⅱ116
自然率仮説　Ⅰ502
自然率生産量（自然産出量）　Ⅰ321，394，
　Ⅱ107，307
持続的な経済成長　Ⅱ36，47
失業　Ⅰ260
　構造的——　Ⅰ270
　10代の——　Ⅰ270
　循環的——　Ⅰ486
　摩擦的——　Ⅰ264
　——継続期間　Ⅰ277
　——問題　Ⅰ259
失業者　Ⅰ55，261
　長期——　Ⅰ277，286
失業保険　Ⅰ259，265，267-268，278，309，
　337，Ⅱ308
　——給付　Ⅰ286
　——制度　Ⅰ267-268，286
失業率　Ⅰ6，54-55，259，306
　アメリカ経済の——　Ⅰ7，10
　自然——　Ⅰ260-263，496，Ⅱ306-308
　日本経済の——　Ⅰ10
　ヨーロッパの——　Ⅰ285-290

実質GDP　Ⅰ6，36-37，299，301，306，
　Ⅱ304
実質貨幣残高　Ⅰ159，316，399，401
　——の供給　Ⅰ365
実質為替レート　Ⅰ221-230
実質資本コスト　Ⅱ284
実質賃金　Ⅰ80，89
実質変数　Ⅰ191，312
実質利子率　Ⅰ94，168，409，Ⅱ107-108
　事後的——　Ⅰ171，Ⅱ109
　事前的——　Ⅰ171，402，Ⅱ109
実施ラグ　Ⅱ155
自動安定化装置　Ⅱ157
自動化　Ⅰ115-116
ジニ係数　Ⅰ114
司法制度改革　Ⅱ230
資本　Ⅰ73
　過小な——　Ⅱ25
　過剰な——　Ⅱ23
　銀行——　Ⅰ136，Ⅱ232
　公共——　Ⅱ85-86
　社会的——　Ⅱ94
　人的——　Ⅰ118，219，Ⅱ85
　物的——　Ⅱ85
　——に対して収穫一定　Ⅱ50-51
　——に対する収穫逓減　Ⅱ49
　——の黄金律水準　Ⅱ18-19
　——の限界生産力（MPK）　Ⅰ82，86，
　218，Ⅱ6，20，23，85，88
　——の限界生産力逓減　Ⅱ6
　——の実質レンタル料　Ⅰ82
　——の平均生産力　Ⅰ87
　——のレンタル料　Ⅰ78
資本移動
　完全な——　Ⅰ207
資本強化策　Ⅱ245
資本・産出比率　Ⅱ64
資本資産　Ⅱ193
資本主義経済の発展に関するカール・マル
　クスの理論　Ⅱ65
資本需要　Ⅰ82
資本所得への課税　Ⅱ84
資本ストック　Ⅱ10，15，18
　定常状態の——　Ⅱ21
　労働者1人当たりの——　Ⅱ64

348　索　引

——の破壊　Ⅱ14
資本蓄積　Ⅱ5
　——の黄金律水準　Ⅱ47
資本要件　Ⅰ138
資本予算　Ⅱ193
シムズ，クリストファー（Sims, Christopher A.）　Ⅰ20
社会的コスト
　インフレーションの——　Ⅰ175
社会的資本　Ⅱ94
社会的収益
　研究の——　Ⅱ52-53
社会保険　Ⅰ285
社会保障　Ⅰ47
社会問題　Ⅰ175
若年層　Ⅰ280
シャドーバンク　Ⅱ242,245
シャピロ，マシュー（Shapiro, Matthew D.）　Ⅱ288
ジャンク債　Ⅰ96
就業意欲喪失労働者　Ⅰ55,**282**
就業者　Ⅰ55,261
自由銀運動　Ⅰ182
自由裁量的　Ⅱ154,172
収束　Ⅱ**65**
10代の失業　Ⅰ270
住宅
　——価格　Ⅰ405
　——固定投資　Ⅰ41
　——市場　Ⅰ404
　——投資の減少　Ⅰ398
　——の抵当権行使　Ⅰ405
　——ブーム　Ⅱ231
住宅ローン　Ⅰ405
　——会社　Ⅱ238
　——担保証券（MBS）　Ⅰ405-406
　——の債務不履行　Ⅰ405
自由貿易と経済成長　Ⅱ95
受動的な　Ⅱ154
シュムペーター，ジョセフ（Schumpeter, Joseph）　Ⅱ53-54
受容　Ⅰ331
　——型の政策　Ⅰ331
需要
　貨幣——　Ⅰ367,369

資本——　Ⅰ82
投資——　Ⅰ213,226
労働——　Ⅰ80
　——関数　Ⅰ12
　——-供給モデル　Ⅰ12
　——曲線　Ⅰ13
　——ショック　Ⅰ326-327,Ⅱ107,130-132
シュワルツ，アンナ（Schwartz, Anna J.）　Ⅰ**163**,401
循環的失業　Ⅰ**486**
純資本流出　Ⅰ**202**,246
純投資　Ⅱ284
　対外——　Ⅰ202
準備　Ⅰ133
　超過——　Ⅰ143
　必要——　Ⅰ143
　——・預金比率　Ⅰ134,**139**,143,145
　——預金付利　Ⅰ**143**
準備制度
　100％——　Ⅰ**133**
　部分——　Ⅰ**134**
純輸出　Ⅰ**41**,201
純利子　Ⅰ46
ショー，ジョージ・バーナード（Shaw, George Bernard）　Ⅱ303
商業銀行　Ⅱ221
条件付債務　Ⅱ195
条件付収束　Ⅱ**66**
証券取引委員会（SEC）　Ⅱ247
証券取引所　Ⅱ227
小国開放経済　Ⅰ207
乗数　Ⅰ352-353
　貨幣——　Ⅰ**140**,143,146
　政府購入——　Ⅰ**352**-353
　租税——　Ⅰ**355**
　——効果　Ⅰ353-354
　——の推定　Ⅰ359
消費　Ⅰ**41**,91,302,348
　自家——　Ⅰ36
　定常状態の——　Ⅱ18-19
消費関数　Ⅰ**92**,103,348,Ⅱ6,258
　——の下方へのシフト　Ⅰ398
消費者
　——の確信の低下　Ⅰ406

——の期待　Ⅰ310
消費者物価指数（CPI）　Ⅰ**48**,96,155
商品貨幣　Ⅰ**124**,167
情報
　行動に関する隠された——　Ⅱ225
　——公開　Ⅱ227
　——効率的　Ⅱ228
情報技術の進歩　Ⅱ78
将来世代　Ⅱ204
職業訓練（OJT，オン・ザ・ジョブ・トレーニング）　Ⅰ271,286
　——プログラム　Ⅰ259
職探し　Ⅰ263
職の割当て　Ⅰ270
女性　Ⅱ93-94
ショック　Ⅰ**326**
　IS-LM モデルにおける——　Ⅰ386-387
　IS 曲線への——　Ⅰ387,397
　LM 曲線への——　Ⅰ387,399
　価格——　Ⅰ328
　技術的——　Ⅱ78
　供給——　Ⅰ326,488,Ⅱ110,126-128,136
　需要——　Ⅰ326-327,Ⅱ107,130-132
　総供給——　Ⅰ328
　不利な供給——　Ⅰ329
　有利な供給——　Ⅰ329
所得　Ⅰ28,372,392
　可処分——　Ⅰ**92**,354
　均衡——　Ⅰ350-351
　恒常——　Ⅱ**268**
　国民——　Ⅰ45,75,83
　個人——　Ⅰ46
　個人可処分——　Ⅰ47
　雇用者——　Ⅰ45
　自営業主——　Ⅰ46
　総——　Ⅰ301
　地代——　Ⅰ46
　変動——　Ⅱ**268**
　要素——　Ⅰ45
所得格差　Ⅰ114,Ⅱ3,67
　——の拡大　Ⅰ118
所得税減税のインセンティブ効果　Ⅰ356

所得の不平等　Ⅰ120
　——の拡大　Ⅰ114,118
所得分配　Ⅰ84
所有者　Ⅱ221
ジョンソン，サイモン（Johnson, Simon）　Ⅱ92
ジョンソン，リンドン（大統領）（Johnson, Lyndon B.）　Ⅱ270
シラー，ロバート（Shiller, Robert J.）　Ⅰ21,177
新型コロナウイルス感染症　Ⅰ6,267,299,333,338,Ⅱ308-309
　——による景気後退　→　新型コロナ不況
　——のパンデミック　Ⅱ163,190,250
新型コロナ不況（新型コロナウイルス感染症による景気後退）　Ⅰ299,333,335,Ⅱ156,236,251
新規受注　Ⅰ309
人口
　——と技術進歩　Ⅱ42
人口成長　Ⅱ4,33,38
　——と資本の黄金律水準　Ⅱ37
　——の効果　Ⅱ36
　——率　Ⅱ65
　——を伴う定常状態　Ⅱ34
人工知能（AI）　Ⅰ116
新古典派所得分配論　Ⅰ76
審査基準　Ⅱ234
伸縮性
　価格の——　Ⅰ17
　物価の——　Ⅰ17
伸縮的　Ⅰ**17**,156
　——価格　Ⅰ311
人種差別　Ⅰ281
新常態　Ⅰ90
人的資本　Ⅰ118,219,Ⅱ**85**
信認の低下　Ⅱ233
ジンバブエのハイパーインフレーション　Ⅰ155,189-191
信用収縮（クレジット・クランチ）　Ⅰ326,Ⅱ234
信用創造　Ⅰ134,136,145
信用リスク　Ⅰ96
　——評価　Ⅱ235

350　索　引

水準効果　　Ⅱ16
（貨幣）数量方程式　　Ⅰ**157**
スタイガー，ダグラス（Staiger, Douglas O.）　Ⅰ496
スタインソン，ジョン（Steinsson, Jón）　Ⅰ360
スタグネーション　　Ⅰ330
スタグフレーション　　Ⅰ**330**，Ⅱ128
ストック　　Ⅰ**31**
ストック，ジェームズ（Stock, James H.）　Ⅰ496
ストレス・テスト　　Ⅱ247
スプレッド　　Ⅱ226
スミス，アダム（Smith, Adam）　Ⅱ91，95，97，257
スムート＝ホーリー関税法　　Ⅰ230
スワーゲル，フィリップ（Swagel, Phillip）　Ⅰ268
税額控除　　Ⅰ272
　勤労所得――　　Ⅰ272
　投資――　　Ⅱ**288**
生活水準　　Ⅱ3
　――の国際格差　　Ⅱ4
　――の不平等　　Ⅰ120
生計費　　Ⅰ48
政策
　安定化――　　Ⅰ**326**
　金融――　　Ⅰ121，**128**，157，186，300，370，372，431，438，470，Ⅱ108，153，168，309
　公共――　　Ⅱ64，84，304
　財政――　　Ⅰ**95**，101，186，210，300，349，352，354，372，429，438，469，Ⅱ108，153，309
　産業――　　Ⅱ86-87
　受容型の――　　Ⅰ**331**
　積極的な――　　Ⅱ154
　貿易――　　Ⅰ227，432，440
　マネーサプライを目標とする――　　Ⅰ390
　利子率を目標とする――　　Ⅰ390
　労働市場――　　Ⅰ286
政策委員会（日本銀行）　　Ⅰ128
政策不確実性　　Ⅱ162
　――指数　　Ⅱ163

政策ルール　　Ⅱ154，309
生産
　――企業　　Ⅱ280
　――効率と制度の重要性　　Ⅱ90
　――の効率性　　Ⅱ67
　――・輸出品に課される税　　Ⅰ46
生産関数　　Ⅰ**74**，Ⅱ5，7，48
　コブ＝ダグラス――　　Ⅰ85-**86**，218，Ⅱ11，38，281
生産者物価指数（PPI）　　Ⅰ49
生産性　　Ⅰ274
　全要素――　　Ⅱ**73**-74
　労働――　　Ⅰ274
　――の源泉としてのよい経営　　Ⅱ68
　――の減速　　Ⅱ76-77
　――の成長の減速　　Ⅱ78
生産要素　　Ⅰ**73**
生産量
　完全雇用――　　Ⅰ321
　自然率――　　Ⅰ321，394，Ⅱ107，307
政治的景気循環　　Ⅱ**166**
政治的プロセス　　Ⅱ166
税制　　Ⅰ287
成長
　インドの――　　Ⅱ63
　均斉――　　Ⅱ**64**
　経済――　　Ⅱ3
　サブサハラ・アフリカの――　　Ⅱ63
　人口――　　Ⅱ4，33，38
　長期的――　　Ⅱ124
　貯蓄率と――　　Ⅱ15
　――効果　　Ⅱ16
　――の奇跡（日本とドイツ）　　Ⅱ14-15
成長会計　　Ⅱ**63**，70
　アメリカにおける――　　Ⅱ75
　日本における――　　Ⅱ75
制度の質　　Ⅱ92
政府購入　　Ⅰ**41**，95，101，348，352
　――乗数　　Ⅰ352-353
　――の変更　　Ⅰ380
政府の財政赤字　　Ⅱ312
政府負債　　Ⅱ313
　――に関する伝統的見解　　Ⅱ196
　――に関するリカード派の見解　　Ⅱ200

——の規模　II 186
——の対 GDP 比　II 188
税法　I 179
制約された裁量　II 172
セイラー，リチャード（Thaler, Richard H.）　II 278
世界利子率　I **207**, 440
石油輸出国機構（OPEC）　I 331, 488
世代間の再分配　II 209
世代間の利他主義　II 204
世帯所得の不平等　I 119
石貨　I 126
積極的な政策　II 154
説明責任　→　アカウンタビリティ
説明変数の誤りの問題　II 269
ゼロインフレ・ルール　II 183
ゼロの下限　I 409, II 309
戦間期ドイツのハイパーインフレーション　I 187-189
先行指標　I **308**, II 157
　景気の——　I 308
　——指数　I **308**
先行信用指数　I 310
戦争のための財政赤字　II 187
全米科学財団　II 94
全要素生産性　II **73**-74
増価　I 221
総供給（*AS*）　I **319**
総供給曲線　I 319
　短期——（*SRAS*）　I 319
　長期——（*LRAS*）　I 319
　動学的——　II **119**
総供給ショック　I 328
相互依存関係　II 233
操作変数　II 97
総支出　I 301
総需要（*AD*）　I **315**, 346, II 305
　——-総供給モデル　I 300, 314-315, 346, 372, 396
　——の決定要因　I 391
　——の理論としての *IS-LM*　I 391
総需要曲線　I 316, 372, 391-392
　動学的——　II **121**-122
　——の導出　I 392
総需要曲線のシフト　I 392-393

金融政策・財政政策と——　I 393
総所得　I 301
増税　I 385
総生産量　I 315
創造的破壊　II **53**-54
相対価格　I 178
即時的満足　II 276-277
測定問題　II 76, 192
組織率　I 272
租税　I 101, 354
　——乗数　I **355**
　——の平準化　II 209
　——の変更　I 382
ソブリン危機　II 249-250
ソロー，ロバート（Solow, Robert M.）　I 19, 489, II 5, 78
　——の成長モデル（ソロー・モデル）　II 4-5, 11, 33, 38, 40, 63-65, 81, 197, 226, 277, 308
ソローの残差　II **74**, 78-80
　産出の成長と——　II 79
　短期における——　II 78
ソロー・モデル　→　ソローの成長モデル
　——における技術進歩　II 43
損失関数　II 181

タ 行

第 1 次オイルショック　I 331
第 1 次世界大戦　I 187
第 2 次オイルショック　I 332
対外純投資　I **202**
耐久消費財　I 41
大恐慌　I 146, 345, 396-409, 440, II 154, 158, 162, 188, 231, 293
大国開放経済　I 238, **246**, 251
　——の短期モデル　I 467
　——の貿易政策　I 254
貸借対照表　I **133**
退出　I 281
退職　I 264
対前年同期比　I 302
代替バイアス　I 51, 53
大不況　I 5, 217, 299, 404, 407, 409, 494, II 159, 188, 231
大閉鎖　I 267, 334

352 索 引

大陸ドル　Ⅰ167
ダグラス，ポール（Douglas, Paul）
　　Ⅰ85
短期　Ⅰ311
　――均衡　Ⅰ380,392,Ⅱ123
　――金融市場投資信託（MMMF）
　　Ⅰ131,242
　――社債（CP）　Ⅱ242
　――総供給曲線（SRAS）　Ⅰ319
　――的変動　Ⅰ315
　――におけるソローの残差　Ⅱ78
　――のIS-LMモデル　Ⅰ394-396
　――のマクロ経済理論　Ⅰ380
　――フィリップス曲線　Ⅰ494,Ⅱ306
短期モデル
　大国開放経済の――　Ⅰ467
単純労働　Ⅰ118
　――者　Ⅰ116-117,119,270,285
団体交渉　Ⅰ272,289
担保　Ⅱ232
弾力性　Ⅰ289
地域データ　Ⅰ359
地下経済　Ⅰ36,190,289
知識　Ⅱ50
　特徴についての隠された――　Ⅱ224
　――のストック　Ⅱ51
　――の流出効果　Ⅱ86
地代所得　Ⅰ46
知的所有権　Ⅱ95
中央銀行　Ⅰ121,128,157,189,365,
　　383-386
　ヨーロッパ――　Ⅰ451,Ⅱ139,250
　――貸出　Ⅰ142
　――独立性指数　Ⅱ174
　――の独立性　Ⅱ174
中間財　Ⅰ34
中高年男性　Ⅰ280
中国の通貨論争　Ⅰ455
中古品　Ⅰ33
超過準備　Ⅰ143
長期　Ⅰ311
　――均衡　Ⅰ394,Ⅱ11,118,226
　――失業者　Ⅰ277,286
　――総供給曲線（LRAS）　Ⅰ319
　――停滞　Ⅱ261

　――的成長　Ⅱ124
　――のIS-LMモデル　Ⅰ394-396
　――の経済成長　Ⅱ97
長子相続　Ⅱ69
長短金利差　Ⅰ310
直接金融　Ⅱ221
貯蓄　Ⅰ99,Ⅱ4
　公的――　Ⅰ73,99,Ⅱ83
　国民――　Ⅰ99,Ⅱ83
　民間――　Ⅰ99,Ⅱ83-84
　――の不足　Ⅱ83
貯蓄関数　Ⅰ103
貯蓄率　Ⅱ7-8,15,65
　――と黄金律　Ⅱ21
　――と経済成長率　Ⅱ16
　――と成長　Ⅱ15
　――の上昇　Ⅱ16
　――の評価　Ⅱ81
地理が制度に与える影響　Ⅱ92
地理的条件　Ⅱ91
賃金　Ⅰ29
　最低――　Ⅰ259
　実質――　Ⅰ80,89
　――の硬直性　Ⅰ269
通貨
　共通――　Ⅰ452
　現金――　Ⅰ129
　――同盟　Ⅰ450,Ⅱ250
通貨論
　中国の――　Ⅰ455
通商産業省（日本，現経済産業省）
　　Ⅱ87
低インフレ政策の公表　Ⅱ168
デイヴィス，スティーヴ（Davis, Steven
　　J.）　Ⅱ162-163
定常状態　Ⅱ11,13
　黄金律――　Ⅱ21-23
　技術進歩を伴う――　Ⅱ45
　人口成長を伴う――　Ⅱ34
　――の資本ストック　Ⅱ21
　――の消費　Ⅱ18-19
　――の比較　Ⅱ17
ディスインフレーション　Ⅰ497,500
低賃金労働　Ⅰ285
ディマンドプル・インフレーション

Ⅰ 490
テイラー，ジョン（Taylor, John B.）
　　Ⅱ 114, 129, 143
　　──原理　Ⅱ 141, 143-144
　　──・ルール　Ⅱ 114-116
適応的期待　Ⅰ 489, Ⅱ 111
適合　→　マッチング
手数料　Ⅱ 226
デットデフレーション理論　→　負債（デット）デフレーション理論
デット（負債）・ファイナンス　Ⅱ 221
デビットカード　Ⅰ 130
デフォルト（債務不履行）　Ⅱ 212, 233
デフレーション（デフレ）　Ⅰ 7, 182
　　期待──　Ⅰ 402
　　──の安定化効果　Ⅰ 400
　　──の不安定化効果　Ⅰ 401
デフレ予想　Ⅰ 403
伝統的な金融・財政政策　Ⅱ 239
ドイツのハイパーインフレーション
　　Ⅰ 155
動学的
　　──AD-AS モデル　Ⅱ 105
　　──確率的一般均衡モデル　Ⅱ 145
　　──総供給曲線　Ⅱ 119
　　──総需要曲線　Ⅱ 121-122
投機攻撃　Ⅰ 453
投機的バブル　Ⅱ 231, 310
統計的不突合　Ⅰ 45
倒産　Ⅰ 264
　　銀行の──　Ⅰ 398
投資　Ⅰ 41, 102, 302, Ⅱ 8
　　企業固定──　Ⅰ 41, Ⅱ 280
　　計画──　Ⅰ 348
　　在庫──　Ⅰ 41
　　住宅固定──　Ⅰ 41
　　純──　Ⅱ 284
　　分散──　Ⅱ 223
　　臨界的──　Ⅱ 35, 45
　　──の q 理論　Ⅱ 289
　　──の新古典派モデル　Ⅱ 280
投資関数　Ⅰ 94
投資銀行　Ⅱ 238
投資財　Ⅰ 92
投資需要　Ⅰ 213, 226

投資信託　Ⅱ 222-223
　　短期金融市場──（MMMF）　Ⅰ 131,
　　242
投資税額控除　Ⅱ 288
投入要素　Ⅰ 29
透明性　Ⅱ 173
　　──の欠如　Ⅱ 234
同類婚　Ⅰ 119
独占力　Ⅰ 116
　　買い手──　Ⅰ 116
特徴についての隠された知識　Ⅱ 224
都市封鎖　Ⅱ 163
土地改革　Ⅰ 190
特許制度　Ⅱ 52
ドットコム・ブーム　Ⅱ 189
ドッド＝フランク法　Ⅱ 245-247
トービン，ジェイムズ（Tobin, James）
　　Ⅰ 19, Ⅱ 3, 289
トービンの q　Ⅱ 289-291
　　──理論　Ⅱ 290-291
富の再分配　Ⅰ 180
トランプ，ドナルド（大統領）（Trump,
　　Donald）　Ⅰ 6, 230-231, 357, 423,
　　456, Ⅱ 86, 95, 97, 190, 287
ドル化　Ⅰ 453
トレードオフ
　　異世代間の厚生の──　Ⅱ 26
　　インフレーションと失業の──
　　Ⅱ 181, 306

ナ　行

内生的成長理論　Ⅱ 33, 48, 308
内生変数　Ⅰ 11, 14
内部ラグ　Ⅱ 155
内部留保　Ⅰ 46
長くて可変的なラグ　Ⅱ 155
ナカムラ，エミ（Nakamura, Emi）
　　Ⅰ 360
投げ売り　→　ファイヤセール
ニクソン，リチャード（大統領）（Nixon,
　　Richard）　Ⅰ 5, 491
二国間貿易収支　Ⅰ 205
2008〜2009年の金融危機　Ⅱ 140, 234,
　　237, 310
日本

354　索　引

——における成長会計　Ⅱ75
——のオイルショック　Ⅰ332
日本銀行　Ⅰ128
日本経済
——のインフレ率　Ⅰ9
——の失業率　Ⅰ10
——の1人当たり実質GDP　Ⅰ8
ニュー・エコノミー　Ⅰ90
ニュートン，アイザック（Newton, Isaac）
　Ⅱ52
年金　Ⅰ181
——基金　Ⅱ222

ハ　行

賠償金　Ⅰ187
ハイパーインフレーション　Ⅰ**155**, 184,
　186, Ⅱ210, 305
　ジンバブエの——　Ⅰ155, 189-191
　戦間期ドイツの——　Ⅰ187-189
　ドイツの——　Ⅰ155
　ベネズエラの——　Ⅰ155
ハイパワードマネー　Ⅰ**140**
ハウス，クリストファー（House, Chris-
　topher）　Ⅱ288
バウム，ライマン・フランク（Baum, L.
　Frank）　Ⅰ182
白人　Ⅰ281
バーゲニング・パワー　→　交渉力
破産　Ⅱ224
パーシェ（価格）指数　Ⅰ**50**
バジョット，ウォルター（Bagehot, Wal-
　ter）　Ⅱ251
破綻処理　Ⅱ245
ハミルトン，アレクサンダー（Hamilton,
　Alexander）　Ⅰ167, Ⅱ87, 169-170,
　185, 314
バロー，ロバート（Barro, Robert J.）
　Ⅰ278, 280, Ⅱ204
パンデミック　Ⅰ333, 335, 337, 339
比較優位の原理　Ⅱ95
ピグー，アーサー（Pigou, Arthur）
　Ⅰ400
　——効果　Ⅰ**400**
美人コンテスト　Ⅱ229
非耐久消費財　Ⅰ41

非対称情報　Ⅱ**224**
微調整　→　ファイン・チューニング
ビットコイン　Ⅰ127
必要準備　Ⅰ**143**
非伝統的金融政策　Ⅰ407, 409
人質の解放　Ⅱ167
1人当たりGDP　Ⅰ43
　アメリカ経済の——　Ⅰ6-7
　日本経済の——　Ⅰ8
100%経験料率制度　Ⅰ266
100%準備制度　Ⅰ**133**
ヒューム，デビッド（Hume, David）
　Ⅰ20, 157
非労働力　Ⅰ55
品質　Ⅰ54
ファイヤセール（投げ売り）　Ⅱ**233**
ファイン・チューニング（微調整）
　Ⅱ153
ファニーメイ　Ⅱ238
不安定効果
　デフレーションの——　Ⅰ402
不安定性　Ⅰ300
　株式市場の——　Ⅰ406
フィッシャー，アーヴィング（Fisher,
　Irving）　Ⅰ168, 172, Ⅱ158
　——効果　Ⅰ168-**169**, 368-369, 409,
　Ⅱ174, 305, 311
　——指数　Ⅰ51
　——方程式　Ⅰ**168**, Ⅱ109
フィリップス，A・W（Phillips, A. W.）
　Ⅰ488
フィリップス曲線　Ⅰ476, **486**, Ⅱ109
　短期——　Ⅰ494, Ⅱ306
フーヴァー，ハーバート（大統領）
　（Hoover, Herbert）　Ⅰ230, 440,
　Ⅱ185
フェッド・ウォッチャー　Ⅰ171
フェデラル・ファンド・レート（FF金
　利）　Ⅰ**389**, 407-408, Ⅱ113
フェルドシュタイン，マーティン（Feld-
　stein, Martin）　Ⅱ211
フェルプス，エドマンド（Phelps,
　Edmund）　Ⅰ20, 488
フォード，ジェラルド（大統領）（Ford,
　Gerald）　Ⅰ5

フォード，ヘンリー（Ford, Henry）
　　　Ⅰ275
フォワードガイダンス　　Ⅰ**409**
フォン・ノイマン，ジョン（von Neumann,
　　John）　　Ⅰ20
付加価値　　Ⅰ**34**
不確実性　　Ⅰ181,388，Ⅱ223
不換紙幣　　Ⅰ**123**,125,167
不完全情報モデル　　Ⅰ479,482
ブキャナン，ジェームズ（Buchanan,
　　James）　　Ⅱ211
不況　　Ⅰ**7**
　　大──　　Ⅰ5,217,299,404,407,409,
　　494，Ⅱ188,231
　　メキシコの──　　Ⅰ447
福祉国家　　Ⅰ285
負債　　Ⅱ221
　　公的──　　Ⅱ170
　　政府──　　Ⅱ313
　　──（デット）デフレーション理論
　　　Ⅰ**401**
　　──ファイナンス　→　デット（負債）・
　　ファイナンス
不正行為　　Ⅱ227
双子の赤字　　Ⅰ217
物価
　　──スライド条項（COLA）　　Ⅰ52
　　──スライド制　→　インデクセーショ
　　ン
　　──の硬直性　　Ⅰ17
　　──の伸縮性　　Ⅰ17
　　──の予想された変化　　Ⅰ402
物価指数
　　消費者──（CPI）　　Ⅰ48,96,155
　　生産者──（PPI）　　Ⅰ49
物価水準　　Ⅰ365,391-392
　　一般──　　Ⅰ315
　　──の調整　　Ⅰ394
　　──の変化を伴うマンデル＝フレミン
　　グ・モデル　　Ⅰ456
ブッシュ，ジョージ・H・W（大統領，父）
　　（Bush, George H. W.）　　Ⅰ5,217,
　　Ⅱ189,203
ブッシュ，ジョージ・W（大統領，子）
　　（Bush, George W.）　　Ⅰ5,217,356,

423，Ⅱ189
物的資本　　Ⅱ85
物々交換　　Ⅰ186
不適正な配分　→　ミスアロケーション
不平等　　Ⅰ120
　　経済的──　　Ⅰ285
部分経験料率制度　　Ⅰ266
部分準備制度　　Ⅰ**134**
部門間シフト　　Ⅰ264
ブライアン，ウィリアム・ジェニングス
　　（Bryan, William Jennings）　　Ⅰ182
ブラインダー，アラン（Blinder, Alan S.）
　　　Ⅰ312,314
ブラッグ，ウィリアム・ローレンス
　　（Bragg, William Lawrence）　　Ⅱ105
プラトン（Plato）　　Ⅰ20
フランクリン，ベンジャミン（Flanklin,
　　Benjamin）　　Ⅰ199
フランケル，ジェフリー（Frankel, Jef-
　　frey）　　Ⅱ96
ブランシャール，オリヴィエ（Blanchard,
　　Olivier J.）　　Ⅰ289-290
フリードマン，ベンジャミン（Friedman,
　　Benjamin）　　Ⅱ212
フリードマン，ミルトン（Friedman, Mil-
　　ton）　　Ⅰ19,162-163,187,399,475-
　　476,488，Ⅱ153,171,263,267-270,272
不利な供給ショック　　Ⅰ329
ブルーム，ニコラス（Bloom, Nicholas）
　　　Ⅱ68-69,162-163
プレスコット，エドワード（Prescott, Ed-
　　ward C.）　　Ⅰ287，Ⅱ78
フレディマック　　Ⅱ238
ブレトンウッズ体制　　Ⅰ434,449
フロー　　Ⅰ**31**
フロー循環　　Ⅰ29
　　──図　　Ⅰ30,72,99
文化　　Ⅱ93-94
分散投資　　Ⅱ**223**
ベイカー，スコット（Baker, Scott R.）
　　　Ⅱ162-163
平均消費性向（*APC*）　　Ⅱ**259**
平均生産力
　　資本の──　　Ⅰ87
　　労働の──　　Ⅰ87

356 索 引

閉鎖経済　I 91
ベーシスポイント　II 236
ペスト（黒死病）　I 84
ベトナム戦争　I 491
ベネズエラのハイパーインフレーション
　　I 155
ベビーブーム世代　I 59, 496
変化率　I 39
変数
　外生──　I 11, 14
　確率──　II 108
　既決──　II 116
　実質──　I 191, 312
　操作──　II 97
　内生──　I 11, 14
　名目──　I 191
変動
　短期的──　I 315
　──ウエイト　I 51
　──所得　II 268
　──性　I 181
変動（為替）相場　I 429
　──制　I 449
ホーウィット，ピーター（Howitt, Peter）
　　II 55
貿易赤字　I 203, 214
貿易均衡　I 203
貿易黒字　I 203
貿易収支　I 202, 222
　二国間──　I 205
貿易政策　I 227, 432, 440
　大国開放経済の──　I 254
　保護──　I 227-228
包括的な諸制度　II 92
法人企業利潤　I 46
法人所得税　II 287
法人税　II 287
法の支配　II 92
北米自由貿易協定（NAFTA）　I 446
保険会社　II 222
保護貿易政策　I 227-228
施し　I 285
ポピュリスト　I 182
ホモ・エコノミカス　II 276
ホール，ロバート（Hall, Robert E.）

　　II 273
ボール，ローレンス（Ball, Laurence M.）
　　II 239
ボルカー，ポール（Volcker, Paul）
　　I 368, 492, 500-501
　──とグリーンスパンの金融政策
　　II 144
　──・ルール　II 246
本源的預金　I 135

マ 行

マクロ経済学　I 3
　──の重要性　I 4
マクロ経済理論
　短期の──　I 380
マクロ計量経済モデル　II 157
マクロ・プルーデンス規制　II 248
摩擦的失業　I 264
マッキンリー，ウィリアム（McKinley,
　　William）　I 182
マッチング（適合）　I 263
マディソン，ジェームズ（Madison, James）
　　II 185
マーティン，ウィリアム・マクチェズニー
　　（Martin, William McChesney）
　　II 153
マネーサプライ（貨幣供給）　I 126, 132,
　　139, 145-146, 157, 161, 173, 311, 316,
　　327, 367, 371, II 165
　──の減少　I 404
　──の成長　II 305
　──の増加　I 383
　──を目標とする政策　I 390
マネタリスト　II 170
マネタリーベース　I 139-140, 143
マルクス，カール（Marx, Karl）　I 75
　──主義　I 190
　──の予言　II 65
マルサス，トマス・ロバート（Malthus,
　　Thomas Robert）　II 41-42, 65
　──のモデル　II 41
満足の魅力　II 275
マンデル，ロバート（Mundell, Robert）
　　I 421
マンデル＝フレミング・モデル　I 421-

索　引　357

423,441-443, II 197-198

物価水準の変化を伴う—— I 456
ミクロ経済学　I 18
ミクロ・プルーデンス規制　II 248
ミスアロケーション（不適正な配分）
　　II 88-89
民間貯蓄　I 99, II 83-84
ムガベ，ロバート（Mugabe, Robert）
　　I 189,191
無限等比級数　I 353
名目 GDP　I 36
　——目標制度　II 171
名目為替レート　I 220,231-232
　インフレーションと——　I 232
名目変数　I 191
名目利子率　I 94,156,168,409
　——のゼロの下限　II 312
メキシコの金融危機　I 445
メキシコの不況　I 447
メディケア　II 190-191
メディケイド　II 191
メニュー・コスト　I 178
目標インフレ率　I 409,493, II 112,133
モジリアーニ，フランコ（Modigliani,
　　Franco）　I 19, II 263
モデル　I 11,14,16,18
モラルハザード　I 275, II 225,244-245
モルゲンシュテルン，オスカー
　（Morgenstern, Oskar）　I 20

ヤ　行

家賃　I 35
ヤップ島　I 126
有効求人倍率　I 332
有効投資率　II 39
有効労働者数　II 44
有利な供給ショック　I 329
輸出　I 43
　純——　I 41,201
輸入　I 43
　——割当　I 227,432
ユーロ　I 450-452
ユーロ圏　II 249
ユーロダラー　II 235
要求払い預金　I 129

要素価格　I 76,84
要素所得　I 45
要素の蓄積　II 67
要素分配率　I 114-115
　——の変化　I 116
余暇　I 289
預金
　銀行——　I 168
　本源的——　I 135
　要求払い——　I 129
　——保険　II 245
翌日物貸出（オーバーナイト・ローン）
　　I 389
予算
　均衡——　I 95, II 167
予想外のインフレーション　I 180
予想可能なインフレーション　I 178
予想（期待）の形成　II 160
欲求の二重の一致　I 123
ヨーロッパ中央銀行（ECB）　I 451,
　　II 139,250
ヨーロッパの失業率　I 285-290
401(k)プラン　II 278

ラ・ワ　行

ライフサイクル仮説　II 263,265
ラグ　II 309
　外部——　II 156
　効果——　II 155
　実施——　II 155
　内部——　II 155
　長くて可変的な——　II 155
ラスパイレス　I 50
　——（価格）指数　I 50
ラッダイト　II 54
ランダムウォーク　II 228,273
　——仮説　II 273
リアル・ビジネス・サイクル理論
　　II 78-79
リカード，デビッド（Ricardo, David）
　　II 95,201,206-207,313
　——の等価命題　II 186,200-201,206
利潤　I 29,78
　会計上の——　I 84
　経済学上の——　I 83

法人企業—— I 46
離職 I 260
　——率 I 262
利子率 I **92**,99,367,372,II 221
　均衡—— I 98,100,102-103
　自然—— II 108,114
　実質—— I **94**,168,409,II 107-108
　世界—— I **207**,440
　名目—— I **94**,156,**168**,409
　——格差 I 442
　——と投資の関係 I 361
　——を目標とする政策 I 390
リスク II 222
　カントリー—— I 444
　個別—— II 224
　システマティック・—— II 224
　信用—— I 96
　——・シェアリング II 222
　——テイク II 246
　——フリー II 249
　——プレミアム I 443,449
流通速度
　貨幣の—— I 316
　貨幣の所得—— I **159**
　貨幣の取引—— I **158**
流動性 I 123
　——危機 II **241**
　——資産 I 173
　——選好理論 I **365**-367,369-370
　——の罠 I **408**-409
流動的 I **365**
量的緩和 I 145,**409**
　——策 II 250
履歴現象 I **502**
臨界的投資 II 35,45
ルーカス，ロバート（Lucas, Robert E., Jr.） I 20,481-483,II 63,160
　——批判 II **160**
ルール II 165
　k%—— II 171
　均衡財政—— II 211
　金融政策—— II 112,128-129
　政策—— II 154,309
　ゼロインフレ・—— II 183
　テイラー・—— II 113-116

ボルカー・—— II 246
レイオフ → 一時帰休
レイブソン，デヴィッド（Laibson, David） II 275-276
レーガン，ロナルド（大統領）（Reagan, Ronald） I 5,217,356,II 188
　——減税 II 207
レーニン，ウラジーミル（Lenin, Vladimir） I 155
レバレッジ I **137**,II **232**
　——・レシオ I 137
連鎖ウエイト I 40
　——指数 I 38
レンタル企業 II 280
レンタル料 II 280
　資本の—— I 78
連邦公開市場委員会（FOMC） I 128,390,II 113,173
連邦準備 I 52,**128**,365,389,490,II 113-114,139,153,167,173
　——券 I 128
　——の政策手段 I 389-409
連邦預金保険公社（FDIC） I 148,II 243,247
連邦預金保険制度 I 148,404
労働 I 29,73
　技能—— I 118
　単純—— I 118
　低賃金—— I 285
　——意欲 I 275
　——組合 I 272,289,329
　——時間 I 287,308
　——需要 I 80
　——生産性 I 274
　——増大的技術進歩 II 45
　——の限界生産力（MPL） I **78**-79,86,89,II 88
　——の効率性 II 44,65
　——の平均生産力 I 87
　——保蔵 II 79
労働市場
　——参加率 I **55**
　——政策 I 286
　——の動学モデル I 261
労働者

技能――　I 116-117, 119, 285
　就業意欲喪失―― 　I 55, **282**
　単純―― 　I 116-117, 119, 270, 285
　――支配力 　I 116
　――の質 　II 77
　――1人当たり産出量 　II 6
　――1人当たり資本量 　II 6
　――1人当たりの産出 　II 64
　――1人当たりの資本ストック 　II 64
労働力 　I **55**, 261
　非―― 　I 55
ロジャース，ウィル（Rogers, Will）
　　I 121
ローズベルト，フランクリン（大統領）
　　（Roosevelt, Franklin） 　I 440
ロビンソン，ジェームズ（Robinson,

　James A.） 　II 92
ローマー，デビッド（Romer, David）
　　II 96
ローマー，ポール（Romer, Paul M.）
　　II 33
ロンバード街 　II 251
ワーキング・プア 　I 271
ワグナー，リチャード（Wagner, Richard）
　　II 211
ワシントン，ジョージ（大統領）
　　（Washington, George） 　II 169
ワトソン，マーク（Watson, Mark W.）
　　I 496
ワーナー，アンドリュー（Warner, An-
　drew） 　II 96
悪い経営 　II 69

著者紹介

N・グレゴリー・マンキュー（N. Gregory Mankiw）

　ハーバード大学経済学部のロバート・M・ベレン記念教授.

　プリンストン大学で経済学の勉強を始め，1980年に学士号を取得．MIT で経済学の博士号を取得した後，1985年にハーバード大学で教え始め，1987 年に教授に就任した．ハーバード大学では，学部と大学院の双方でマクロ経済学の講義を担当し，ベストセラーとなった初級教科書『マンキュー経済学』（Cengage Learning 社，邦訳は東洋経済新報社）の著者でもある.

　マンキュー教授は，学術上および政策上の論争にたびたび加わっている. 彼の研究は，マクロ経済学全般にわたっており，価格調整，消費者行動，金融市場，金融・財政政策，経済成長などが含まれている．ハーバード大学での教育・研究に加えて，全米経済研究所（NBER）の研究員，ブルッキングス研究所の経済学関係パネルのメンバー，Urban Institute の理事，（連邦）議会予算局やボストンおよびニューヨーク連邦準備銀行の顧問なども務め，2003年から2005年にかけては大統領経済諮問委員会（CEA）の委員長でもあった.

　マサチューセッツ州ウェルズリー市に，妻のデボラと住んでいる．彼には，キャサリン，ニコラス，ピーターという3人の子がいて，3人とも少なくとも1つの経済学科目を履修した.

【訳者紹介】
足立英之（あだち　ひでゆき）
1940年広島県生まれ. 1963年神戸大学経済学部卒業. 1970年ロチェスター大学Ph.D. 現在, 神戸大学名誉教授.

地主敏樹（ぢぬし　としき）
1959年兵庫県生まれ. 1981年神戸大学経済学部卒業. 1989年ハーバード大学Ph.D. 現在, 関西大学総合情報学部教授. 神戸大学名誉教授.

中谷　武（なかたに　たけし）
1948年兵庫県生まれ. 1971年神戸大学経済学部卒業. 1994年神戸大学経済学博士. 現在, 神戸大学名誉教授.

柳川　隆（やながわ　たかし）
1959年大阪府生まれ. 1984年香川大学経済学部卒業. 1993年ノースカロライナ大学Ph.D. 現在, 摂南大学経済学部教授. 神戸大学名誉教授.

マンキュー　マクロ経済学 Ⅱ　応用篇（第5版）
2024 年 1 月 30 日発行

著　　者──N・グレゴリー・マンキュー
訳　　者──足立英之／地主敏樹／中谷　武／柳川　隆
発行者──田北浩章
発行所──東洋経済新報社
　　　　　〒103-8345　東京都中央区日本橋本石町 1-2-1
　　　　　電話＝東洋経済コールセンター　03(6386)1040
　　　　　https://toyokeizai.net/

装　丁………吉住郷司
印　刷………港北メディアサービス
製　本………大口製本印刷
編集協力………堀　雅子
編集担当………茅根恭子
Printed in Japan　　　ISBN 978-4-492-31559-0
　本書のコピー、スキャン、デジタル化等の無断複製は、著作権法上での例外である私的利用を除き禁じられています。本書を代行業者等の第三者に依頼してコピー、スキャンやデジタル化することは、たとえ個人や家庭内での利用であっても一切認められておりません。
　落丁・乱丁本はお取替えいたします。

日本の8つの主要経済指標

(1) 経済成長率（実質GDP成長率）

(出所) 内閣府.

(2) インフレ率（GDPデフレーター変化率）

(出所) 内閣府.

(3) 失業率（完全失業率）

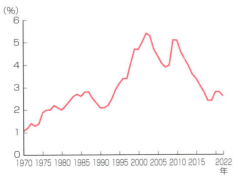

(出所) 総務省.

(4) 名目利子率（10年物国債利回り）

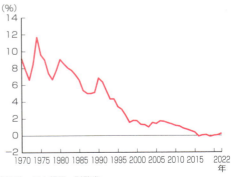

(出所) 日本銀行，財務省.